三少爷的剑

古 龙 著

河南文艺出版社
·郑州·

古龙

1938—1985

作为华语小说界一代宗师，“古龙”二字本身已成为一个文化符号。

古龙以惊人的才华，创作出《小李飞刀》《陆小凤》《楚留香》等七十多部精彩绝伦的经典。这些作品中涌动着永恒的热血、自由和生命力，不仅征服了一代代读者，更引发了巨大的文化浪潮，被无数次改编为影视、游戏、动漫，风靡整个中文世界，半个世纪风行不衰。

古龙为人，像他笔下的英雄们一样，豪气干云、放浪形骸、嗜酒如命、风流倜傥。其传奇一生的尽头，在医生下达严禁饮酒的告诫之后，豪饮三天三夜，大醉归西。

古龙是孤独的，一颗滚烫狂放的自由灵魂，与冷漠的现实世界显得那么格格不入；古龙又是幸运的，无数读者通过他的作品与他成为了知己。

中文世界如果没有古龙，将多么寂寞！没有读过古龙的人生，将多么寂寞！

目　录

第一章

一箭穿心

剑气纵横三万里。

一剑光寒十九洲。

残秋。

木叶萧萧，夕阳满天。

萧萧木叶下，站着一个人，就仿佛已与这大地秋色融为一体。

因为他太安静。

因为他太冷。

一种已深入骨髓的冷漠与疲倦，却又偏偏带着种逼人的杀气。

他疲倦，也许只因为他已杀过太多人，有些甚至是本不该杀的人。

他杀人，只因为他从无选择的余地。

他掌中有剑。

一柄黑鱼皮鞘，黄金吞口，上面缀着十三颗豆大明珠的长剑。

江湖中不认得这柄剑的人并不多，不知道他这个人的也不多。

他的人与剑十七岁时就已名满江湖，如今他年近中年，他已放不下这柄剑，别人也不容他放下这柄剑。

放下这柄剑时，他的生命就要结束。

名声，有时就像是个包袱，一个永远都甩不脱的包袱。

“九月十九，酉时。洛阳城外古道边，古树下。洗净你的咽喉，带着你的剑来！”

酉时日落。

秋日已落，落叶飘飘。

古道上大步走来一个人，鲜衣华服，铁青的脸，一柄长剑斜插在肩后，一双眸子却像是出了鞘的剑，正盯在树下的剑上。

他的脚步沉稳，却走得很快，停在七尺外，忽然问："燕十三？"

"是的。"

"你的夺命十三剑，真的天下无敌？"

"未必。"

这个人笑了，笑得讥诮而冷酷，道："我就是高通，一剑穿心高通。"

"我知道。"

"是你约我来的？"

"我知道你正在找我。"

"不错，我是在找你，因为我一定要杀了你。"

燕十三淡淡道："要杀我的人并不止你一个。"

高通道："因为你太有名，只要杀了你，就可以立刻成名。"

他冷笑着，又道："要在江湖中成名并不容易，只有这法子比较容易。"

燕十三道："很好。"

高通道："现在我已来了，带来了我的剑，洗净了我的咽喉。"

"很好。"

"你的心呢？"

"我的心已死。"

"那么我就让它再死一次。"

剑光一闪，剑已出鞘，闪电般刺向燕十三的心。

一剑穿心。

就只这一剑，他已不知刺穿多少人的心，这本是致命的杀手！

可是他并没有刺穿燕十三的心，他的剑刺出，咽喉突然冰冷。

燕十三的剑已刺入了他的咽喉。

刺入了一寸三分。

高通的剑跌落，人却还没有死。

燕十三道："我只希望你知道，要成名并不是件很好受的事。"

高通瞪着他，眼珠已凸出。

燕十三淡淡道："所以你还不如死了的好。"

他拔出了他的剑，慢慢地从高通咽喉上拔了出来，很慢很慢。

所以鲜血并没有溅在他身上。

这种事他很有经验，衣服若是沾上血腥，很不容易洗干净。

——要洗净手上的血腥岂非更不容易？

暮色更深。

剑上的血已滴尽。

剑入鞘时，暮色中又出现了四个人。

四个人，四柄剑！

四个人的衣着都极华丽，气派都很大，最老的一个须发都已全白，最年轻的犹在少年。

燕十三不认得他们，却知道他们是谁。

年纪最老的成名已四十年，一直在关外，独创的"飞鹰十三刺"名震边陲。

这次他入关，为的就是找燕十三。

他不信他的飞鹰十三刺，比不上燕十三的夺命十三剑。

年纪最轻的，是江湖中的后起之秀，也是点苍门下最出类拔萃的弟子。

他有天才，他肯吃苦。

他的心也够狠。

所以他才出道一年，"无情小子"曹冰的名字已震动了江湖。

另外两个人当然也是高手。

清风剑的剑法轻灵飘忽，剑出如风。

铁剑镇三山的剑法沉稳雄浑，一柄剑竟重达三十三斤。

燕十三知道他们，他们来，本就是他约来的。

四个人的眼睛都在盯着他，谁也没有去看地上的尸体一眼。

他们不愿在出手前，就折了自己的锐气，地上死的无论是什么人，都跟他们没有关系。

只要自己能活着，无论什么人的死活，他们全都不在乎。

燕十三笑了笑，笑容也很疲倦，道："想不到你们都来了。"

关外飞鹰冷冷道："我本来以为你只约了我一个人。"

燕十三淡淡道："能够一次解决的事，为什么要多费事。"

曹冰抢着道："来了四个人，谁先出手？"

他很急。

他急着要成名，急着要杀燕十三。

铁剑镇三山道："我们可以猜拳，胜的就先出手。"

燕十三道："不必。"

铁剑镇三山道："不必？"

燕十三道："你们可以一起出手！"

关外飞鹰怒道："你将我们当作了什么人，怎么能以多欺少！"

燕十三道："你不肯？"

关外飞鹰道："当然不肯。"

燕十三道："我肯！"

他的剑已出鞘。剑光如飞虹掣电，忽然间就已从他们四个人眼前同时闪过。

他们想不肯也不行了。他们的四柄剑也同时出鞘，曹冰的出手最快，最狠，最无情。

关外飞鹰已纵身掠起，凌空下击，飞鹰十三式本就是七禽掌一类的武功，以高击下，以强凌弱。

只可惜他的对手更强。

曹冰霎时间已刺出九剑。他并没有去注意别的人，只盯着燕十三，他唯一的愿望，就是要这个人死在他剑下。

可惜他这九剑都刺空了，本来在他眼前的燕十三，已人影不见。他怔了怔，然后就发现了一件可怕的事。

地上已多了三个死人。

每个人咽喉上都多了一个洞。

关外飞鹰、清风剑、铁剑镇三山，这三位江湖中的一流剑客，竟在一瞬间就都已死在燕十三剑下。

曹冰的手冰冷。他抬起头，才看见燕十三已远远地站在那棵古树下。

杀人的剑已入鞘。

曹冰的手握紧，道："你……"

燕十三打断了他的话，道："我还不想杀你！"

曹冰道："为什么？"

燕十三道："因为我想再给你个机会来杀我。"

曹冰手上的青筋凸起，额上的冷汗如豆，他不能接受这种机会。这是种侮辱。可是他又不愿放弃这机会。

燕十三道："你回去，练剑三年，不妨再来杀我。"

曹冰咬着牙。

燕十三道："点苍的剑法很不错，只要你肯练，一定还有机会。"

曹冰忽然道："三年后你若已死在别人剑下如何？"

燕十三笑了笑，道："那么你就可以去杀那个杀了我的人。"

曹冰恨恨道："你最好多多保重，最好不要死！"

燕十三道："我也希望会如此！"

暮色更深，黑暗已将笼罩大地。

燕十三慢慢地转过身，面对着黑暗最深处，忽然道："你好。"

过了很久，黑暗中果然真的有了回应，道："我不好。"

冰冷的声音，嘶哑而低沉。一个人慢慢地从黑暗中走出来，乌衣乌发，乌鞘的剑，乌黑的脸上仿佛带着种死色，只有一双漆黑的眸子在发光。他走得很慢，可是他整个人都好像是轻飘飘的，他的脚好像根本没有踏在地面上，就像是黑暗中的精灵鬼魂。

燕十三的瞳孔忽然收缩，忽然问："乌鸦？"

"是。"

燕十三长长吐出口气，道："想不到我终于还是遇见了你！"

乌鸦道："遇见我并不是好事。"

真的不是。

乌鸦不是喜鹊，没有人喜欢遇见乌鸦。在很古老的时候，就有种传说——乌鸦来时，必有灾祸。这次他带来的是什么灾祸？

——也许他本身就是灾祸，一种无法避免的灾祸。

既然无法避免，又何必再为它烦恼忧虑？燕十三已恢复冷静。

乌鸦盯着他，盯着他的剑，道："好剑！"

燕十三道："你喜欢剑？"

乌鸦道："我只喜欢好剑，你不但有一手好剑法，还有柄好剑。"

燕十三道："你想要？"

乌鸦道："嗯。"

他的回答率直而干脆。

燕十三笑了。这次他的笑容中已不再有那种疲倦之意，只有杀气！他知道自己终于遇见了真正的对手。

乌鸦道："喜鹊报喜，乌鸦报的却是忧难和灾祸。"

燕十三道："你是来报祸的？"

乌鸦道："是。"

燕十三道："我有灾祸？"

乌鸦道："有。"

燕十三道："我的灾祸就是你？"

乌鸦道："不是。"

燕十三道："不是你是什么？"

乌鸦道："是你的剑！"

匹夫无罪，怀璧其罪。这道理燕十三当然明白，他的名气和他的剑，就像是麝的香、羚羊的角。

乌鸦道："我已收藏了十七柄剑。"

燕十三道："不少。"

乌鸦道："十七柄都是名剑。"

燕十三道："看来你杀的名人也不少。"

乌鸦道："高通和老鹰的剑我要。"

燕十三道："收殓他们的尸身，四柄剑都给你。"

乌鸦道："我只要剑，不要死人！"

燕十三道："可是你只要死人的剑。"

乌鸦道："不错！"

燕十三道："你杀了我，我的剑也给你！"

乌鸦道："当然。"

燕十三道："很好。"

乌鸦道："不好。"

燕十三道："什么不好？"

第二章

时来运转

乌鸦道："现在我还没有把握能杀你！"

燕十三大笑。

他忽然发现这个人果然是个乌鸦，乌鸦至少不会说谎。

乌鸦道："尤其是你刚才刺杀关外飞鹰的那一剑。"

燕十三道："你破不了那一剑。"

乌鸦道："我也想不出有谁能破得了那一剑。"

燕十三道："你认为那已是天下无双的剑法？"

乌鸦道："七大剑派，四大世家中的高手我都见过。"

燕十三道："你觉得他们如何？"

乌鸦道："他们的剑法太保守，对自己的性命看得太重，所以他们不如你。"

燕十三叹了口气，道："你的眼光很不错，见识却不广。"

乌鸦道："哦？"

燕十三道："我就知道有个人，要破我那一剑，易如反掌。"

乌鸦动容道："你见过他的剑法？"

燕十三点点头，叹道："那才真正是天下无双的剑法。"

乌鸦道："这个人是谁？"

燕十三没有直接回答，却伸出了三根指头。

乌鸦道："三手剑金飞？"

据说三手剑与人交手时，就好像有三只手一样，一把剑也好像变成了三把。他的剑法之快，招式变化之多，只听这名字就已可想而知。

燕十三却摇摇头，道："真正要杀人，用不着三只手，也用不着三把剑。"

真正要杀人，一剑就够了。

乌鸦道："你说的不是他？"

燕十三道："不是！"

乌鸦道："是谁？"

燕十三道："是三少爷。"

乌鸦道："哪一家的三少爷？"

燕十三道："翠云峰下，绿水湖前。"

乌鸦的手握紧。

燕十三道："他的那柄剑，也是柄天下无双的宝剑。"

乌鸦的瞳孔在收缩。

燕十三道："可是我劝你千万莫要去见他。"

乌鸦忽然笑了。

他很少笑，他的笑容生涩而怪异。

燕十三道："这句话并不是笑话。"

乌鸦道："我笑的是你。"

燕十三道："哦？"

乌鸦道："你明知我既然已来了，就绝不会放过你。"

燕十三同意。

乌鸦道："我虽然没把握杀你，你也一样没把握能杀我。"

燕十三承认。

乌鸦道："所以你就想激我到翠云峰去，先去跟那位三少爷斗一斗。"

燕十三也笑了！

乌鸦道："这句话是笑话？"

燕十三道："不是，我笑的是我自己。"

乌鸦道："哦？"

燕十三道："因为我的心事，被你一眼就看出来了。"

乌鸦道："现在你不愿跟我交手？"

燕十三道："很不愿意。"

乌鸦道："为什么？"

燕十三道："因为我还有个约会。"

乌鸦道："什么样的约会？"

燕十三道："死约会。"

乌鸦道："约在哪里？"

燕十三道："翠云峰下，绿水湖前。"

乌鸦道："你明知斗不过他，你还要去？"

燕十三道："死约会是不见不散的。"

乌鸦道："难道你是故意去送死？"

燕十三又笑了笑，淡淡道："难道你觉得活着很有趣？"

乌鸦闭上了嘴。

燕十三还在笑，笑容中带着种说不出的讥诮之意，道："练剑的人，迟早总难免要死在别人的剑下，连逃避都无处逃避。"

乌鸦沉默。

燕十三道："我一生杀人无算，若能死在天下第一名家的剑下，死亦无憾了。"

乌鸦看着他，盯着他看了很久，忽然道："好，你去。"

燕十三拱拱手，一句话都不再说，掉头就走。

他并没有走出很远，又停下，因为他发现乌鸦一直在后面跟着。就像是他的影子。

乌鸦也停下，看着他。

燕十三道："我明白你的意思。"

乌鸦道："哦？"

燕十三道："我能去，你为什么不能去？"

乌鸦道："你不笨。"

燕十三道："可是你并不一定要跟着我一起去。"

乌鸦道："一定要。"

燕十三道："为什么？"

乌鸦道："因为我不想错过你们那一战。"

他冷冷地接着道："高手相争，必尽全力，我在旁边看着，一定可以看出你们剑法中的破绽来。"

燕十三叹了口气，道："有理。"

乌鸦道："这一战你们无论是谁胜谁负，最后活着的一个人必定是我。”

燕十三道：“因为那时战胜的人必定也已将力竭，你又已看出他剑法中的破绽，若是想杀他，正是个最好的机会。”

乌鸦道：“所以这机会我怎么能错过？”

燕十三道：“的确不能。”

他又叹了口气，道：“只可惜你还是有一点错了。”

乌鸦道：“哪一点？”

燕十三道：“三少爷的剑法中，根本没有破绽，完全没有！”

现在他们已开始喝酒。

最好的酒楼，最好的酒，他们一直都是派头很大的人。

燕十三道：“杀过人后，我一定要喝酒。”

乌鸦道：“没有杀人，我也喝酒。”

燕十三道：“喝过酒后，我一定要去找女人。”

乌鸦道：“没有喝酒，我也找女人。”

燕十三大笑，道：“想不到你竟是个酒色之徒。”

乌鸦道：“彼此彼此。”

他们喝得真不少。

燕十三道：“你既是个酒色之徒，今天我就让你一次。”

乌鸦道：“让什么？”

燕十三道：“让你付账。”

乌鸦道：“不必让，不客气。”

燕十三道：“这次一定要让，一定要客气。”

乌鸦道：“不必不必。”

燕十三道：“要的要的。”

别人吃饭通常都是抢着付账，他们却是抢着不要付账。

燕十三道：“要杀人时，我身上从不带累赘的东西，免得碍手碍脚！”

乌鸦道：“哦！”

燕十三道：“银子就是最累赘的东西。”

乌鸦同意。

一个人身上若是带了好几百两银子，还怎么能施展出轻灵的身法？

乌鸦道："你可以带银票？"

燕十三道："我讨厌银票。"

乌鸦道："为什么？"

燕十三道："一张银票也不知经过多少人的手传来传去，脏得要命。"

乌鸦道："你剑上的明珠可以拿去换银子。"

燕十三又笑了。

乌鸦道："这是笑话？"

燕十三道："天大的笑话。"

他忽然压低声音，道："这些珠子都是假的，真的我早卖了。"

乌鸦怔住。

燕十三道："所以今天我一定要客气，一定要让你。"

乌鸦道："我若没有跟你来呢？"

燕十三道："那时我当然会有别的法子，可是现在你既然已来了，我又何必再想别的法子？"

乌鸦也笑了。

燕十三道："你笑什么？"

乌鸦道："我笑你找错了人。"

他也压低声音，道："我也跟你一样，今天本来也是准备来杀人的。"

燕十三道："你也讨厌银票？"

乌鸦道："讨厌得要命。"

燕十三也怔住。

乌鸦道："所以我今天也一定要客气，一定要让你。"

燕十三正在叹气，掌柜的忽然走过来，赔笑道："两位都不必客气，两位的账，楼下已经有人付了。"

是谁付的账？为什么要替他们付账？他们根本连想都没有想，问也没有问，对他们来说，这些都不重要。

能够白吃白喝，总是件很令人愉快的事。

一个人在很愉快的时候，喝得也总是要比平时多些。可是他们还没有醉。

就在他们快要开始有点醉的时候，楼下忽然上来了两个女人。两个很好看的女人，打扮得也很好，正是最能让男人动心的那种女人。

快喝醉的时候，总是最容易动心的时候。

燕十三和乌鸦已经动了心，正准备想个法子勾引勾引她们。

谁知道她们根本用不着勾引。她们自己就来了。

“我叫小红。”

“我叫小翠。”

两个人笑得又甜又媚：“我们是特地来伺候两位的。”

燕十三看着乌鸦，乌鸦看着燕十三。

死在他们剑下的人，若是看见他们现在的样子，一定会觉得自己死得很冤枉。

现在他们看起来一点都不像是名满天下、杀人无情的剑客。

小红嫣然道：“两位是想在这里喝酒，还是想到我们那里去都没关系。”

小翠道：“反正两边的账都有人替两位付过了。”

世上虽然有不少好人好事，像这样的好事倒还不多。

乌鸦道：“这是你的运气？还是我的？”

燕十三道：“当然是我的。”

乌鸦道：“为什么？”

燕十三道：“据说一个人快要死的时候，总是会转运的。”

这是第一天。

第二天也一样，不管他们走到哪里，都有人替他们付账。

是谁付的账？为什么？他们还是连问都不问，想也不想。

他们睡得很晚，起身也不早。每天只要他们一走出客栈的门，外面就有辆马车在等着，好像生怕他们晚上太累，走不动路。可是今天他们却想下车走走。

今天的天气很好。

乌鸦道：“翠云峰远不远？”

燕十三道：“不太远。”

乌鸦道：“像这么样走，我倒希望走远一点，愈远愈好。”

燕十三道：“我们可以慢慢地走。”

前面有片很大的树林，木叶居然还很苍翠。

燕十三道：“我们到树林里喝点酒好不好？”

乌鸦道：“酒呢？”

燕十三道：“你放心，只要我们想喝，自然会有人送酒来的。”

艳阳天。

他们在阳光照射的道路上走，车马在后面跟着，另一方的道路上，却有辆马车驶过来，驶入了树林后才停下。车上走下来三个大人、一个小孩。

第三章

千蛇怪剑

大人们走了进去，一个青衣小帽，长得很清秀的孩子，却走了出来，拿出一根大红色的丝带，在外面的树枝上打了个结。小孩也走入林木深处，燕十三就叹了口气，道："看来我们还是换个地方去喝酒的好。"

乌鸦道："这地方不好？"

燕十三道："很好！"

乌鸦道："既然很好，为什么要换？"

燕十三道："因为这个。"

他指了指树枝上的红丝带。

乌鸦道："这是什么意思？"

燕十三道："这意思就是说，这地方暂时已成了禁地，谁都不能再进去。"

乌鸦冷笑道："这是哪里的规矩？"

燕十三还没有开口，树林中忽然有琴声传了出来，悠扬悦耳的琴声，充满了幸福愉悦。

乌鸦的手却已握紧。

就在这时，道路上忽然奔来了十一骑快马，马上的骑士劲装急服，剽悍凶猛，每个人背上都有柄大刀，刀上的红绸迎风飞舞。快马一冲入树林，骑士就翻身下马，每个人的动作都很矫健。

江湖中真正的高手并不多，这十一人看来却都是高手。

动作最快的是条独臂大汉，一冲入树林，就厉声大喝："你们拿命来吧！"

树林里的琴声没有停，听来还是那么悠扬悦耳，令人欢悦。

十一条大汉已冲进去。

乌鸦道："这些人是不是太行来的？"

燕十三道："嗯。"

乌鸦道："太行大刀果然有胆子。"

燕十三道："嗯。"

乌鸦道："你看他们是干什么来的？"

燕十三道："是来送死的！"

这句话刚说完，树林里就有个人飞了出来，重重地摔在地上。一摔在地上就不动了，连叫都没有叫出来。

这个人正是那最剽悍凶猛的独臂大汉。

悠扬的琴声还没有停。

树林里却不停地有人飞出来，一个接着一个，一共是十一个。

十一个人一飞出来，就摔在地上，连动都不会动了。

他们冲过去时，动作都很快。

他们出来时更快。

乌鸦冷冷道："他们果然是来送死的。"

燕十三道："想来送死的好像还不止他们这几个。"

乌鸦道："还有我。"

燕十三道："现在还轮不到你。"

乌鸦没有问下去。

他已经看见两个人从路上走过来，一个大人，一个小孩。大人的年纪并不大，最多也只不过三十岁，而且是个女人。看起来很娇弱，很秀气的女人，脸上带着说不出的悲伤之色。小的比刚才出来结丝带的孩子还要小，一双大眼睛滴溜溜地转。无论谁都看得出这是个很聪明的孩子，又聪明，又可爱。

可是他要做的事却好像不太聪明。

他们正在往树林里走。

连乌鸦都不忍眼看着他们去送死，已经准备去拦阻他们。

他们也看见了树枝上的红丝带，那翠衫少妇忽然道："解下来！"

孩子就垫起脚去解了下来，却拿出根翠绿的丝带系了上去，也打了个结。

然后两个人就慢慢地走入了树林。

两个人好像都没有看见地上的死尸，也没有看见乌鸦和燕十三。乌鸦本来准备去拦住他们的，现在不知为了什么，已改变了主意。燕十三更连动都没有动。

可是他们眼睛里却都露出种很奇怪的表情。

就在这时，树林里的琴声突然停顿。

风吹木叶，阳光满地。

琴声停顿后，过了很久很久，树林里都没有声音传出来。

谁也不知道里面究竟发生了什么事。

抚琴的人是谁?

琴声为什么会忽然停顿?

那少女和童子是不是也会像太行大刀们一样被抛出来?

这些事无论谁都一定很想知道的，乌鸦和燕十三也不例外。

所以他们还没有走，就连跟在后面的车夫，都瞪着双眼睛在等着看热闹。

没有热闹看。没有人被抛出来。

他们只听见了一阵脚步声，踏在落叶上，走得很轻，很慢。走在最前面的就是刚才把红丝带系上树枝的那个大孩子。两个人慢慢地跟在他身后，一男一女，看来像是对夫妻。他们的年纪都不太大，衣着都很考究，风度都很好。

男的腰悬长剑，看来英俊而潇洒，女的不但美丽，而且温柔。如果他们真的是夫妻，实在是很令人羡慕的一对，只不过现在两个人的脸都有点发白，心里仿佛有点气恼。

他们本来是准备上车的，看了看树林外的乌鸦和燕十三，又改变了主意。

两个人低声嘱咐了那孩子两句话，孩子就跑过来，用一双大眼睛瞪着他们，道："你们是不是已经来了很久？"

燕十三点点头。

孩子道："刚才的事，你们都看见了？"

乌鸦点点头。

孩子道："你知道咱们是从哪里来的？"

燕十三道："火焰山，红云谷，夏侯山庄。"

孩子叹了口气，道："你知道的事看来倒还真不少。"

他的声音虽然还是个孩子，口气神情却都老练得很。

燕十三道："你叫什么名字？"

孩子板着脸："你不必问我的名字，我也不是跟你们攀交情来的！"

乌鸦道："你是干什么来的？"

孩子道："我们公子想要向你们借三样东西，每个人三样！"

乌鸦道："哪三样？"

孩子道："一根舌头，两只眼睛。"

燕十三笑了。

乌鸦居然也笑了。

两个人忽然同时出手，一个人抓臂，一个人抓腿，同时低喝："飞吧，小子！"

孩子就飞了上去，"呼"的一声，就像是炮弹般直冲上天。

那位公子背负着双手，好像根本没有看见，但他的妻子却皱了皱眉。

这时候孩子才落下来。

乌鸦和燕十三又同时出手，轻轻地将他接住，轻轻地放在地上。孩子已吓得两眼发直，连裤裆都湿了。

燕十三微笑着拍了拍他的头，道："没关系，我小时就常常被大人这样抛上去。"

乌鸦道："这么样可以练胆子。"

孩子翻了翻白眼，已经准备开溜。

燕十三道："你要来拿的东西，没有拿走，回去怎么交代？"

孩子道："我……"

燕十三道："我可以教你个法子。"

孩子在听着。

燕十三道："你们的公子，是不是夏侯公子？"

孩子点头。

燕十三道："是不是他要你来拿的？"

孩子不停点头。

燕十三道："那么你就可以回去问他，既然是他想要这三样东西，他为什么不自己来拿？"

孩子不点头了，掉头就跑。

夏侯公子脸上还是没有表情，他的妻子却走了过来。她走路的姿态优雅而高贵，声音也很动听，柔声道："我叫薛可人，站在那边的，就是我丈夫夏侯星。"

燕十三淡淡道："原来是红云谷的少庄主。"

薛可人道："两位既然听说过他的名字，也该知道他是个什么样的人？"

燕十三道："我不知道。"

薛可人道："他是个天才，不但文武双全，剑法之高，更少有人能比得上。"

女人们就算佩服自己的丈夫，也很少会在别人面前这么样称赞自己的丈夫，就算称赞几句，也难免会有点脸红。她却一点都不脸红，连一点难为情的样子都没有，美丽的眼睛里，充满了对她丈夫的爱慕和尊敬。

燕十三心里在叹息——能娶到这么样一个女人，真是好福气。

薛可人又道："像他这么样一个人，两位当然是不会跟他动手的！"

燕十三道："哦？"

薛可人道："因为他不但家世显赫，自己又那么了不起，两位跟他动手，岂非鸡蛋碰石头，所以我劝两位还是……"

燕十三道："还是乖乖地割下舌头，剜出眼睛来送给他？"

薛可人叹了口气，道："那样子虽然有点不方便，至少总比送掉性命的好。"

燕十三又笑了，忽然道：“你这位文武双全的公子爷是不是哑巴？”

薛可人道：“当然不是！”

燕十三道：“那么这些话他为什么不自己来说？”

乌鸦冷冷道：“就算他是个哑巴，屁眼总有的，这些屁他为什么不自己来放？”

夏侯星的脸色变了。

燕十三道：“他既然不过来，我们为什么不能过去？”

乌鸦道：“能！”

燕十三道：“是你去？还是我去？”

乌鸦道：“你！”

燕十三道：“据说他的藕断丝连、满天星雨千蛇剑，不但是把好剑，而且是把怪剑。”

乌鸦道：“嗯！”

燕十三道：“他若死了，他的剑归谁？”

乌鸦道：“归你！”

燕十三道：“你不想要那把剑？”

乌鸦道：“想！”

燕十三道：“你为什么不抢着出手？”

乌鸦道：“因为我懒得跟这种兔崽子交手，我一看他就讨厌。”一句话没说完，眼前人影一闪，夏侯星已到了他面前，铁青着脸，冷冷道：“我要找的却是你！”

乌鸦道：“那就快拔你的剑！”

夏侯星的剑已出鞘。

藕断丝连、满天星雨千蛇剑。

这的确是把怪剑。

他的手一抖，一把剑就真的好像化成了千百条银蛇，化成了满天星雨，这柄剑竟像是突然碎成了无数片，每一片打的都是要害。

乌鸦的要害。

乌鸦会飞，却已飞不起来，身子一转，一道剑光飞出，护住了身子。

只听“咔”的一响，千百片碎剑忽然又合了起来，刺向他的咽喉。这柄剑上竟装着种奇巧特别的机簧，可合可分，合起来是一柄剑，分开来时就变成了千百道暗器，用一根银丝联系。当银丝抽紧，机簧发动，又变成一柄剑。

燕十三在叹气，道：“这一战应该让我来，这柄剑我也想要。”

忽然间，一连串“叮叮”声响，如密雨敲窗，珠落玉盘。

就在这一刹那间，乌鸦也刺出了七七四十九剑，每一剑都刺在千蛇剑的一片碎剑上。

千蛇剑就软了下来，就像是条银光闪闪的长鞭，乌鸦的剑已卷住鞭梢。夏侯星的脸色变了，身子一转，凌空飞起，鞭梢已随着他身子的转动脱出剑鞘，“咔”的一响，又合成了一柄剑。

燕十三立即抢着道：“这一战你们就算不分胜负，现在由我来！”

夏侯星冷笑，目光四顾，脸色又变了，变得比刚才还惨。

他忽然发现少了一个人。

孩子躺在地上，似已被人点住了穴道，薛可人却已不见了。

夏侯星一脚踢开他的穴道，厉声道：“这是谁下的手？”

孩子脸色发白，道：“是……是夫人！”

夏侯星道：“夫人呢？”

孩子道：“夫人已跑了。”

孩子还坐在地上哭，夏侯星已追了下去，燕十三和乌鸦并没有拦阻。

一个人的老婆忽然跑了，心里是什么滋味？他们能想得到。可是他们却连做梦都想不到，一个那么温柔贤惠、那么佩服自己丈夫的女人，竟会在自己丈夫跟人拼命的时候忽然跑了。刚才他们本是郎才女貌，天生的佳偶，连燕十三心里都羡慕得很。

她为什么要跑？

燕十三忽然觉得很悲哀，绝不是为了自己，更不是为了那位大少爷。

他悲哀，是为了人。

人类。

——谁知道人类有多少不如意、不幸福、不快乐的事，是隐藏在如意、幸福和快乐中的？

谁知道？

坐在地上哭的孩子已走了，另外一个更小的孩子却笑嘻嘻地跑了出来。他跑得并不快，可是一下子就到了燕十三和乌鸦面前。他最多只有七八岁。一个七八岁的孩子，能够有这么样的轻功，谁都不会相信。燕十三和乌鸦却不能不信，因为这是他们亲眼看见的。

孩子也在看着他们笑，笑得真可爱。

乌鸦通常都不喜欢孩子。他一向认为小孩子就像是小猫小狗一样，男子汉只要一看见，就应该走得远远的。这次他居然没有走，反而问："你叫什么名字？"

孩子道："我叫小讨厌。"

乌鸦道："你明明一点都不讨厌，为什么要叫小讨厌？"

小讨厌道："你明明是个人，为什么要叫乌鸦？"

乌鸦想笑，却没有笑。

乌鸦岂非也正是人人都讨厌的？这世上喜欢听老实话的又有几个人？

燕十三忍不住道："你知道他叫乌鸦？"

小讨厌道："废话。"

燕十三问的倒真是废话，小讨厌若是不知道他叫乌鸦，怎么会叫他乌鸦？

小讨厌又道："我不但知道他叫乌鸦，还知道你叫燕十三，因为从前有个人叫燕七，又有个人叫燕五，你自己觉得比他们两个人加起来还要强一点，所以你就叫燕十三。"

燕十三怔住！这的确是他的本意，也是他的秘密，他猜不透这小讨厌怎么会知道的。

小讨厌道："其实我根本不知道你是老几，这件事我只不过是听我姐姐说的！"

这一点又很出意外。刚才跟他一起走入树林的少妇，看起来本来像是他母亲。

燕十三道：“你姐姐有没有名字？”

小讨厌道：“当然有。”

燕十三道：“她叫什么名字？”

小讨厌道：“你是不是哑巴？”

燕十三摇摇头。

小讨厌道：“你有没有腿？”

燕十三低下头，好像真的也想看看自己是不是还有腿。

小讨厌道：“你既然有腿，又不是哑巴，为什么不自己问她去？”

燕十三笑了笑，道：“因为我也不是瞎子，我还看得见。”

小讨厌道：“看得见什么？”

燕十三指了指树枝上的绿丝带，道：“这个结既然是你打的，你当然应该明白它的意思。”

小讨厌道：“这意思就是说，这地盘已是我们的，不是哑巴的进去也会变成哑巴，有腿的进去也会变成没有腿。”

第四章

痴女情恨

燕十三并没有争辩，也不想争辩。这是武林中四大世家的规矩，是江湖中人都默认了的。如果没有深仇大恨，谁也不想破坏这规矩。

在江湖中混的人，多多少少总得遵守一点江湖上的规矩。连燕十三都不例外。

小讨厌道："只可惜你什么事都明白，却不明白一件事。"

燕十三道："哦？"

小讨厌道："现在你不想进去都不行。"

燕十三道："为什么？"

小讨厌道："因为现在就是我姐姐要我来叫你进去的。"

树林里和平而宁静，连脚步踏在落叶上，声音都是温柔的。走到林木深处，秋也更浓了。

乌鸦并没有跟着进来——

"因为我姐姐只想见他一个人。"

她为什么要见他？而且要单独一个人相见？燕十三想不通，也不必再想。

他已经看见了她。

木叶已枯黄的老树下，铺着张新席，席上有一张琴、一炉香、一壶酒。

——这显然还是夏侯星留下来的，他离开这里时，走得显然很匆忙。

——难道他是被赶走的？被此刻坐在树下的这个忧郁的女人赶走的？

她看来不但忧郁，而且脆弱，仿佛再也禁受不了一点点打击。

燕十三走过去，轻轻地走过去，也仿佛生怕惊动了她。她却已抬起头，用一双剪水双瞳在打量着他："你就是夺命燕十三？"

燕十三点点头，道："姑娘是从翠云峰来的？"

他认得外面那翠绿的丝带，正是翠云峰，绿水湖的标志。想不到她却摇了摇头。燕十三真的想不到，不是翠云峰的人，怎么敢用翠云峰的标志？

"我是从江南七星塘来的。"

她的声音也很柔弱："我叫慕容秋荻。"

燕十三更吃惊。江南七星塘也是武林中的四大世家之一。

慕容秋荻不但是江湖中有名的美人，也是有名的孝女。为了照顾她多病的父母，她拒绝了无数次亲事，也牺牲了她生命中最美丽的年华。现在她为什么忽然出现在这里？难道七星塘的主人"江南大侠"慕容正已去世？

七星塘的声名并不在翠云峰之下，她为什么要盗别人的标志？

慕容秋荻竟似已看穿他心里正想什么，忽然道："我的父亲并没有死，他虽然多病，三年五载内还死不了的。"

燕十三吐出口气，道："但愿他身子健康，还能多活几年。"

他说的是真心话。慕容正的确是个很正直侠义的人，这种人江湖中已不多。

慕容秋荻道："这次我出来，是偷偷溜出来的，他根本不知道。"

燕十三忍不住想问："为什么？"

他还没有问出来，慕容秋荻已接着道："因为我要杀一个人。"

她忧郁的眼波中，忽然露出种说不出的悲伤和怨恨。

她一定恨透了这个人——这个人究竟是谁？

燕十三不敢问，也不想问，他并不想管武林四大世家中的事。

慕容秋荻目光仿佛在遥视着远方，人也仿佛到了远方，过了很久，才慢慢地接着道："你们一定都知道我是个孝女。"

燕十三承认。

慕容秋荻道："这七年来，我已拒绝过四十三个人的求亲。"

够资格到七星塘去求亲的，当然都是江湖中名门子弟。

慕容秋荻道："你知道我为什么要拒绝他们？"

燕十三道："因为你不忍离开令尊。"

慕容秋荻道："你错了。"

燕十三道："哦？"

慕容秋荻道："我并不是别人想象中的那种孝女，我……我……"

她忽然用力握住自己的手，道："我只不过是个骗子，不但骗了别人，也骗了自己。"

燕十三怔住，他不敢再看她，她的眼圈已红了，眼泪随时都可能流下来。

他不愿看见女人流泪，也不想知道女人们流泪的原因。

只可惜她偏偏要说。

"我拒绝别人的亲事，只因为我一直在等他来求亲。"

"他"是谁？是不是那个她要杀的人？

慕容秋荻的眼泪终于流落："他答应过我，一定会来的，他答应过很多次。"

——可是他没有来。

——一个无情的男人，用婚姻作饵，欺骗了一个多情的少女。

——这并不是她独有的悲剧。

——自古以来，这种悲剧已不知发生过多少次，直到现在还随时随地都在发生着。燕十三并没有为她悲伤。

因为只有发生在自己身上的悲剧，才是真正的悲剧。别人的悲剧，就很难打动像燕十三这样的人。

慕容秋荻道："我是在十六岁那年认得他的，他要我等他七年。"

七年！多么漫长的岁月。

从十六到二十三，这又是一个女人生命中多么美丽的年华？

一个人的生命中，有多少个这么样的七年？燕十三心里已经开始在叹息。

——他要你等他七年的时候，就已经是在欺骗你。

——他以为你一定不会等得这么久的，以为你七年后一定早已忘记了他。

燕十三是男人，当然很了解男人的心。可是他并没有说出来，他看得出这漫长的七年对她是种多么痛苦的折磨，多么辛酸的经历。

慕容秋荻道："刚才你看见的那孩子，并不是我弟弟。"

燕十三道："不是？"

慕容秋荻道："他是我的儿子，是我跟那个人的私生子。"

燕十三怔住。现在他才明白她为什么要等七年，为什么恨透了那个人。现在连他都已在为她悲伤。

慕容秋荻道："我告诉你这些事，并不是要你为我难受的。"

她的声音忽然变得很冷，忧郁的眼波也忽然变得利如刀锋。

她冷冷地接着道："我要你去替我杀一个人。"

燕十三道："就是那个人？"

慕容秋荻道："是！"

燕十三道："我只杀两种人。"

慕容秋荻道："跟你有仇恨的人？"

燕十三点点头，道："还有一种，就是想杀我的人。"

他慢慢地接着道："所以我希望你能明白一件事。"

慕容秋荻道："你说。"

燕十三道："如果你一定要去杀一个人，就一定要自己去动手，自己打的结，一定要自己才解得开。"

慕容秋荻道："可是我不能去。"

燕十三道："为什么？"

慕容秋荻道："因为……因为我不想再见他。"

燕十三道："是不是因为你生怕一见到他的面，就不忍下手？"

慕容秋荻的手又握紧。

燕十三叹了口气，道："既然不忍，又何必非杀他不可。"

慕容秋荻盯着他，忽然道："我也希望你能明白一件事。"

燕十三道："你说。"

慕容秋荻道："我一定要杀这个人，而且一定要你去杀！"

燕十三道："为什么？"

慕容秋荻道："因为这个人的名字叫谢晓峰。"

燕十三的脸色变了，道："绿水湖的谢晓峰？"

慕容秋荻道："就是他！"

翠云峰，绿水湖，神剑山庄的大厅中有一块很大的横匾。上面只有五个字，金字。

“天下第一剑”。

这并不是他们自己吹嘘，这是多年前江湖中所有闻名的剑客在华山绝顶论剑后，每个人都拿出了一两黄金，铸成了这五个金字，送给谢天的。

谢天就是神剑山庄的第一代主人。这已是很久很久以前的事了，匾上的金字虽然依旧光华夺目，“天下第一剑”的名声却不再存在。近百年来，江湖中名剑辈出，已没有人能被公认为天下第一剑。

神剑山庄的光芒也渐渐由绚丽而归于平淡，直到这一代——

因为神剑山庄这一代又出了位了不起的人，绝艳惊才，天下侧目。

这个人在十三年前就已击败了华山门下的第一剑客华玉坤。

那时他三十一岁。

这个人一生下来，就仿佛带来了上天诸神所有的祝福与荣宠。

他生下来后，所得到的光荣和宠爱，更没有人能比得上。他是江湖中不世出的剑客，也是武林中公认的才子。

他聪明英俊，健康强壮，而且是个侠义正直的人。在他的一生中，无论谁都很难找出一点瑕疵、一点缺憾来。

这个人就是绿水湖“神剑山庄”的三少爷。

这个人就是谢晓峰。

树林里更安静，凉爽干燥的空气中，充满了木叶的芬芳。

燕十三却仿佛完全没有感觉，听见了这三个字，他似已连呼吸都停顿。过了很久，他才轻轻吐出一口气，道：“我知道这个人。”

慕容秋荻道：“你当然应该知道，你们还有个不见不散的死约会！”

燕十三不能否认：“我的确约好了要去找他的。”

慕容秋荻道：“约好了的事你从不更改？”

燕十三道：“从不。”

慕容秋荻道：“那么这次约会，只怕就是你最后一次约会了。”

燕十三道：“哦？”

慕容秋荻道："我看过你的剑法，你绝不是他的敌手。"

燕十三苦笑道："你既然知道，为什么还要叫我去杀他？"

慕容秋荻道："因为你遇见了我。"

燕十三道："你……"

慕容秋荻道："他的剑法浑然天成，几乎已超越了剑法中的极限。"

燕十三叹息道："他的确是个天才，我也看过他出手。"

慕容秋荻道："你也看得出他剑法中的破绽？"

燕十三道："他的剑法中没有破绽，绝没有。"

慕容秋荻道："有。"

燕十三道："真的有？"

慕容秋荻道："绝对有，只有一点。"

燕十三道："你知道？"

慕容秋荻道："只有我知道。"

燕十三眼睛发出了光，他相信她说的不是谎话，世上如果还有一个人能知道三少爷剑法中的破绽，这个人一定就是她。

因为他们曾经相爱过。至少在他们有了那孩子的那一瞬间，他们的心灵无疑是完全沟通的。只有一个真正和他相爱过的人，才能知道他的秘密。

对一个天下无敌的剑客来说，他剑法中的破绽，就是他最大的秘密。

燕十三不但眼睛发光，心跳也加快了。他也是个练剑的人。他也已将自己的生命和爱全都贡献给他的剑。这已经不仅是种伟大的贡献，而是种艰苦卓绝的牺牲。这种牺牲并不是完全没有代价的。

得胜时那一瞬间的辉煌的光芒，已足以照耀他的生命。他练剑的目的本是求胜，不是求死。

绝不是！

如果有得胜的机会，谁愿意放弃？

慕容秋荻看着他发光的眼睛，当然也看得出他已被打动了。立刻接着道："所以这世上只有我能助你击败他，也只有你能替我杀了他。"

燕十三道："为什么只有我？"

慕容秋荻道："因为你的夺命十三剑中，有一招只要稍加变化，就可以置他于死地！"

燕十三道："那是第几剑？"

慕容秋荻道："第十四剑。"

明明是夺命十三剑，怎么会有第十四剑？别的人一定不会懂的。

燕十三懂。

夺命十三剑的剑招虽然只有十三种，变化却有十四种。那一招变化，才是他招式中的精粹，剑法中的灵魂。灵魂虽然是看不见的，却没有人能否认它的存在！

慕容秋荻忽然站了起来。她看来还是那么娇柔，那么脆弱，可是她眼睛里又发出了那种刀锋般的光。她在看着燕十三，一字字道："现在我已是谢晓峰。"说完了这七个字，她眼睛里的光竟似又变成了一种慑人的杀气！一种只有杀人无算的高手们独具的杀气。

——难道这位娇柔脆弱的名门淑女也杀过人？她杀过多少人？

燕十三没有问，也不必问。他看得出。

慕容秋荻折下了一截枯枝，道："这是我的剑。"

这截枯枝到了她手里，她的人又变了，那种无坚不摧、不可抵御的杀气已不仅在她眼睛，已在她身上，已无处不在！

慕容秋荻道："现在你看着，仔细看着，这是他剑法中唯一的破绽。"

一阵风吹过，风忽然变得很冷。

她的人与剑已开始有了动作，一种极缓慢、极优美的动作，就像是风那么自然。

可是风吹来的时候，有谁能抵挡？又有谁知道风是从哪里吹来的？

燕十三的瞳孔在收缩。

她的剑已慢慢地，慢慢地刺了出来。

从最不可思议的部位刺了出来，刺出时忽然又有了最不可思议的变化。可是在这种变化之间，果然有一点破绽。

——狂风卷开大地时，岂非也难免有遗漏的地方？

——可是当狂风吹过来时，又有谁能注意到这些地方？

燕十三忽然发现自己掌心已有了冷汗。

就在这时，她的动作已停止。

她冷冷地凝视着燕十三，道：“现在你是不是已看出来了？”

燕十三点头。

慕容秋荻道：“你能看出来，只因为我的动作比他出手时慢了二十四倍。”

燕十三相信她的计算绝对正确。

一位真正的高手，对于剑法速度的估计，绝对比当铺朝奉估计货物的价值还准确十倍。

慕容秋荻道：“我真正出手时，虽然比他慢一点，但慢得并不多。”

燕十三也不能不信。现在他已发现这娇柔脆弱的女人，实在是他平生仅见的高手。

慕容秋荻道：“现在我已将出手。”

燕十三道：“出手对付谁？”

慕容秋荻道：“你。”

燕十三轻轻吐出口气，道：“你要看看我是不是能破这一剑？”

慕容秋荻道：“是的。”

燕十三道：“我若破了这一剑，你岂非就要死在我的剑下？”

慕容秋荻道：“这点用不着你担心。”

燕十三道：“如果我还是破不了这一剑？……”

慕容秋荻道：“那么你就得死！”

她冷冷地接着道：“你若还是破不了这一剑，再活着对你我都已没好处，我只有杀了你！”

第五章

狮子开口

人沉默，木林静寂。

燕十三凝视着她手里的枯枝，仿佛在沉思。

慕容秋荻道：“你为何还不拔剑？”

燕十三道：“我的剑已在手，随时都可以拔出来，你呢？”

慕容秋荻道：“这就是我的剑。”

燕十三道：“这不是。”

慕容秋荻道：“在我手里，这就是杀人的利器。”

燕十三道：“我知道你能用它杀人，但是它本身却只不过是段枯枝。”

慕容秋荻道：“只要杀人，枯枝和剑有什么分别？”

燕十三道：“有。”

慕容秋荻道：“你说。”

燕十三道：“它能杀人，可是它并没有杀过人，我的剑却不同。”

他轻抚着他的剑：“这柄剑跟随我已十九年，死在这柄剑下的，已有六十三个人。”

慕容秋荻道：“我知道你杀的人不少。”

燕十三道：“这本来也只不过是柄很平凡的剑，可是现在它已饮过六十三个人的血，六十三个无情的杀手，六十三条厉鬼冤魂。”

他仍然在轻抚着他的剑，慢慢地接着道：“似乎现在这柄剑本身已有了生命，渴望再能尝到别人的血，渴望别人死在它的剑锋下。”

慕容秋荻冷笑道：“它告诉过你？”

燕十三道：“它没有，可是我能感觉得到。”

慕容秋荻道：“感觉到什么？”

燕十三道："只要它一出鞘，就一定要杀人，有时甚至连我自己都无法控制。"

他说的并不是虚玄的神话。你若也有这么样一柄剑，若是也杀过六十三个人，你一定也会有这种感觉。

燕十三再次凝视着她手里的枯枝，道："你手里这段枯枝却是死的，绝不会有杀人的渴望，你自己也并不是真的想杀了我。"

他抬起头，凝视着她的眼睛，道："因为你根本也不是谢晓峰。"

慕容秋荻的嘴唇已发白。

一片落叶飘下，她默默地站起来，道："现在这片叶子是不是也死了？"

燕十三道："是。"

慕容秋荻道："可是它刚刚还在树枝上，还是活的。"

树叶只要还没有凋落，就还有生命！

慕容秋荻道："人的生命岂非也跟这片叶子一样？"

燕十三道："我明白你的意思。"

慕容秋荻道："你真的明白？"

燕十三道："你为了生育那孩子，一定受了不少苦，所以你对他的爱，绝对比不上你心里的怨恨。"

慕容秋荻并没有否认。

燕十三道："所以你对自己的生命已毫无留恋，只要我能破得了这一剑，你就算死在我剑下，也是心甘情愿的。"

他长长叹息，又道："可是你错了。"

慕容秋荻道："我错了？"

燕十三道："因为我就算能破得了你这一剑，也未必能破谢晓峰的剑。"

他盯着她的眼睛："因为你用的并不是杀人的剑，你也不是谢晓峰。"

慕容秋荻的手忽然垂下，杀气忽然消失，眼泪已流下面颊。

燕十三道："可是我答应你，只要我有机会，我一定杀了他！"

慕容秋荻精神又一振，道："你自觉有几成把握？"

燕十三苦笑道："本来连一成都没有！"

慕容秋荻道："现在呢？"

燕十三道："现在至少已有了四五成。"

慕容秋荻道："你已想出了破法？"

燕十三忽然也折下段枯枝，道："你看着。"他的动作简单而笨拙，可是慕容秋荻眼睛里却发出了光。

她知道他已找到了。三少爷的剑法若是一把锁，他已找到开锁的钥匙。

一剑刺出，有风吹过。

燕十三手里的枯枝忽然变成了粉末，瞬眼间就被吹得无影无迹。

他手里拿着的若是一把剑，这一剑刺出，是什么样的力量！

慕容秋荻轻轻吐出口气，慢慢地坐了下来，道："你去吧。"

燕十三走出树林时，小讨厌还在外面逛。

只有小讨厌一个人，左手拿着根鸡腿，嘴里还啃着个梨。附近根本没有卖水果卤菜的摊子，这些东西也不知他是从哪里变出来的。

燕十三一看见这孩子就很喜欢，想到他的身世，更觉得同情。幸好这孩子现在就好像已经很会照顾自己。小讨厌正瞪着双大眼睛在看他。

燕十三走过去拍了拍他的头，道："快回去吧，你姐姐在等你。"

小讨厌道："她等我干什么？"

燕十三道："因为……因为她关心你。"

小讨厌道："她关心我干什么？"

燕十三道："难道你认为从来都没有人关心过你？"

小讨厌道："从来也没有，连半个人都没有，我是个小讨厌，讨厌我的人倒不少。"

他又啃了口鸡腿，道："可是我一点都不在乎。"

燕十三看着他甜甜的小脸，心里忽然觉得有点酸酸的。

附近连个人影都没有，他又忍不住问："我那朋友呢？"

小讨厌道："你哪个朋友？"

燕十三道："乌鸦！"

小讨厌道："这树林里没有乌鸦，只有麻雀。"

燕十三道："我是说刚才跟我在一起的，那个叫乌鸦的人！"

小讨厌眨了眨眼，道：“你有没有付我保管费？请我保管他？”

燕十三道：“没有！”

小讨厌道：“既然没有，你凭什么问我！”

燕十三道：“因为……因为我想你一定知道他到哪里去了。”

小讨厌道：“我当然知道，可是我凭什么一定要告诉你？”

燕十三只有苦笑。

这孩子问的话，竟常常让他回答不出来。

小讨厌又啃了口梨，忽然道：“可是我也并不是一定不能告诉你。”

燕十三道：“要怎么样你才肯告诉我？”

小讨厌道：“你要问我的话，多多少少总得付我一点问话费。”

燕十三已经在摸口袋，摸了半天，什么东西都没有摸出来。

小讨厌道：“看你穿得还蛮像样的，难道只不过是个空壳子？”

燕十三苦笑道：“因为从来也没有人要收过我的问话费。”

小讨厌叹了口气，道：“木头里既然榨不出油来，我也只好认倒霉了，你就写张欠条来吧。”

燕十三道：“欠条？”

小讨厌道：“你要问话，就得付问话费，现在你没钱，以后总会有的。”

燕十三道：“这里又没有纸笔，欠条怎么写？”

小讨厌道：“你的剑削块树皮，再用你的剑把字写在树皮上。”

燕十三苦笑：“你倒想得真周到。”

他只有写！

“写多少？”

小讨厌道：“一个字也是写，十个字也是写，既然是欠账，就得多写点。”

他眼珠子转了转，道：“你就马马虎虎给我写个一万两吧。”

燕十三看着他，仔仔细细，上上下下看了好几遍。

一个七岁的孩子，一开口就是一万两，这孩子长大了怎么得了？

小讨厌道：“我知道你现在心里一定在想，现在我就这么会敲竹杠，长大了怎么得了？”

燕十三道："你怎么知道我心里在想什么？"

小讨厌道："因为这些话已经不知道有多少人问过我了。"

燕十三道："你怎么说？"

小讨厌道："现在我就会敲竹杠，长大了当然就是大富翁，这么简单的道理难道你都不懂！"

燕十三笑了，真的笑了，这孩子真的会照顾自己。

一个没有人照顾的孩子，若是连自己都不会照顾自己，那才真的不得了。

所以燕十三写的欠条不是一万两，是五万两。

小讨厌也笑了，道："要一万，给五万，看来你的人虽穷，出手倒不小。"

燕十三道："出手小的人，怎么会不穷？"

小讨厌道："有理。"

燕十三道："有理的话，你就应该记在心里，你若不想穷，出手就不能太大方，更不能乱花钱。"

小讨厌道："有了钱不花干什么？那跟没有钱又有什么分别？"

燕十三又笑了。他真的很喜欢这孩子，但是他却没有想到一点——他也很想去杀这孩子的父亲。

真的很想。

这就是江湖人。

江湖人的想法，常常会让人莫名其妙的！

五万两的欠条，一定可以收得到钱的欠条，小讨厌却随随便便地就往衣襟里一塞，就好像把它当作废纸。

燕十三道："我现在虽然没钱，可是我随时都会有钱的。"

小讨厌道："我看得出，否则我怎么会收你的欠条。"

燕十三道："你随时看见我，都可以向我收钱。"

小讨厌道："我知道。"

燕十三道："所以你就该把这张字条好好收起来，免得掉了。"

小讨厌道："掉了就算你走运，我倒霉。那也没什么了不起。"

他又眨了眨眼，道："就好像你若很快就死了，我也只好自认倒霉一样，像你这种人，本来随时都会死的。"

燕十三大笑。

他是真的在笑，可是他心里究竟是什么滋味？又有谁知道？

——人在江湖，岂非本就像是风中的落叶、水中的浮萍？

等他笑完，小讨厌才说："你那个朋友到前面那山坡后去了！"

燕十三道："去干什么？"

小讨厌道："好像是去拼命。"

燕十三道："拼命！去跟谁拼命？"

小讨厌道："好像是个叫什么冰的小子。"

是曹冰？

难道他一直都在跟着他们，难道这一路上的账都是他付的？那么他现在为什么要找乌鸦拼命？燕十三并没有为乌鸦担心，他知道曹冰绝不是乌鸦的对手。

可是他错了。

山坡后的草色已衰，血色却还是鲜红的。

是乌鸦的血。乌鸦已倒了下去，倒在山坡上，鲜血染红了秋草，也染红了他的衣襟。

血是从他咽喉下的锁骨间流出来的，距离他咽喉只有三寸。就因为差了这三寸，所以他还活着。

刺伤他的人是谁？

燕十三冲过去："是曹冰？"

乌鸦点头。燕十三吃惊地看着他，道："是不是你故意让他的？"

乌鸦摇头。

燕十三更吃惊。这明明是真的事，他还是无法相信！

乌鸦苦笑道："我知道你不信，连我自己都不信，我看过那小子出手。"

燕十三道："可是你……"

乌鸦道："我本来有把握可以在三招内让他倒下去的，绝对有把握。"

燕十三道：“可是现在倒下去的却是你！”

乌鸦道：“那只因为我错了！”

燕十三道：“哪点错了？”

乌鸦道：“我看过他出手，他剑法中的变化我也已摸清，点苍派的剑法绝对伤不了我的毫发。”

燕十三道：“他用的不是点苍剑法？”

乌鸦道：“绝不是。”

燕十三道：“他用的是什么剑法？”

乌鸦道：“不知道。”

燕十三道：“连你都看不出？”

乌鸦道：“那一招的变化，我非但看不出，连想都想不到。”

燕十三道：“那一招？他只出手一招，你就伤在他的剑下？”

乌鸦冷冷道：“如果是你，你也一样接不住那一招的。”

他忽又长长叹息，道：“到现在我还想不出有谁能接得住那一招。”

燕十三没有再开口，可是他的人已有了动作。

第六章

飞来艳福

——一种极缓慢，极优美的动作，就像是风那么自然。然后他的剑就慢慢地刺了出来。从最不可思议的部位刺了出来，刺出后忽然又有了最不可思议的变化。

乌鸦吃惊地看着他，忽然大喊："不错，他用的就是这一招！"

秋草枯黄，血也干了。

燕十三默默地坐下来，坐在乌鸦对面的山坡上。

乌鸦忍不住问："你怎么知道是这一招？"

燕十三道："因为他只有用这一招才能击败你！"

乌鸦道："这绝不是点苍剑法，也绝不是你的剑法。"

燕十三道："当然不是。"

乌鸦道："这一招是谁的？"

燕十三道："你应该猜得出。"

乌鸦道："这就是三少爷的剑法？"

燕十三道："除了他还有谁？"

乌鸦道："至少还有你，还有曹冰！"

燕十三苦笑。他想不到曹冰会在暗中偷学了这一招，那时他们都太专心，根本没有注意到树林中还有别的人。他更想不到曹冰会拿乌鸦来试剑。

他只想到了一件事——

曹冰下一个要去找的人，一定就是谢晓峰。神剑山庄的三少爷谢晓峰。

燕十三在树林里见到的是什么人，三少爷的绝剑他们怎么学会的？这些事乌鸦都没有问，他已经很了解燕十三这个人。

“你要去神剑山庄就快去，我留下。”

燕十三的确急着想去，曹冰既然偷学了三少爷那一招，当然也同样偷学了他那一招。

他实在不愿意别人用他的剑法去破三少爷的那一剑。这本该是他的光荣和权利。就算破不了那一剑，死的也应该是他。

“可是你已受了伤，一个人留在这里……”

他不能不为乌鸦担心。乌鸦并不是种受人欢迎的鸟，也绝不是个受欢迎的人。

要杀乌鸦的人一定不少。

乌鸦却在冷笑，道：“你放心，我死不了的，你应该担心的是你自己。”

燕十三道：“我自己？”

乌鸦道：“从这里到绿水湖并不远，这一路上已不会有人再替你付账了。”

曹冰一定已找到最迅速舒服的马车，走的一定是最快的一条路。一个囊空如洗的人，只凭两条腿赶在曹冰前面，到了神剑山庄时，唯一还能击败的人，恐怕已只有他自己。

乌鸦道：“除非你的运气特别好，很快就能遇见一个骑着快马的有钱人，先抢他的钱，再夺他的马。”

燕十三笑了，道：“你放心，这种事我并不是做不出的。”

乌鸦也笑了。

两个人忽然同时伸出手，紧紧握住。

乌鸦道：“你快去，只要你不死，我保证你一定还可以再见到我。”

燕十三道：“我若死了，一定会叫人把我的剑送给你。”

乌鸦道：“你是不是说过，一个快死的人，运气总是特别好？”

燕十三道：“我说过。”

乌鸦道：“看起来你的运气现在好像又要来了。”

来的是辆马车。

快马轻车，来得很快。他们刚听见车转马嘶，马车就已从山坳后转出来。

乌鸦道："我相信这种事你是一定能做得出的。"

燕十三道："当然。"

他嘴巴说得虽硬，其实真到了要做这种事的时候，他就傻了。

他实在不知道应该怎么动手。他忽然发现要做强盗也不是他以前想象中那么容易的事。

眼看着马车已将从他们身旁冲过去，他还连一点出手的意思都没有。

乌鸦皱眉道："这种好运气绝不会有第二次的。"

燕十三道："也许我……"

他的话还没有说出来，马车骤然在他们面前停下。

他并没有出手，马车居然自动停了下来。车厢中有个嘶哑而奇怪的声音道："急着要赶路的人，就请上车来！"

乌鸦看着燕十三，燕十三也看了看乌鸦。

乌鸦道，"运气特别好的人，也未必真的就快死了。"

燕十三大笑。

车门已开，他一掠上车，大笑挥手："只要我不死，我保证你也一定会再见到我的，就算你不想再见我都不行。"

车厢里的人究竟是谁？

轻车快马。干净舒服的车厢里，只有一个人穿着件宽大的黑袍，用黑帕包着头，还用黑巾蒙着脸。

燕十三就在他对面坐下，只问了一句话："你能不能尽快载我到翠云峰，绿水湖去？"

"能。"

听到了这个字，燕十三就闭上了嘴。甚至连眼睛都闭了起来。他本来有很多话应该问的，可是他居然连一句都没有问。他并不是个好奇的人。

这黑衣人对他却显然有点好奇了，一双半露在黑巾外的眼睛，一直在盯着他。这双眼睛很亮。

马车走得很快，燕十三一直闭着眼睛，也不知睡着了没有。

他没有睡着。因为黑衣人从车垫下拿出一瓶酒，开始喝的时候，他的喉结也开始在动。

睡着了的人是嗅不到酒香的。黑衣人眼睛里有了笑意，把酒瓶递过去，道："要不要喝两口？"

当然要。

燕十三伸手去拿瓶的时候，就好像快淹死的人去抓水中的浮木一样。

可是他的眼睛还没有张开来。如果他张开眼来看看，就会发现这黑衣人的一双手也很好看。无论多秀气的男人，都很少会有这么样一双手的。事实上，这么好看的手，连女人都很少有，纤长秀美的手指，皮肤柔滑如丝缎！

燕十三把酒瓶送回去的时候——

当然是个已经快空的酒瓶。

他碰到了这双手。只要他还有一点感觉，就应该能感觉到这双手的柔滑纤美。

可是他好像连一点感觉都没有。黑衣人又盯着他看了半天，忽然问道："你是不是人？"

他的声音还是那么嘶哑而奇怪，有这么样一双手的人，本不该有这样的声音。

燕十三的回答很简单！

"我是人！"

"是不是活人？"

"到现在为止还是的！"

黑衣人道："但你却不想知道我是谁。"

燕十三道："我知道你也是个人，而且一定也是个活人。"

黑衣人道："这就够了？"

燕十三道："很够了。"

黑衣人道："我的马车并不是偷来的，酒也不是偷来的，我为什么要无缘无故地请你上车，送你到绿水湖，而且还请你喝酒？"

燕十三道："因为你高兴！"

黑衣人怔了半天，忽然又吃吃地笑了起来。现在她的声音已变了，变得娇美而动听。现在无论谁都一定会知道她是个女人，而且一定是个很好看的女人。

好看的女人，男人总是喜欢看的。

黑衣人道："你不想看看我是谁？"

燕十三道："不想！"

黑衣人道："为什么？"

燕十三道："因为我不想惹麻烦。"

黑衣人道："你知道我有麻烦？"

燕十三道："一个无缘无故就请人坐车喝酒的人，多多少少总有点毛病。"

黑衣人道："是有毛病？还是有麻烦？"

燕十三道："一个有毛病的人，多多少少总会有点麻烦。"

黑衣人又笑了，笑声更动听："也许你看过我之后，就会觉得纵然为我惹点麻烦，也是值得的。"

燕十三道："哦？"

黑衣人道："因为我是个女人，而且很好看。"

燕十三道："哦？"

黑衣人道："一个很好看的女人，总希望让别人看看她的。"

燕十三道："哦？"

黑衣人道："别人若是拒绝了她，她就一定会觉得是种侮辱，一定会伤心。"

她轻轻叹了口气，道："一个女人在伤心难受的时候，就往往会做出一些莫名其妙的事！"

燕十三道："譬如说什么事？"

黑衣人道："譬如说，她说不定会忽然把自己请来的客人赶下车去！"

燕十三也开始在叹气。开始叹气的时候，他已睁开了眼睛——

一瞬间立刻又闭上。就好像忽然见了鬼一样。因为他看见的，已经不是一个全身上下都包在黑衣服里的人。

他看见的当然也不是鬼。无论天上地下，都找不出这么好看的鬼来。他看见的是个女人。

一个赤裸的女人，全身上下连一块布都没有，黑巾白花布都没有。

只有丝缎。她全身上下的皮肤都光滑柔美如丝缎。

燕十三本来的名字当然并不是真的叫燕十三，可是他本来的名字也绝不是鲁男子，更不是柳下惠。

他见过女人。各式各样的女人都见过，有的穿着衣服，也有的没穿衣服。

有的本来穿着衣服，后来却脱了下来。有的甚至脱得很快。

一个赤裸的女人，本来绝不会让他这么样吃惊的。他吃惊，并不是认为这女人太美，也不是因为她的腰肢太细，乳房太丰满。

当然更不是因为她那双修长结实，曲线柔美的腿。这些事只会让他心跳，不会让他吃惊。

他吃惊，只因为这女人是他见过的，刚刚还见过的，还做了件让他吃惊的事。这女人当然不会是慕容秋荻。

这女人赫然竟是夏侯星那温柔娴雅的妻子，火焰山，红云谷，夏侯世家的大少奶奶。

夏侯星的剑法也许并不算太可怕，但是他们的家族却很可怕。

火焰山，红云谷的夏侯氏，不但家世显赫，高手辈出，而且家规最严。夏侯山庄中的人，无论走到哪里去，都绝不会受人轻慢侮辱。夏侯山庄的女人走出来，别人更连看都不敢去多看一眼。因为你若多看了一眼，你的眼珠子就很可能被挖出来。所以无论谁忽然发现夏侯家里大少奶奶，赤裸裸地坐在自己对面，都要吓一跳的。坐在对面还好些。现在薛可人居然已坐到他旁边来，坐得很近，他甚至已可感觉到她的呼吸，就在他耳朵旁边。

燕十三却好像已经没有呼吸。他并不笨，也不是很会自我陶醉的那种人。他早已算准了坐上这辆马车后，多多少少总会有点麻烦的。

但他却不知道这麻烦究竟有多大。

现在他知道了。

如果他早知道这麻烦有多大，他宁可爬到绿水湖去，也不会坐上这辆马车来。

一个赤裸的美女，依偎在你身旁，在你的耳畔轻轻呼吸。

这是多么绮丽的风光，多么温柔的滋味。如果说燕十三一点都不动心，那一定是骗人的话，不但别人不信，连他自己都不信。

就算他明知道女人很危险，危险得就像是座随时都会爆破的火山。

就算他能不呼吸，不去嗅她身上散发出的香气，可是他不能让自己的心不动，不跳。

他心跳得很快。如果他早知道会有这种事发生，他的确是绝不会坐上这辆马车来的。可是他现在已经坐上来了。

他耳畔不但有呼吸，还有细语："你为什么不看我？你不敢？"

燕十三的眼睛已经睁开来，已经在看着她。

薛可人笑了，嫣然道："你总算还是个男人，总算还有点胆子。"

燕十三苦笑道："可是我就算看三天三夜，我也看不出。"

薛可人道："看不出什么？"

燕十三道："看不出你究竟是不是个人。"

薛可人道："你应该看得出的。"

她挺起胸膛，伸直双腿："如果我不是人，你看我像什么？"

只要有眼睛的，都应该看得出她不但是个人，是个女人，是个活女人，而且还是个女人中的女人，每分每寸都是女人。

燕十三道："你很像是个女人，可是你做的事却不像！"

薛可人道："你想不通我为什么要这样做？"

燕十三道："如果我能想得出，我也不是人了！"

薛可人道："你认为你自己很丑？"

燕十三道："还不算太丑。"

薛可人道："很老？"

燕十三道："也不算太老。"

薛可人道："有没有什么缺陷？"

燕十三道："没有！"

薛可人道："有没有女人喜欢过你？"

燕十三道："有几个。"

薛可人道："那么奇怪的是什么？"

燕十三道："如果你是别的女人，我非但不会奇怪，而且也不会客气，可惜你……"

薛可人道："我怎么样？"

燕十三道："你有丈夫！"

薛可人道："女人迟早总要嫁人的，嫁了人后，就一定会有丈夫。"

这好像是废话，但却不是。

因为她下面一句话问得很绝："如果她嫁的不是个人，她算不算有丈夫？"

这句话问得真够绝，下面还有更绝的："如果一个女人嫁给了一条猪、一条狗、一块木头，她能不能算有丈夫？"

燕十三实在不知道应该怎么回答，他只有反问："夏侯星是猪？"

薛可人道："不是！"

燕十三道："是木头？"

薛可人道："也不是。"

燕十三道："那么他是狗？"

薛可人叹了口气，道："如果他是狗，也许反倒好一点。"

燕十三道："为什么？"

薛可人道："因为狗至少还懂一点人意，有一点人性。"

她咬着嘴唇，显得又悲哀，又怨恨："夏侯星比猪还懒，比木头还不解温柔，比狗还会咬人，却偏偏还要装出一副很了不起的样子，我嫁给他三年，每天都恨不得溜走。"

燕十三道："你为什么不溜？"

薛可人道："因为我从来都没有机会，平时他从来都不许我离开他一步。"

燕十三又在找，找那瓶还没有完全被他喝光的酒。

他想用酒瓶塞住自己的嘴。因为他实在不知道应该说什么。

第七章

祸上身来

酒瓶就在他对面，他很快就找到了，却已不能用酒瓶塞住自己的嘴。

因为他的嘴已经被另外一样东西塞住，一样又香又软的东西。

大多数男人的嘴被这样东西塞住时，通常都只会有一种反应。

一种婴儿的反应。

可是燕十三的反应却不同。他的反应就好像嘴里忽然钻入条毒蛇。

很毒很毒的毒蛇。

这种反应并不太正常，也不太会令人愉快。

薛可人几乎要生气了，噘起嘴道："我有毒？"

燕十三道："好像没有。"

薛可人道："你有？"

燕十三道："大概也没有。"

薛可人道："你怕什么？"

燕十三道："我只不过想知道一件事。"

薛可人道："什么事？"

燕十三道："我只想知道你究竟想要我干什么。"

薛可人道："你以为我这么样对你，只因为我想要你做件事？"

燕十三笑笑。

笑笑的意思，就是承认的意思。薛可人生气了，真的生气了，自己一个人生了半天气，还想继续生下去。

只可惜一个人生气也没什么太大的意思，所以她终于说了老实话。

她说："其实这并不是我第一次溜走，我已经溜过七次。"

燕十三道："哦？"

薛可人道："你猜我被抓回去几次？"

燕十三道："七次。"

薛可人叹了口气，道："夏侯星这个人别的本事没有，只有一样最大的本事！"

燕十三道："哦？"

薛可人道："不管我溜到哪里，他都有本事把我抓回去。"

燕十三又笑笑，道："这本事倒真不小。"

薛可人道："所以这次他迟早一定还是会找到我的。幸好这次已不同了！"

燕十三道："有什么不同？"

薛可人道："这次他抓住我的时候，我已经是你的人。"

她不让燕十三否认，立刻又解释："至少他总会认为我已经是你的人！"

燕十三没有笑，可是也不能否认。

不管谁看见他们现在这样子，都绝不会有第二种想法的。

薛可人道："他这人还有另外一种本事，他很会吃醋。"

这种本事男人通常都有的。

薛可人道："所以他看见我们这样子，一定会杀了你。"

燕十三也只有同意。

薛可人道："如果别人要杀你，而且非要杀你不可，你怎么办？"

她自己替他回答："你当然也只有杀了他。"

燕十三在叹气。

现在他总算已明白她的意思。

薛可人柔声道："可是你也用不着叹气，因为你并没有吃亏，有很多男人都愿意为了我这样的女孩子杀人的。"

燕十三道："我相信一定有很多男人会，可是我……"

薛可人道："你也一样！"

燕十三道："你怎么知道我也一样？"

薛可人道："因为到了那时候，你根本就没有选择的余地。"

她抓住了他的脖子："到了那时候，你不杀他，他也要杀你，所以你现在还不如……"

她没有说下去，并不是因为有样东西塞住了她的嘴，而是因为她的嘴堵住了别人的嘴。

这次燕十三并没有把她当毒蛇，这次他好像已经想通了。

可惜就在这时候，拉车的马忽然一声惊嘶。

他一惊回头，就看见一只车轮子在窗口外从他们马车旁滚到前面去。

就是他们这辆马车的轮子。

就在他看见这只轮子滚出去的时候，他们的马车已冲入道旁，倒了下去。

马车倒下去车窗就变得在上面了。

一个人正在上面冷冷地看着他们，英俊冷漠的脸，充满了怨毒的眼睛。

薛可人叹了口气，道："你看他是不是真的有本事？"

燕十三只有苦笑，道："是的。"

夏侯星是世家子弟。

世家子弟通常都很有教养，很少说粗话的，就算叫人"滚"的时候，通常也会说"请"。

可是不管什么人总有风度欠佳的时候，现在夏侯星无疑就到了这种时候。

到现在他还没有跳起来破口大骂，实在已经很不容易。他只不过骂了句："贱人，滚出来。"

薛可人居然很听话，要她出来，她立刻就出来。

她身上连一寸布都没有。夏侯星又急了，大吼道："不许出来。"

薛可人叹了口气，道："你知道我是一向最听你话的，可是现在你又叫我滚出去，又不许我出去，我怎么办呢？"

夏侯星苍白的脸色已气得发紫，指着燕十三，道："你……你……你……"

他本就不是个会说话的人，现在又急又气，连话都说不出了。

薛可人道："看样子他是要你滚出去？"

燕十三道："绝不是。"

薛可人道："不是？"

燕十三道："因为我既不是贱人，也不会滚。"

他笑了笑，又道："我知道夏侯公子一向是个有教养的人，如果他要我出去，一定会客客气气地说个'请'字。"

夏侯星的脸又由紫发白，握紧双拳，道："请，请请，请……"

他一连说了十七八个"请"字，燕十三早已出来了，他还在不停地说。

燕十三又笑了，道："你究竟要请我干什么？"

夏侯星道："我要请你去死。"

道路前面，远远停着辆马车，车门上还印着夏侯世家的标志。

那孩子和赶车的都坐在前面的车座上，瞪着燕十三。

赶车的是个白发苍苍，又瘦又小的老头子，干这行也不知有多少年了，赶起车来，绝不会比任何一个年轻小伙子差劲。

那孩子身手灵活，当然也练过武。但是他们却绝对没法子帮夏侯星出手的，所以燕十三要对付的，还是只有夏侯星一个人。

这点让燕十三觉得很放心。

夏侯星虽然并不容易对付，那柄千蛇剑更是件极可怕的外门兵器。

可是就凭他一个人，一柄剑，燕十三并没有十分放在心上。

他只觉得这件事有一点不对。

虽然他对夏侯星这个人也并没什么好感，可是为了一个女人去杀她的丈夫……

他没有时间再考虑下去。

夏侯星的千蛇剑，已如带着满天银雨的千百条毒蛇般向他击来。

他本来可以用夺命十三剑中的任何一式去破解这一招的。可是就在这一瞬间，他忽然有了种奇怪的想法——曹冰可以用乌鸦试剑，我为什么不能乘此机会，试试三少爷那一剑的威力？

就在他开始有这种想法时，他的剑已挥出，如清风般自然，如夕阳般绚丽。

他用的正是三少爷那一剑。这一剑他用得并不纯熟，连他自己使出时，都没有感觉到它的威力。

他立刻就感觉到了。

夏侯星那毒蛇般的攻击，忽然间就已在这清风般的剑光下完全瓦解，就像是柳絮被吹散在春风中，冰雪被融化在阳光下。

夏侯星的人竟也被震得飞了出去，远远地飞出七八丈，跌在他自己的马车顶上。

燕十三自己也吃了一惊。老车夫忙着去照顾夏侯星，孩子瞪大了眼睛，吃惊地看着他。薛可人在叹气，微笑着叹气，叹气是假的，笑是真的。

她笑得真甜。

“想不到你的剑法比我想象中还要高得多。”

燕十三叹息着笑道：“我也想不到。”

他的叹息并不假，笑却是苦的。他自己知道，若是用自己的夺命十三剑，随便用哪一招，都绝不会有这样的威力。

——如果没有慕容秋荻的指点，他怎么能抵挡这一剑？

——现在他就算能击败三少爷，那种胜利又是什么滋味？

燕十三的心里也有点发苦，手腕一转，利剑入鞘。他根本没有再去注意夏侯星，他已不再将这个人放在心上。想不到等他抬起头来时，夏侯星又已站在他面前，冷冷地看着他。

燕十三叹了口气，道：“你还想干什么？”

夏侯星道：“请。”

燕十三道：“还想请我去死？”

夏侯星这次居然沉住了气，冷冷道：“阁下刚才用的那一剑，的确是天下无双的剑法！”

燕十三不能否认。这不但是句真话，也是句恭维话，可是他听了心里并不舒服。因为那并不是他的剑法。

夏侯星又道：“在下此来，就因还想领教领教阁下刚才那一剑。”

燕十三道：“你还想再接那一剑？”

夏侯星道：“是的。”

燕十三笑了。

这当然并不是真笑，也不是冷笑，更不是苦笑。

这种笑只不过是种掩饰。掩饰他的思想。

——这小子居然敢再来尝试那一剑，若不是发了疯，就一定是有了把握。

——他看来并不像发了疯的样子。

——难道他也已想出了那一剑的破法，

而且自觉很有把握？燕十三的心动了。他实在也很想看看世上还有什么别的法子能破这一剑！

夏侯星还在等着他答复。

燕十三只说了一个字：“请。”

这个字说出口，夏侯星已出手，千蛇剑又化作了满天银蛇飞舞。

这一剑看来好像是虚招。

燕十三看得出，却不在乎。

不管对方用的是虚招实招都一样，三少爷的那一剑都一样可以对付。

这次他用得当然比较纯熟。就在他一剑挥出，开始变化时，“咔”的一声，满天银蛇已合成一柄剑。

剑光凝住，一剑刺出。简简单单的一剑，简单而笨拙，刺的却正是三少爷这一剑唯一的破绽。

燕十三真的吃惊了。夏侯星用的这种剑法，竟和他自己在慕容秋荻面前施展出的完全一样。连慕容秋荻都承认这是三少爷那一剑唯一的破法。现在他自己用的正是三少爷那一剑。夏侯星却用了他自己想出的破法来刺杀他。

现在他的剑式已发动，连改变都无法改变了，难道他竟要死在自己想出的剑式下？

他没有死！

他明明知道自己用的这一剑中有破绽，明明知道对方这一剑刺的就是致命的一点。

可是对方这一剑刺入这一点后，他用的这一剑忽然又有了变化。

一种连他自己都想不到的变化，也绝不是他自己想出来的变化。

那是这一剑本身变化中的变化。

那就像是高山上的流水奔泉，流下来时，你明明看见其中有空隙，可是等到你的手伸过去时，流泉早已填满了这空隙。

“叮”的一声响。

千蛇剑断了，断成了千百片碎片，夏侯星的人又被震得飞了出去，飞得更远。

这一次老车夫也在吃惊地看着他，竟忘记照顾夏侯星了。

这一次薛可人不但在笑，而且在拍手。

可是这一次燕十三自己的心却沉了下去，沉入了冰冷的湖底。

现在他才明白，三少爷那一剑中的破绽，根本就不是破绽。

现在他才明白，世上根本没有人能破这一剑！

绝对没有任何人！

他若想去破，就是去送死，曹冰若是去了，也已死定了！

——如果能破那一剑，是他的光荣，如果不能破，死的也应该是他。

夏侯星倒在地上，还没有站起来，嘴角正在淌着血。

老车夫和孩子却已被吓呆了。

可是拉车的马，却还是好好的，无论谁都看得出那是匹久经训练的好马。

他想去抢这匹马。

他更急着赶到神剑山庄去，就算是去送死，他也要赶去。他绝不能让曹冰替他死。

因为他是江湖人，江湖人总有自己独特的想法。

就在这时，他听见有人在咳嗽。一个穿得又脏又破，满身又臭又脏的流浪汉，不停咳嗽着，从树林里走出来。

刚才他们都没有看见这个人。

刚才树林里好像根本就没有人，可是现在这个人却明明从树林里走出来了。他走得很慢，咳嗽得很厉害。

刚才那一场惊心动魄的恶斗，惊虹满天的剑光，他也好像没看见。

现在这些人他也好像没看见。

——赤裸的美女，身子至少已有一半露在车窗外。

他没看见。

——绝代的剑客，掌中还握着那柄杀气森森的剑。

他也没看见。

他眼睛里好像只看见了一个人——看见了那又小又瘦的老车夫。

老车夫的身子已吓得缩成了一团，还在不停地发抖。

这流浪汉不停地咳嗽着，慢慢地走过去，忽然站住，站在车前。

老车夫更吃惊，吃惊地看着他。他咳嗽总算停止了一下，忽然对这老车夫笑了笑，道："好。"

老车夫道："好？好什么？什么好？"

流浪汉道："你好。"

老车夫道："我什么地方好？"

流浪汉道："你什么地方都好。"

老车夫苦笑，还没有开口，流浪汉又道："刚才若是你自己去，现在那个人已死了。"

一句话还未说完，他又开始不停地咳嗽，慢慢地走开了。

老车夫吃惊地看着他。每个人都在吃惊地看着他。好像都听不懂他在说什么。

燕十三却好像似懂非懂，正想追过去再问问他。这个人却已连影子都看不见了。他走得虽然慢，可是一霎眼间就已连影子都看不见了，甚至连咳嗽声都已听不见。

薛可人在喃喃自语："奇怪奇怪，这个人我怎么看起来很面熟？"

老车夫也在喃喃自语："奇怪奇怪，这个人究竟在说什么？"

燕十三已到了他面前，道："他说的话别人也许不懂，可是我懂。"

老车夫道："哦？"

燕十三道："不但我懂，你也懂。"

老车夫闭上了嘴，又用惊诧的眼光在看着他。

燕十三道："二十年前，红云谷最强的高手，并不是现在的庄主夏侯重山。"

老车夫道："不是老庄主是谁？"

燕十三道："是他的弟弟夏侯飞山。"

老车夫道：“可是……”

燕十三道：“可是夏侯飞山在二十年前就已忽然失迹，至今没有人知道他的下落。”

老车夫叹了口气，道：“只怕他老人家早已死了很久了！”

燕十三道：“江湖中人都以为他已死了，现在我才知道他并没有死。”

老车夫道：“你怎么知道？”

燕十三道：“因为我已知道他的下落。”

老车夫道：“他老人家在哪里？”

燕十三道：“就在这里！”

他盯着老车夫的眼睛，一字字道：“夏侯飞山就是你！”

暮色渐临，风渐冷。

这老车夫畏缩的身子却渐渐挺直，苍老疲倦的眼睛里忽然发出了光。

一种只有真正的高手才能发射出的神光。

燕十三道：“远在二十年前，你就已会过夺命十三剑。”

第八章

醉意如泥

他又解释：“二十年前，华山绝岭，你和我先父那一战，别人不知道，我知道。”

老车夫的手握紧。

燕十三道：“那一战你败在先父剑下，这二十年来，你对夺命十三剑一定研究得很透彻，因为你一直都想找机会复仇！”

老车夫忽然叹了口气，道：“只可惜他死得太早了些。”

燕十三道：“就因为你对夺命十三剑研究得很透彻，所以你才知道，十三剑外，还有第十四剑，所以你才能想得出刚才那一招破法。”

他叹了口气，道：“除了你之外，世上只怕再也没有第二个人。”

老车夫并不否认。

燕十三道：“薛可人无论逃到哪里，都逃不过夏侯星的手掌，当然也是因为你。”

老车夫道：“哦？”

燕十三道：“火焰神鹰夏侯飞山追捕搜索的本事，二十年前，江湖中就已很少有人能比得上。”

老车夫淡淡道：“你知道的事好像真不少。”

燕十三道：“的确不少！”

老车夫眼睛里忽又射出如剑般的寒光，道：“你也知道我为什么要忽然失踪？失踪后为什么还要屈身为奴，做夏侯星的车夫？”

燕十三淡淡道：“这些事我不必知道。”

这些事他的确不必知道，因为这是别人的秘密，别人的隐私。可是他也并不是不知道。

——兄弟间的斗争，叔嫂间的私情，一时的失足，百年的遗恨。

这本就是一些巨大家族中常有的悲剧，并不止发生在夏侯世家。只不过他们辉煌的声名和光彩，足以眩乱世人的眼睛，让别人看不见这些丑陋而悲惨的事。

——夏侯飞山昔年的失踪，是不是因为他和他大嫂间的私情？

——他失踪后，再悄悄回来，宁愿屈身为奴，做夏侯星的车夫，为的是什么？

——难道夏侯星就是他因为这段孽缘而生下的儿子？

这些事燕十三都不愿猜测。因为这是别人的隐私，他不必知道。他也不想知道。

老车夫还在看着他，用那双已不再衰老疲倦的眼睛看着他。燕十三并没有逃避他的目光。

一个人若是问心无愧，就不必逃避，不管什么都不必逃避。老车夫忽然问了句很奇怪的话。

他问："你现在姓什么？"

燕十三道："燕，燕子的燕。"

老车夫道："你就是燕十三？"

燕十三道："是。"

老车夫道："你真是你老子的儿子？"

燕十三道："是！"

这几句话不但问得奇怪，问得莫名其妙，回答的人也同样莫名其妙。问的本来就是废话。

废话本来是用不着回答的，可是燕十三却不能不回答。因为他知道这些话并不是废话，老车夫下面说的一句也不再是废话。

他说："你既然是你老子的儿子，我就本该杀了你的！"

燕十三没有开口。

他了解这老人的心情，在江湖人心目中，失败的耻辱，就是种永难忘怀的仇恨。

仇恨就一定要报复。

老车夫道：“刚才我就想要用你自己的剑法杀了你！”

他长长叹息，又道：“只可惜夏侯星的出手太软，你那一剑的变化又太可怕。”

燕十三道：“他的出手并不软，只不过他对自己已失去信心。”

老车夫默然。

燕十三道：“我那一剑用得并不纯熟，所以刚才出手的若是你，我很可能已死在你的剑下。”

老车夫也承认，那流浪汉的确看得很准。

——他究竟是什么人？

风尘中的奇人异士本就多得很，人家既不愿暴露身份，你又何苦一定要去追究？

燕十三道：“现在……”

老车夫道：“现在已不同了！”

燕十三道：“有什么不同？”

老车夫道：“现在你对自己用的那一剑已有了信心，连我都已破不了。”

燕十三道：“你至少可以试试。”

老车夫道：“不必。”

燕十三道：“不必？”

老车夫道：“有些事你既然不必知道，所以有些事我也不必再试。”

他不让燕十三开口，又道：“二十年前，我败在你父亲剑下，二十年后，夏侯星又败在你剑下，我又何必再试？”

他说得虽平淡，声音中却带着说不出的伤感。

燕十三也明白他的意思。他所感伤的，也许并不是昔年的那一战，而是今日的失败。

因为他终于发觉连自己的儿子都比不上别人的儿子。

这才是真正的失败，彻底的失败，这种失败是绝对无法挽救的。

他就算杀了别人的儿子又有什么用？

老车夫缓缓道：“夏侯氏今日已败，夏侯家的人你不妨随便带走一个。”

他已准备要燕十三带走薛可人。

他已不想再要这种媳妇。

燕十三道："我并不想带走任何人。"

老车夫道："你真的不想？"

燕十三摇摇头，道："但我却想要……"

老车夫的瞳孔收缩，道："你就算想要我的头颅，我也可以给你！"

燕十三笑了笑，道："我只不过想要一匹马，快马！"

果然是快马。

燕十三打马狂奔，对这匹万中选一的快马，并没有一点珍惜。

对自己的体力他也不再珍惜。对这一战，他已完全没有把握，没有希望，因为他知道没有人能破三少爷那一剑。

绝没有！

他只希望能在曹冰之前赶到绿水湖。

绿水湖在翠云峰下。

神剑山庄依山临水，建筑古老而宏大。湖的另一岸，是个小小的村落，村子里的人大多都姓谢。要到神剑山庄去的人，通常都得经过这位谢掌柜的转达。就像大多数别的地方一样，这酒家的名字也叫作杏花村。

小小杏花村。

燕十三赶到小小杏花村时，马已倒下。

幸好他的人还没有倒。

他冲进去，他想找谢王孙问问，曹冰是不是已到了神剑山庄。

可是他不必问。因为他一冲进去，就看见了答案。一个活生生的答案。

小小杏花村里只有两个人，燕十三一冲进去，就看见了曹冰。

活生生的曹冰，曹冰已经先来了。

曹冰还活着。他是不是已经会过了三少爷？现在他还活着，难道三少爷已死在他剑下？

燕十三不信，却又不能不信。曹冰绝不是那种有耐性的人，一到这里，就一定会闯入神剑山庄去。

他绝不会留在这里等。无论谁闯入了神剑山庄，还能活着出来，只有一种原因。

他已击败了神剑山庄中最可怕的一个人。

曹冰真的能击败三少爷？他用的是什么方法破了三少爷的那一剑？燕十三很想问，却没有问。

因为曹冰虽然还活着，却已醉了。

大醉。醉如泥。幸好酒店里另外还有一个没有醉的人，正在看着他摇头叹息。

“这位仁兄看来一定不是个喝酒的人，只喝了半斤多，就整整醉了一天。”

不是喝酒的人，为什么要喝醉？

是因为一种胜利后的空虚，还是因为他在决战前想喝点酒壮胆，却先醉了？

燕十三忍不住问：“你就是这里的谢掌柜？”

本来在摇头叹息的人，立刻点了点头。

燕十三道：“你知道这位仁兄是不是已会过了谢家的三少爷？”

谢掌柜道：“不知道。”

燕十三道：“他是不是已到过神剑山庄？”

谢掌柜道：“不知道。”

燕十三道：“现在三少爷的人呢？”

谢掌柜道：“不知道。”

燕十三冷冷道：“你知道什么？”

谢掌柜笑了笑，道：“我只知道阁下就是燕十三，只知道阁下要到神剑山庄去。”

燕十三笑了。

应该知道的事这个人全不知道，不该知道的事他反而好像全知道。

燕十三道：“你能不能带我去？”

谢掌柜道：“能！”

绿水湖的湖水绿如蓝。

只可惜现在已是残秋，湖畔已没有垂柳，却有条快船。

“这条船就是专门为了接你的，我已准备好三天。”

他们上了船。船中不但有酒有菜，还有一张琴、一枰棋、一卷书、一块光滑坚硬的石头。

燕十三道：“这是什么？”

谢掌柜道：“这是磨剑石。”

他微笑着解释：“到神剑山庄去的人，我已看得多了，每个人上了这条船后，做的事都不一样！”

燕十三在听着。

谢掌柜道：“有的人一上船就拼命喝酒。”

燕十三道：“喝酒可以壮胆。”

他倒了杯酒，一饮而尽：“只不过喝酒并不一定是为了壮胆。”

谢掌柜立刻同意，微笑道：“有些人喝酒就只因为喜欢喝酒。”

燕十三又喝了三杯。

谢掌柜道：“也有的人喜欢抚琴、看书，甚至还有的人喜欢一个人打棋谱。”

这些都是可以让人心神松弛，保持镇定的法子。

谢掌柜道：“可是大多数人上了这条船后，都喜欢磨剑。”

磨剑也是种保持镇定的法子，而且还可以完全不用脑筋。

谢掌柜看着燕十三的剑，道：“这是块很好的磨剑石。”

燕十三笑了笑道：“我这把剑一向不用石头磨。”

谢掌柜道：“不用石头用什么？”

燕十三淡淡道：“用脖子，仇人的脖子。”

水波荡漾，倒映着满天夕阳，远处的翠云峰更美如图画。

船舱里很平静，因为谢掌柜已闭上了嘴。他的脖子并不想被人用来磨剑，可是他的眼睛还是忍不住要去看看那柄剑。

上面镶着十三粒明珠的剑。这不是把宝剑，却是把名剑，非常有名的剑。

燕十三面对窗外的湖光山色，仿佛在想心事，也不知过了多久，忽然回头道："你当然见过那位三少爷。"

谢掌柜不能不承认。

燕十三道："你知不知道他平时用的是把什么样的剑？"

他见过三少爷出手，远远地见过一次，可是他并没有看清那把剑。

因为三少爷的出手实在太快。所以他忍不住想问问，可是一问出来，就觉得是多余的。

因为谢掌柜的回答一定是："不知道。"

可是这次他居然想错了。

谢掌柜沉吟着，缓缓道："你知不知道那次华山论剑的事？"

燕十三知道。

谢掌柜道："三少爷用的就是那柄剑。"

燕十三道："天下第一剑？"

谢掌柜点点头，叹息着道："那才真正是天下无双的名剑。"

燕十三承认："那的确是的！"

谢掌柜道："有很多人坐这条船去，都还不是为了想瞻仰瞻仰那把剑。"

燕十三道："每次负责接送的都是你？"

谢掌柜道："通常都是的，去的时候，我通常陪他们下棋喝酒。"

燕十三道："回来的时候呢？"

谢掌柜笑了笑道："回来的时候，通常都是我自己一个人回来。"

燕十三道："为什么？"

谢掌柜淡淡道："因为他们一去，就很少有回来的。"

夕阳淡了，暮色浓了。

远处的青山，已渐渐地隐没在浓浓的暮色里，就像是一幅已褪了色的图画。

船舱里更安静。因为燕十三也闭上了嘴。

——现在他这一去，是不是还能活着回来？

他忽然想起了很多事，很多不该想的事。

他想起了自己的童年，想起了那些青春时的游伴。也想起了那些死在他剑下的人。

——其中有多少人是不该死的?

他又想起了第一个陪他睡觉的女人，那时他还是个孩子，她却已很有经验。

对他说来，那件事并不是件很有趣的经验，可是现在却偏偏忽然想了起来。

他甚至还想到了薛可人。现在她是不是又跟着夏侯星回去了？夏侯星是不是还要她?

这些事根本就是他不用去想，不必去想，也是他本来从不愿去想的。

可是他现在却全都想起来了，想得很乱。就在他思想最乱的时候，他看见了一个人，就站在秋夕暮中，绿水湖畔。

一个人思想最乱的时候，通常都很不容易看见别的人、别的事。

燕十三却在思绪最乱的时候看见了这个人。

这个人并不特殊。这个人是个中年人，也许比中年还老些，他的两鬓已斑，眼色中已露出老年的疲倦。

他穿得很朴素，一缕青衫，布鞋白袜。看起来他只不过是个很平凡的人，就这么样随随便便地走到这绿水湖畔，看见了这残秋的山光水色，就这么样随随便便地站下来。

也许就因为他太平凡，平凡得就像是这残秋的暮色，所以燕十三才看见了他。

——愈平凡的人和事，有时反而愈不容易不去看。

燕十三看见他，也正如看见这秋夕暮色一样，心里只会感觉到很平静、很舒服、很美，绝不会有一点点惊诧和恐惧。

第九章

深藏不露

谢掌柜也看见了这个人，却显得很惊讶，甚至还有点恐惧。

燕十三忍不住问：“这个人是谁？”

谢掌柜反问道：“你知不知道神剑山庄，这一代的庄主是谁？”

燕十三当然知道：“是谢王孙。”

谢掌柜道：“你现在看见的这个人，就是谢庄主，谢王孙。”

谢王孙并不是那种叱咤江湖、威震武林的名侠。他名闻天下，只因为他是神剑山庄的庄主。

燕十三知道这一点，却还是想不到这位名闻天下的谢庄主，竟是这么随和，这么平易的人。

看起来他虽然并不太老，可是他的生命却已到了黄昏，就正如这残秋的黄昏般平和宁静，这世上已不再有什么令他动心的事。

他的手也是干燥而温暖的。现在他正握起了燕十三的手，微笑道：“你用不着介绍自己，我知道你。”

燕十三道：“可是前辈你……”

谢王孙道：“千万不要称我前辈，到了这里，你就是我的客人。”

燕十三没有再争辩，也没有再客气。

被这只手握着，他心里忽然也有了种很温暖的感觉。

可是他另一只手还是在紧紧握着他的剑。

谢王孙道：“我的家就在前面不远，我们可以慢慢地走过去。”

他微笑着，又道：“能够在这么好的天气里，和一个像你这样的人散散步、聊聊天，实在是件很愉快的事。”

夕阳虽已消失，山坡上的枫叶却还是艳丽的。

晚风中充满了干燥木叶的清香，和一种从远山传来的芬芳。

夹道的枫林中，有一条小小的石径。

燕十三心里忽然有了种他已多年未曾有过的恬适和安静。他忽然想到了诗："远上寒山石径斜，白云深处有人家。停车坐爱枫林晚，霜叶红于二月花。"

此时此刻，这种意境，岂非就正是诗的意境？走在他身旁的这个人，岂非也正是诗中的人，画中的人？

谢王孙走得很慢。对他说来，生命虽然已很短促，可是他并不焦躁，也不焦急。

远远望过去，神剑山庄那宏伟古老的建筑，已隐约可见。

谢王孙道："这还是我祖先们在两百年前建立的，至今都没有一点改变。"

他的声音中也带着些感触："可是这里的人却都已改变了，改变了很多。"

燕十三静静地听着。他听得出这老人心里的感触，只不过是一点点感触而已，并不是感伤。

因为他已看破了一切。人本来就是要变的，又何必感伤？

谢王孙道："建立这山庄的人，也就是这里的第一代祖先，你大概也知道他。"

燕十三当然知道。

两百年前，天下的名侠聚于华山，谈武论剑，那是多么令人神往的事。

能够在那时受到天下名侠的尊敬，这个人又是个多么伟大的人。

谢王孙道："自然他老人家仙去后，这里已经历了许多代，虽然没有一个人能比得上他老人家的，可是谢家每一代的祖先，都曾经有过一段辉煌的历史，做过些惊天动地的事。"

他笑了笑，接着道："只有我，我只不过是个很平凡的人，本不配做谢家的子孙！"

他笑得还是那么平静，那么恬适："就因为我知道自己的平凡无能，所以我反而能享受一种平凡安静的生活。"

燕十三只有听着。这老人说的话，他实在没法子接下去。

谢王孙道："我有两个女儿，三个儿子，大女儿嫁的是一个很有为的年轻人，只可惜太骄傲了一点，所以他们死得都很早。"

燕十三听说过这件事。谢家的大小姐，嫁的是当时江湖中最剽悍勇敢的少年剑客。他们的确死得很早，就死在他们洞房花烛夜的那一天晚上，被人暗算在他们的洞房里。

谢王孙道："我的二女儿死得也很早，是因为忧郁而死的。因为她心里爱上的一个人，是我的书童，她不敢说出来，我们也不知道，所以就将她许配给另一家人，婚期还未到，她就默默地死了。"

他轻轻叹息："其实她若是将心事说了出来，我们绝不会反对的，我那书童也是个好孩子！"

这是他第一次叹息，也只不过是一声无可奈何的叹息而已。

并没有太多悲伤。

——人们又何必要为已经过去的事悲伤？谢王孙道："我的大儿子是个白痴，幼年时就夭折了；我的次子是为了要去替姐姐和姐夫报仇，战死在阴山的。"

暗算谢家大小姐的阴山群鬼，在那一战后，也没有一个活着的。

谢王孙道："这是我们家门的不幸，我并没有埋怨过任何人。"

他的声音还是很平静："每个人都有他自己的命运，是幸运，还是不幸，都怨不上别人，所以这些年来，我也渐渐看开了！"

一个人在经过这么多悲惨和不幸之后，还能够保持心境的平静。就凭这一点，他就已是个很了不起的人。燕十三很佩服，真的很佩服。

谢王孙道："现在我想得真开，造成这些不幸的，也许只因为我们谢家的杀戮太重……"

能想到这一点，更令人佩服。但是他为什么要将这些事告诉别人？这本是他们自己家族的隐私，本不必让别人知道的。

——他告诉我这些事，是不是因为他已将我当作个死人？

——只有死人才是永远不会泄露任何秘密的。

燕十三已想通了这一点。可是他并不在乎。因为他也想开了，别人对他的看法，他已完全不放在心上。

谢王孙又道："你当然知道我还有个儿子，叫谢晓峰。"

燕十三道：“我知道。”

谢王孙道：“他的确是个很聪明的孩子，谢家的灵气，好像已完全钟于他一身。”

燕十三道：“我知道他少年时就曾击败了当时的名剑客华少坤。”

谢王孙道：“华少坤的剑法，并没有传说中那么高，而且也太骄傲，根本没有将一个十来岁的孩子看在眼里。”

他慢慢地接着道：“一个人要学剑，就应该诚心正意，绝不能太骄傲，骄傲最易造成疏忽，任何一点疏忽，都足以致命。”

这的确是金玉良言，燕十三当然在听着。

谢王孙笑了笑，道：“可是我那孩子并没有这种毛病，他虽然少年时就已成名，可是他从来没有轻视过任何人。”

燕十三忍不住长长叹息，道：“只凭这一点，就难怪他能天下无敌了！”

谢王孙忍不住又叹了口气，道：“可惜这也是他的不幸。”

燕十三道：“为什么？”

谢王孙道：“就因为他从不轻视任何人，所以他对敌时必尽全力。”

他没有再说下去，燕十三已明白他的意思。

——一个人对敌时若是必尽全力，剑下就一定会伤人。

他早就知道三少爷的剑下是从来没有活口的。

谢王孙又在叹息，道：“他平生最大的错误，就是他的杀戮太重了。”

燕十三道：“这并不是他的错！”

谢王孙道：“不是？”

燕十三道：“也许他并不想杀人，他杀人，是因为他没有选择的余地。”

——你不杀我，我杀你。

燕十三也在叹息，道：“一个人到了江湖，有时做很多事都是身不由主的，杀人也一样！”

谢王孙看着他，看了很久，缓缓道：“想不到你居然很了解他。”

燕十三道：“因为我也杀人！”

谢王孙道："你是不是也很想杀了他？"

燕十三道："是！"

谢王孙道："你很诚实。"

燕十三道："杀人的人，一定要诚实。不诚实的人，通常都要死于别人剑下。"

——学剑的人，就得诚心正意，这道理本是一样的。

谢王孙看着他，眼睛里忽然露出种很奇怪的表情，忽然道："好，你跟我来。"

燕十三道："谢谢你！"

谢谢你，这本是很平常的一句话。此时此刻，他居然会说出这句话来，就变得很奇怪了。

他为什么要谢？是因为这老人对他的了解，还是因为这老人肯带他去送死？

他本来就是送死来的。

夜。

夜色初临，神剑山庄中已有灯火次第亮起。

他们走入了大厅旁的一间屋子。大厅里灯火辉煌，这间屋子里灯光都是昏黄暗淡的。

屋子里每样东西，都蒙着块黑巾，显得更阴森冷寂。

谢王孙为什么不在大厅中接待宾客？为什么将他带到这里来？燕十三没有问，也不必问。

谢王孙已掀开一块黑布，露出一块匾，和五个金光灿烂的字："天下第一剑。"

谢王孙道："这是自古以来，江湖中从来没有人得到过的荣誉，谢家的子孙，一直都对它很珍惜，也很惭愧。"

燕十三道："惭愧？"

谢王孙道："因为自从他老人家仙去后，谢家的子孙就没有一个能配得上这五个字。"

燕十三道："可是现在江湖中已公认有一个人能配得上这五个字

了！”

只有一个人。

谢家的三少爷。

谢王孙道：“所以他老人家当年在华山用的那柄剑，现在也传给了他。”

他又强调：“那柄剑已多年没有动用过，至今才传给他。”

燕十三了解。

除了“他”之外，有谁配用那柄剑？

谢王孙道：“你想不想看看这柄剑？”

燕十三道：“想，很想。”

又一块黑布掀起，露出个木架。

木架上有一柄剑。剑鞘是乌黑的，虽然已陈旧，却仍保存得很完整。

杏黄色的剑穗色彩已消褪了，形式古雅的剑锷却还在发着光。

谢王孙静静地站在这柄剑前，就好像面对着自己心里最尊敬的神祇。

燕十三的心情也一样。他的心情甚至比谢王孙更虔诚，因为他知道世上只有这柄剑可以杀了他！

谢王孙忽然道：“这并不是名师铸成的利器，也不是古剑。”

燕十三道：“这柄是天下无双的名剑。”

谢王孙承认：“的确是的。”

燕十三道：“只不过我真正要看的，并不是这柄剑。”

谢王孙道：“我知道！”

燕十三道：“我要看的，是这柄剑的主人，现在的主人。”

谢王孙道：“现在你已经面对着他。”

燕十三面对着的，是置剑的木架。木架后还有件用黑布蒙着的东西，一件长长的方方的东西。

燕十三心里忽然有了种说不出的寒意，从心头一直冷到足底。他已感觉到某种不祥的事。他想问，可是他不敢问。他甚至不敢相信，也不愿相信，他只希望这种感觉是错误的。

可惜他没有错。这块黑布掀起，露出的是口棺材，崭新的棺材上，仿佛有八九个字。

燕十三只看见了三个字："谢晓峰……"

大厅里灯火虽然依旧同样辉煌，可是无论多辉煌的灯光，都已照不亮燕十三的心。因为他心里的光华已消失了。

剑的光华已消失了——

唯一能杀他的那柄剑！

"晓峰已死了十七天。"

那当然绝不是死在曹冰剑下的，没有人能击败他！绝对没有任何人。

唯一能击败他的，就是命运！

——每个人都有他自己的命运，也许就因为他的生命太辉煌，所以才短促。

他死得虽突然，却很平静。老人的眼中虽已有了泪光，声音也还是很平静！

"我并不十分难受，因为他这一生已活够，他的生命已有了价值，已死而无憾。"

他忽然问燕十三："你是想默默地过一生，还是宁愿像他那么活三年？"

燕十三没有回答，也不必回答。

——你是愿意做流星？

还是愿意做蜡烛？

——流星的光芒虽短暂，可是那种无比的辉煌和美丽，又岂是千万根蜡烛所能比得上的？

大厅虽然灯火辉煌，燕十三却宁愿走入黑暗。

远山间一片无边无际的黑暗。

燕十三忽然道："你刚才告诉我那些事，并不是因为你已将我当作个死人。"

当然不是的。

三少爷已死了，他怎么会死？

燕十三忽又回头，面对着谢王孙，道：“你为什么告诉我那些事？”

谢王孙淡淡道：“因为我知道你是来送死的！”

燕十三道：“你知道？”

谢王孙道：“我看得出你对晓峰的佩服和尊敬，你已自知绝无机会击败他。”

燕十三道：“但送死却不是件值得尊敬的事！”

谢王孙道：“是的！”

他在笑，笑得却已有些凄凉：“至少我就尊敬你，因为我绝没有这种勇气，我只不过是个平凡的人，而且已老了……”

他的声音愈来愈低，已低沉如叹息。

秋风也低沉如叹息。

就在这时，黑暗中忽然闪出了一个人，一柄剑！

一个人，一柄剑。人的动作矫健如鹰，剑的冲刺迅急如电。

这个人是在谢王孙背后出现的，这柄剑直刺他的后心。

等到燕十三看见时，已来不及去替他抵挡了。

谢王孙自己却仿佛完全没有感觉到，只是叹息着弯下腰，去拾起一片枯叶。

他的动作很缓慢。他去拾取这片枯叶，仿佛只不过是因为心里的感触。

他的生命已如这片枯叶，已枯萎凋落，可是他恰巧避开了这闪电般的一剑。

在这一瞬间，剑光明明已刺在他的后心，却偏偏恰巧刺空。这其间的间隔，只不过在一发之间。

冲过来的人力量已完全使出，收势已来不及，整个人却从他背脊上翻了过来，手里的剑就变成刺向他对面的燕十三。

这一剑的余力仍在，仍有刺人于死的力量。

燕十三不能不反击。他的剑已出鞘，剑光一闪。

这个人凌空翻身，落在七尺外，铁青的脸上还带着醉意。

“曹冰！”

燕十三失声而呼，声音中带着三分惊讶、七分惋惜。

曹冰看着他，眼睛里也充满惊讶和恐惧，想开口说什么，却没有说出来。

他的咽喉上忽然有一缕鲜血涌出，然后就倒了下去。

秋风仍在叹息。

谢王孙慢慢地拾起了那片枯叶，静静地凝视着，仿佛还没有发觉刚才的事。

就在这一瞬间，已有一个人的生命如枯叶般凋落了。木叶的生命虽短促，明年却还会再生。

人呢?

谢王孙又慢慢地弯着腰，轻轻地将这片枯叶放在地上。燕十三一直在看着他，眼色中充满了仰慕和尊敬。直到现在，他才发觉这老人才是真正深藏不露的高手。他的武功已到了化境，已完全炉火纯青，已与伟大的自然浑为一体。所以没有人能看得出来。

——酷寒来临的时候，你看不出它的力量，它却已在无形中使水变成冰，使人冻死。

“我只不过是个平凡的人……”

他这种“平凡”又是从多么不平凡中锻炼出来的?

世上又有几个人能做到这“平凡”两个字?

燕十三什么都没有说。现在他虽然已看出很多事，却什么话都没有说，他久已学会沉默。

谢王孙也只淡淡地说了一句话：“夜已很深，你已该走了。”

燕十三道：“是的。”

第十章

剑在人在

所以他走了。

夜色更深，谢王孙慢慢地穿过黑暗的庭院，走上后院中的小楼。

小楼上灯火凄凉，一个衰老而憔悴的妇人，默默地坐在孤灯畔，仿佛在等待。

她等的是什么人？

谢王孙看见她，目中立刻充满怜惜，无论谁都应该能看得出他的情感。

他们是相依为命的夫妻，已历尽了人世间一切悲欢和苦难。

她忽然问："阿吉还没有回来？"

谢王孙默默地摇了摇头。

她衰老疲倦的眼睛里已有了泪光，声音里却充满了信心。

她说："我知道他迟早一定会回来的，你说是不是？"

谢王孙道："是的。"

一个人只要还有一点希望，生命就是可贵的。

希望永远在人间。

夜色深沉。黑暗的湖水畔，只有一点灯光。

灯光是从一条快船的窗户下透出来的，谢掌柜正坐在灯下独酌。

燕十三默默地走上船，默默地在他对面坐下，倒了杯酒。

谢掌柜看见他，眼睛里就有了笑意。

船离岸慢慢地驶入凄凉的夜色中，静静的湖水间。

燕十三已喝了三杯，忽然问道："你知道我会回来？"

谢掌柜笑了笑，道：“否则我为何等你！”

燕十三抬起头，盯着他，道：“你还知道什么？”

谢掌柜举杯，道：“我还知道这酒很不错，不妨多喝一点。”

燕十三也笑了，道：“有理。”

轻舟已在湖心。

谢掌柜仿佛已有了酒意，忽然问道：“你看见了那柄剑？”

燕十三点点头。

谢掌柜道：“只要那柄剑仍在，神剑山庄就永远存在。”

他轻轻叹了口气，慢慢地接着道：“就算人已不在了，剑却是永远存在的。”

燕十三掌中也有剑。他正在凝视自己掌中的剑，忽然走了出去，走出船舱，走上船头。

湖上一片黑暗。他忽然拔出了他的剑，在船上刻了个“十”字，然后他就将这柄已跟随他二十年，已杀人无算的剑投入了湖心。

一阵水花溅过，湖水又归于平静。剑却已消沉。

谢掌柜吃惊地看着他，忍不住问道：“你为什么不要这柄剑？”

燕十三道：“也许我还会要的，那时我当再来。”

谢掌柜道：“所以你在船头刻了个‘十’字，留作标志？”

燕十三道：“这就叫刻舟求剑。”

谢掌柜道：“你知道这是件多么愚蠢的事？”

燕十三道：“我知道！”

谢掌柜道：“既然知道，为什么要做？”

燕十三笑了笑，道：“因为我忽然发觉，一个人的一生中，多多少少总应该做几件愚蠢的事，何况……”

他的笑容中带着深意：“有些事做得究竟是愚蠢，还是明智，常常是谁都没法子判断的。”

静静的湖水，静静的夜色，人仍在，名剑却已消沉。

人仍在，可是人在何处？

今宵酒醒何处？
杨柳岸，晓风残月。

秋残，冬至，酷寒。
冷风如刀，大地荒漠，苍天无情。
浪子已无泪。

阿吉迎着扑面的冷风，拉紧单薄的衣襟，从韩家巷走出来。他根本无处可去。

他身上已只剩下二十三个铜钱。可是他一定要离开这地方，离开那些总算以善意对待过他的人。

他没有流泪。

浪子已无泪，只有血，现在连血都已几乎冷透。

韩家巷最有名的人是韩大奶奶，韩大奶奶在韩家楼。

韩家楼是个妓院。他第一次看见韩大奶奶，是在一张寒冷而潮湿的床铺上。

冷硬的木板床上到处是他呕吐过的痕迹，又脏又臭。

他自己的情况也不比这张床好多少。他已大醉了五天，醒来时只觉得喉干舌燥，头痛如裂。

韩大奶奶正用手叉着腰，站在床前看着他。

她身高七尺以上，腰围粗如水缸，粗短的手指上戴满了黄金和翡翠戒指，圆脸上的皮肤绷紧，使得她看来比实际年龄要年轻些，心情好的时候，眼睛里偶尔会露出孩子般的调皮笑意。现在她的眼睛里连一点笑意都没有。

阿吉用力揉了揉眼，再睁开，好像想看清站在他床前的究竟是个男人，还是个女人。

像这样的女人确实不是时常都能见得到的。

阿吉挣扎着想坐起来，宿醉立刻尖针般刺入了他的骨髓。

他叹了口气，喃喃道："这两天我一定喝得像是条醉猫。"

韩大奶奶道："不像醉猫，像死狗。"

她冷冷地看着他："你已经整整醉了五天。"

阿吉用力按住自己的头，拼命想从记忆中找出这五天干了些什么事，可是他立刻就放弃了。

他的记忆中完全是一片空白。

韩大奶奶道："你是从外地来的？"

阿吉点点头。

不错，他是从外地来的，遥远的外地，远得已令他完全不复记忆。

韩大奶奶道："你有钱？"

阿吉摇摇头。这一点他还记得，他最后的一小锭银子也已用来买酒。可是那一次他酒醉何处？

他也忘了。

韩大奶奶道："我也知道你没有，我们已将你全身上下都搜过，你简直比条死狗还穷！"

阿吉闭上了眼。他还想睡。

他骨髓中的酒意已使他的精力完全消失，他只想知道："你是不是还有什么话要问我？"

韩大奶奶道："只有一句。"

阿吉道："我在听。"

韩大奶奶道："没有钱的人，用什么来付账？"

阿吉道："付账？"

韩大奶奶道："这五天来，你已欠下这里七十九两银子的酒账。"

阿吉深深吸了口气，道："那不多。"

韩大奶奶道："可惜你连一两都没有。"

她冷冷地接着道："没钱付账的人，我们这里通常只有两种法子对付。"

阿吉在听。

韩大奶奶道："你是想被人打断一条腿，还是三根肋骨？"

阿吉道："随便。"

韩大奶奶道："你不在乎？"

阿吉道："我只想请你们快点动手，打完了好让我走。"

韩大奶奶看着他，眼睛里已有了好奇之意。这个年轻人究竟是什么人？

为什么会变得如此消沉落拓？他心里是不是有什么解不开的结？忘不了的伤心往事？

韩大奶奶忍不住问道：“你急着要走，想到哪里去？”

阿吉道：“不知道。”

韩大奶奶道：“连你自己都不知？”

阿吉道：“走到哪里，就算哪里。”

韩大奶奶又盯着他看了很久，忽然道：“你还年轻，还有力气，为什么不做工来还债？”

她的眼色渐渐柔和：“我这里刚好有个差事给你做，五分银子一天，你肯不肯干？”

阿吉道：“随便。”

韩大奶奶道：“你也不问这里是什么地方？要你干的是什么事？”

阿吉道：“随便什么事我都干。”

韩大奶奶笑了，用力拍了拍他的肩：“先到后面厨房去倒盆热水洗洗你自己，现在你看起来像条死狗，嗅起来却像条死鱼。”

她眼睛里也露出笑意。

“在我这里做事的，就算不是人，看起来都得像个人样子。”

厨房里充满了白饭和肉汤的香气，任何人从小院的寒风中走进来，都会觉得温暖舒服。

在厨房里做事的是对夫妇，男的高大粗壮，却哑得像是块木头，女的又瘦又小，却凶得像是把锥子。除了他们夫妇外，厨房里还有五个人。

五个衣衫不整、头发凌乱的女人，脸上还残留着昨夜的脂粉和一种说不出的厌恶疲倦。她们的年龄大约是从二十到三十五，年纪最大的一个乳房隆起如瓜，一双肿眼中充满了堕落罪恶的肉欲。

后来阿吉才知道她就是这些姑娘们的大姐，客人们都喜欢叫她“大象”。

年纪最轻的一个看来还是个孩子，腰肢纤细，胸部平坦，但却也是生意最好的一个——

这是不是因为男人们都有种野兽般残忍的欲望？

看见阿吉走进来，她们都显得好奇而惊讶，幸好韩大奶奶也跟着来了。姑娘们立刻都垂下头。

韩大奶奶道："有很多事只有男人才能做，我们这里的男人不是木头，就是龟公，现在我总算找到个比较像人的。"

她又在用力拍阿吉的肩："告诉这些母狗，你叫什么？"

阿吉道："我叫阿吉。"

韩大奶奶道："你没有姓？"

阿吉道："我叫阿吉。"

韩大奶奶用力敲了敲他的头，大笑道："这小子虽然没有姓，却有样好处。"

她笑得很愉快："他不多嘴。"

嘴是用来吃饭喝酒的，不是用来多话的。阿吉从不多嘴。

他默默地倒了盆热水，蹲下来洗脸，忽然间一只脚伸过来，踢翻了他的盆。

一只很肥的脚，穿着红缎子的绣花鞋。

阿吉站起来，看着那张皮肤绷紧的圆脸。他听得见女人们都在吃吃地笑，可是声音却仿佛很遥远。

他也听见大象在大声说："你把我的脚打湿了，快擦干。"

阿吉什么话都没有说。他默默地蹲下来，用哑巴给他的洗脚布，擦干了她的肥脚。

大象也笑了："你是个乖孩子，晚上我房里若是没有客人，你可以偷偷溜进去，我免费。"

阿吉道："我不敢。"

大象道："你连这点胆子都没有？"

阿吉道："我是个没用的男人，我需要这份差事来赚钱还债。"

于是他从此就多了个外号，叫"没用的阿吉"，可是他自己一点都不在乎。

华灯初上时，女人们就换上了发亮的花格子衣服，脸上也抹了浓浓的脂粉。

“没用的阿吉，快替客人倒茶。”

“没用的阿吉，到街上去打几斤酒来。”

一直要等到深夜，他才能躲到厨房的角落里去休息片刻。

这时哑巴总会满满地装了一大碗盖红烧肉的白饭，看着他吃，眼睛里总是带着同情之色。

阿吉却从来不去看他。有些人好像从来都不愿对别人表示感激，阿吉就是这种人。

因为他既没胆子，也没有用。直到那一天有两个带着刀的小伙子想白吃白嫖时，大家才发现他原来还有另一面，他不怕痛。

带着刀的小伙子想扬长而去时，居然只有这个没用的阿吉拦住了他们。

小伙子们冷笑：“你想死？”

阿吉道：“我不想死，也不想被饿死，你们若是不付账就走了，就等于敲破了我的饭碗。”

这句话刚说完，两把刀就刺入了他身子，他连动都没有动，连眉头都没有皱，就这么样站在那里，挨了七八刀。

小伙子们吃惊地看着他，忽然乖乖地拿钱出来付了账。

大家都在吃惊地看着他，都想过来扶住他，他却一声不响地走了，直到走回后院的小屋后，才倒了下来，倒在又冷又硬的床上，咬着牙，流着冷汗在床上打滚。

他并不想要别人将他看成英雄，也不想让别人看见他的痛苦。

可是小屋的门布已被人悄悄推开了，一个人悄悄走进来，反手掩住了门，靠在门上，看着他，目光充满怜惜。

她有双很大的眼睛，还有双很纤巧的手。她叫小丽，客人们都喜欢叫她“小妖精”，她正在用她的小手替他擦汗。

“你为什么要这样做？”

“因为这本是我应该做的事。”

他的回答很简单：“我需要这份差事。”

“可是你还年轻，还有很多别的事可以去做。”

她显得关切而同情。

阿吉却连看都没有看她，冷冷道：“你也有你的事要做，你为什么不去？”

小丽还是不肯放过，又道：“我知道你心里一定有很多伤心事。”

阿吉道：“我没有。”

小丽道：“以前一定有个女人伤了你的心。”

阿吉道：“你见了鬼。”

小丽道：“若你没有伤心过，你怎么会变成现在这样子？”

阿吉道：“因为我懒，而且是个酒鬼。”

小丽道：“你也好色？”

阿吉没有否认，他懒得否认。

小丽道：“可是现在你已很久没有碰过女人，我知道……”她的声音忽然变得奇怪而温柔，忽然拉起他的手，按在她小腹上。

她薄绸衣服下的胴体，竟是完全赤裸的，他立刻可以感觉到她小腹中的热力。

看着他的刀伤血痕，她的眼睛在发光。

“我知道你受的伤不轻，可是只要你跟我……我保证一定会将痛苦忘记。”

她一面说，一面拉着他的手，抚遍她全身。她平坦的胸膛上乳房小而结实。

阿吉的回答只有一个字：“滚！”一个字再加一耳光。

她仰面倒下，脸上却露出胜利的表情，好像正希望他这样做。

“你真壮。”

她说。

阿吉闭着嘴，他身上的刀伤如火焰灼烧般痛苦，他心里也仿佛有股火焰。

他一定要尽力控制自己。

可是她也像是已下定决心，绝不放过他，忽然用一只手拉住他的腿，另一只手掀起衣衫的下摆。

她低声呻吟，腰肢扭动。她已潮湿。

就在这时，一只手伸过来，抓住了她头发，将她的人揪了出去。

肥胖粗壮的手上，戴满了各式各样的戒指。

韩大奶奶走进来时就已醉了，但是手里还提着酒。

“那条小母狗天生是个婊子。”

她用醉眼看着阿吉：“她喜欢男人揍她，揍得愈重，她愈高兴。”

阿吉闭上了眼睛。他忽然发现这个半老的肥胖女人，眼睛里也带着小丽同样的欲望。他不忍再看。

“来，喝一杯，我知道酒虫一定已经在你咽喉里发痒。”

她吃吃地笑着，把酒瓶塞进他的嘴。

“今天你替我做了件好事，我要好好地犒赏犒赏你。”

阿吉没有动，没有反应。

韩大奶奶皱起眉：“难道你真是个没用的男人？”

阿吉道：“我是的。”

等到阿吉睁开眼时，韩大奶奶已走了，临走时还在床头留下锭银子。

“这是你应该赚的，不管谁挨了七八刀，都不能白挨。”

她毕竟已不再是个小姑娘。

“刚才的事，我知道你一定会忘记。”

阿吉听到她的脚步声走出门，就开始呕吐。这种事他忘不了。

等到呕吐停止，他就走出去，将银子留在哑巴的饭锅里，迎着冷风，走出了韩家巷，他知道自己已不能再留下去。

第十一章

落魄浪子

凌晨。

茶馆里已挤满了人，各式各样的人，在等待着各式各样的工作。

阿吉用两只手捧着碗热茶在喝。

这里有汤包和油炸儿，他很饿，可是他只能喝茶。他只有二十三个铜钱，他希望有份工可做。

他想活下去。

近来他才知道，一个人要活着并不是件容易事。谋生的艰苦，更不是他以前所能想象得到的，一个人要出卖自己诚实和劳力，也得要有路子。

而他没有路子。

泥水匠有自己的一帮人，木匠有自己的一帮人，甚至连挑夫苦力都有自己的一帮人，不是他们自己帮里的人，休想找到工作。

他饿了两天。第三天他已连七枚铜板的茶钱都没有了，只能站在茶馆外喝风。

他已经快倒下去时，忽然有个人来拍他的肩，问他："挑粪你干不干？五分钱一天。"

阿吉看着这个人，连一个字都说不出，因为他的喉咙已被塞住。

他只能点头，不停地点头。直到很久很久之后，他才能说出他此时此刻心里的感激。

那是真心的感激。因为这个人给的，并不仅是一份挑粪的差事，而是一个生存的机会。他总算已能活下去。

这个人叫老苗子。

老苗子真是个苗子。

他高大、强壮、丑陋、结实，笑的时候就露出满口白牙。他的左耳垂得很长，上面还有戴过耳环的痕迹。

他一直在注意着阿吉。

中午休息时，他忽然问："你已饿了几天？"

阿吉反问："你看得出我挨饿？"

老苗子道："今天你已几乎摔倒三次。"

阿吉看着自己的脚，脚上还有粪汁。

老苗子道："这是份很吃力的工作，我本就在担心你挨不下去。"

阿吉道："你为什么要找我？"

老苗子道："因为我刚来的时候也跟你一样，连挑粪的工作都找不到。"

他从身上拿出个纸包，里面有两张烙饼，一整条咸萝卜。

他分了一个给阿吉。

阿吉接过来就吃，甚至连"谢"字都没有说。

老苗子看着他，眼睛里露出笑意，忽然问道："今天晚上你准备睡在哪里？"

阿吉道："不知道。"

老苗子道："我有家，我家的房子很大，你为什么不睡到我家里去？"

阿吉道："你叫我去，我就去。"

老苗子的大房子的确不算小，至少总比鸽子笼大一点。他们回去时，一个白发苍苍的老妇人正在厨房里煮饭。

老苗子道："这是我的娘，会煮一手好菜。"

阿吉看着锅里用菜和糙米煮成的浓粥，道："我已嗅到了香气。"

老婆婆笑了，满满地替他添了一大碗，阿吉接过来就吃，也没有说"谢"字。

老苗子眼中露出满意之色，道："他叫阿吉，他是个好小子。"

老婆婆用木勺敲了敲她儿子，道："我若看不出，我会让他吃？"

老苗子道："今天晚上能让他跟我们睡在一起？"

老婆婆眯着眼看着阿吉，道：“你肯跟我儿子睡一张床？你不嫌他？”

阿吉道：“他不臭。”

老婆婆道：“你是汉人，汉人总认为我们苗子臭得要命。”

阿吉道：“我是汉人，我比他还臭。”

老婆婆大笑，也用木杓敲了敲他的头，就好像敲她儿子的头一样。

她大笑道：“快吃，趁热吃，吃饱了就上床去睡，明天才有力气。”

阿吉已经在吃，吃得很快。

老婆婆又道：“只不过上床前你还得先做一件事。”

阿吉道：“什么事？”

老婆婆道：“先把你的脚洗干净，否则娃娃会生气的。”

阿吉道：“娃娃是谁？”

老婆婆道：“是我的女儿，他的妹妹。”

老苗子道：“可是她本来应该是个公主的，她一生下来就应该是个公主。”

后面屋子里有三张床，其中最干净柔软的一张当然是公主的。

阿吉也很想见见这位公主。可是他太疲倦，滚烫的菜粥喝下去后，更使他眼皮重如铅块。

和老苗子这么样一个大男人，挤在一张床上虽然很不舒服，他却很快就已睡着。

半夜他惊醒过一次，朦胧中仿佛有个头发很长的女孩子站在窗口发呆，等到他再看时，她已钻进了被窝。

第二天早他们去上工时她还在睡，整个人都缩在被窝里，仿佛在逃避着一种不可知的恐惧。

阿吉只看见她一头乌黑柔软的长发丝绸般铺在枕头上。

天还没有亮，寒雾还深。

他们迎着冷风前行，老苗子忽然问：“你看见了娃娃？”

阿吉摇摇头。

他只看见了她的头发。

老苗子道："她在一家很大的公馆里帮忙做事，要等人家都睡着了才能回来。"

他微笑着，又道："有钱的人家，总是睡得比较晚的。"

阿吉道："我知道。"

老苗子道："可是你迟早一定会见到她。"

他眼睛里闪动着骄傲之光："只要你见到她，一定会喜欢她，我们都以她为荣。"

阿吉看得出这一点，他相信这女孩子一定是个不折不扣的公主。

中午休息时他正在啃着老婆婆塞给他的大馒头，忽然有三个人走过来，衣衫虽褴褛，帽子却是歪戴着的，腰带上还插着把小刀。

他身上的刀创还没有收口，还在发痛。

三个人之中年纪比较大的一个，正在用一双三角眼上下打量着他，忽然伸出手，道："拿来。"

阿吉道："拿什么？"

三角眼道："你虽然是新来的，也该懂得这地方的规矩。"

阿吉不懂："什么规矩？"

三角眼道："你拿的工钱，我分三成，先收一个月的。"

阿吉道："我只有三个铜钱。"

三角眼冷笑道："只有三个铜钱，却在吃白面馒头？"

他一巴掌打落了阿吉手里的馒头，馒头滚到地上的粪汁里。

阿吉默默地捡起来，剥去了外面的一层。

他一定要吃下这个馒头，空着肚子，哪来的力气挑粪？

三角眼大笑，道："馒头蘸粪汁，不知道是什么滋味？"

阿吉不开口。

三角眼道："这种东西你也吃？你究竟是人还是狗？"

阿吉道："你说我是什么，我就是什么。"

他咬了口馒头："我只有三个铜钱，你要，我也给你。"

三角眼道："你知道我是谁？"

阿吉摇头。

三角眼道："你有没有听说过车夫这名字？"

阿吉又摇头。

三角眼道："车夫是跟着铁头大哥的，铁头大哥就是大老板的小兄弟。"

他指着自己的鼻子："我就是车夫的小兄弟，我会要你的三个臭铜钱？"

阿吉道："你不要，我留下。"

三角眼大笑，忽然一脚踢在他的阴囊上。

阿吉痛得弯下腰。

三角眼道："不给这小子一点苦头吃吃，他也不知道天高地厚。"

三个人都准备动手，忽然有个人闯进来，挡在他们面前，整整比他们高出一个头。

三角眼后退了半步，大声道："老苗子，你少管闲事。"

老苗子道："这不是闲事。"

他拉起阿吉："这个人是我的兄弟。"

三角眼看着他巨大粗糙的手，忽又笑了笑，道："既然是你的兄弟，你能不能保证他一拿到工钱就付给我们？"

老苗子道："他会付的。"

黄昏时他们带着满身疲劳和臭味回家，阿吉脸上还带着冷汗，那一脚踢得实在不轻。

老苗子看着他，忽然问道："别人打你时，你从来都不还手？"

阿吉沉默着，过了很久，才缓缓道："我曾经在一家妓院里做过事，那里的人，替我起了个外号。"

老苗子道："什么外号？"

阿吉道："他们都叫我没用的阿吉。"

厨房里温暖干燥，他们走到门外，就听见老婆婆愉快的声音。

"今天我们的公主回家吃饭，我们大家都有肉吃。"

她笑得像是个孩子："每个人都可以分到一块，好大好大的一块。"

老婆婆的笑声总是能令阿吉从心底觉得愉快温暖，但这一次却是例外。因为他看见了公主。

狭小的厨房里，放不下很多张椅子，大家吃饭的时候，都坐得很挤，却总有一张椅子空着。那就是他们特地为公主留下的，现在她就坐在这张椅子上，面对着阿吉。

她有双大大的眼睛，还有双纤巧的手，她的头发乌黑柔软如丝缎，态度高贵而温柔，看来就像是一位真的公主。如果这是阿吉第一次看见她，一定也会像别人一样对她尊敬宠爱。

可惜这已不是第一次。

他第一次看见她，是在韩大奶奶的厨房里，也就在大象身旁，把一双腿高高跷在桌上，露出一双纤巧的脚。他连看都没有看她一眼，她却一直都在偷偷地注意着他。后来他知道，她就是韩大奶奶手下的女人中，最年轻的一个，也是生意最好的一个。

她在那里的名字叫“小丽”，可是别人却都喜欢叫她小妖精。

第二次他面对她，就是他挨刀的那天晚上，在他的小屋里。

他一直都不能忘记她薄绸衣服下光滑柔软的胴体。

他费了很大力气控制住自己，才能说出那个字。

“滚”。

他本来以为，那已是他们之间最后一次见面，想不到现在居然又见到了她。

那个放荡而变态的小妖精，居然就是他们的娃娃，高贵如公主，而且是他们全家唯一的希望。

他们都是他的朋友，给他吃，给他住，将他当作自己的兄弟手足。

阿吉垂下头。他的心里在刺痛，一直痛入骨髓里。

老婆婆已过来拉住他的手，笑道：“快过来见见我们的公主。”

阿吉只有走过来，嗫嚅着说出两个字：“你好。”

她看着他，脸上一点表情都没有，就好像从未见过他这个人，只淡淡地说了句：“坐下来吃肉。”

阿吉坐下来，好像听见自己的声音正说：“谢谢公主。”

老苗子大笑，道："你不必叫她公主，你应该像我们一样，叫她娃娃。"

他挑了块最厚最大的卤肉给阿吉："快点吃肉，吃饱了才睡得好。"

阿吉睡不好。

夜已很深，睡在他旁边的老苗子已鼾声如雷，再过去那张床上的娃娃仿佛也已睡着。

可是阿吉却一直睁着眼躺在床上，淌着冷汗。这并不完全是因为他心里的隐痛，他身上的刀伤也在发痛，痛得要命。

挑粪绝不是份轻松的工作，他的刀伤一直都没有收口。他却连看都没有去看过，有时粪担挑在他肩上时，他甚至可以感觉到刀口又在崩裂，可是他一直都咬紧牙关挺了下去。

肉体上的痛苦，他根本不在乎。

只可惜他毕竟不是铁打的，今天下午，他已经发现有几处伤口已开始腐烂发臭。一躺上床，他就开始全身发冷，不停地流着冷汗，然后身子忽又变得火烫。

每一处伤口里，都有火焰在燃烧着。

他还想勉强控制着自己，勉强忍受，可是他的身子已痛苦而痉挛，只觉得整个人都在往下沉，沉入无底的黑暗深渊。昏迷中他仿佛听见了他的朋友们正在惊呼，他已听不清了。远方也仿佛有个人在呼唤他，呼唤他的名字，那么轻柔，那么遥远。他却听得很清楚。

一个落拓潦倒的年轻人，一个连泪都已流尽了的浪子，就像风中的落叶、水中的浮萍一样，连根都没有，难道远方还会有人在思念着他，关心着他？

他既然能听得见那个人的呼唤，为什么还不回去，回到那个人的身边？他心里究竟有什么悲伤苦痛，不能向人诉说？

阳光艳丽，是晴天。

阿吉并不是一直都在昏迷着，他曾经醒来过很多次，每次醒来时，都仿佛看见有个人坐在他床头，正轻轻地替他擦着汗。他看不清楚，因为他立刻又晕了过去。

等他看清这个人时，从窗外照进来的阳光，正照在她乌黑的柔发上。

她的眼睛里充满了关怀和悲伤。

阿吉闭上了眼。可是他听得见她的声音："我知道你看不起我，我不怪你。"

她居然显得很镇定，因为她也在勉强控制着自己。

"我也知道你心里一定有很多说不出的痛苦，可是你也不必这么样拼命折磨自己。"

房子里很静，听不见别人的声音，老苗子当然已经去上工了。

他绝不能放弃一天工作，因为他知道有工作，才有饭吃。

阿吉忽然张开眼，瞪着她，冷冷道："你也应该知道我死不了。"

娃娃知道："如果你要死，一定已经死了很多次。"

阿吉道："那么你为什么不去做你的事？"

娃娃道："我不去了。"

她的声音很平静，淡淡地接着道："从此以后，我都不会再到那个地方去了。"

阿吉忍不住问："为什么？"

娃娃忽然冷笑，道："难道你以为我天生就喜欢做那种事？"

阿吉盯着她，仿佛很想看透她的心："你什么时候决定不去的？"

娃娃道："今天。"

第十二章

深情似海

阿吉闭上了嘴，心里又开始刺痛。

——没有人天生愿意做那种事，可是每个人都要生活，都要吃饭。

——她是他母亲和哥哥心目中唯一的希望，她要让他们有肉吃。

——她不能让他们失望。

——她的放荡和下贱，岂非也正因为她心里有说不出的苦痛，所以在拼命折磨自己，作践自己？

——可是现在她却已决心不去了，因为她不愿再让他看不起她。

阿吉若是还有泪，现在很可能已流了下来，但他只不过是个浪子。浪子无情，也无泪。

所以他一定要走，一定要离开这里，就算爬，也得爬出去。

因为他已知道她对他的感情，他既不能接受，也不愿伤她的心。

这家人不但给了他生存的机会，也给了他从来未有的温暖和亲情，他绝不能再让他们伤心。

娃娃看着他，仿佛已看透了他的心："你是不是又想走了？"

阿吉没有回答，却挥着手站起来，用尽全身力气站起来，大步走出去。

娃娃并没有阻拦他，她知道这个人身子虽不是铁打的，却有股钢铁般的意志和决心。

她连站都没有站起来，可是眼睛里已有泪光。

阿吉也没有回头。他的体力绝对无法支持他走远，他的伤口又开始发痛。但是他不能不走，就算一走出去就倒在阴沟里，像条死老鼠般烂死，他也不在乎。

想不到他还没有走出门，老婆婆就已提着菜篮回来，慈祥的眼睛里带着三分责备，道："你不该起来的，我特地去替你买了点肉炖汤，吃得好才有力气，快回去躺在床上等着吃。"

阿吉闭上了眼。

——浪子真的无情、真的无泪？

他忽又用尽全身力气，从老婆婆身旁冲出了门。有些事既无法解释，又何必解释？

窄巷中阴暗而潮湿，连阳光都照不到这里。

他咬紧牙根，忍耐着痛苦，迎风走出去，巷口却已有个人踉踉跄跄地冲了进来。

一个血淋淋的人，身上的衣衫已被鲜血染红，脸上的骨头已碎裂。

"老苗子。"

阿吉失声惊呼，冲了过去，老苗子也冲了过来，两个人互相拥抱。

老苗子道："你的伤还没有好，出来干什么？"

他自己的伤更重，但是他并不在乎，他关心的还是他的朋友。

阿吉咬紧牙，道："我……我……"

老苗子道："难道你想走？"

阿吉用力抱住他的朋友，道："我不走，打死我我也不走！"

五处刀伤，四条打断了的肋骨，若不是铁汉，怎么还能支持得住？

老婆婆看着他的儿子，泪眼婆娑。

老苗子却还在笑，大声道："这一点点伤算得了什么？明天早上就会好的！"

老婆婆道："你怎么受的伤？"

老苗子道："我跌了一跤，从楼梯上跌了下来。"

就算是个连招牌上的大字都已看不清的老太婆，也应该看得出这绝不是跌伤的。

就算从七八丈高的楼梯上跌下来，也绝不会伤得这么重。

可是这个老太婆和别的老太婆不同。她看得出这绝不是跌伤的，她比任何人都关心她的儿子。

可是她绝不再问，只流着泪说了句：“下次走楼梯时，千万要小心些。”然后她就蹒跚着走出去，煮她的肉汤。

这才是一个女人的本分应该做的，她懂得男人做事，从来不喜欢女人多问。就算这女人是他的母亲也一样。

阿吉看着她佝偻的背影，眼睛里纵然仍无泪，至少也已有点发红。

——多么伟大的母亲，多么伟大的女人，因为人世间还有这种女人，所以人类才能永存。

等她走进了厨房的门，阿吉才回头盯着老苗子，道：“你是被谁打伤的？”

老苗子又在笑：“谁打伤了我？谁敢打我？”

阿吉道：“我知道你不肯告诉我，难道你一定要我自己去问？”

老苗子的笑容僵硬，板着脸道：“就算我是被人打伤的，也是我自己的事，用不着你去问。”

一直远远站在窗口的娃娃道：“因为他怕你也去挨揍。”

阿吉道：“我……”

娃娃打断了他的话，冷笑道：“其实他根本用不着顾虑这一点，就算他是为你挨的揍，你也绝不会去替他出气的。”

她冷冷地接着道：“因为这位没有用的阿吉，从来不喜欢打架。”

阿吉的心沉下，头也垂下。

现在他当然已明白他朋友是为了什么挨揍的，他并没有忘记那双凶恶的三角眼。

他也并不是不知道，娃娃说的话虽然尖锐如针，话中却有泪。可是他不能为他的朋友出气，不能去打架，他也不敢。

他恨自己，恨得要命。

就在这时候，他听见了一个人冷冷道：“他不是不喜欢打架，他是怕挨揍。”

这是三角眼的声音。

来的还不止他一个人，两个腰里带着刀的年轻小伙子陪着他，一个脸很长，腿也很长的人，手叉着腰，站在他们后面，穿着身发亮的缎子衣服。

三角眼伸起一根大拇指，指了指后面的这个人，道：“这位就是我们的老大‘车夫’，这两个字就算拿到当铺去当，也可以当个几百两银子。”

老苗子脸上的肌肉在抽搐，道：“你们到这里来干什么？”

三角眼阴森森地笑，道：“你放心，光棍打九九，不打加一，这次我们不是来找你麻烦的。”

他走过来拍了拍阿吉的头，道：“这个小子是个杂种，大爷们也犯不上来找他。”

老苗子道：“你们来找谁？”

三角眼道：“找你的亲妹子。”

他忽然转身，盯着娃娃，三角眼里闪着凶光：“小妹子，咱们走吧。”

娃娃的脸色已变了：“你……你们要我到哪里去？”

三角眼冷笑道：“该到哪里去，就得到哪里去，你少他妈的跟老子们装蒜。”

娃娃身子在往后缩，道：“难道我连一天都不能休息？”

三角眼道：“你是韩大奶奶跟前的大红人，少做一天生意，就得少多少两银子？没有银子赚，咱们兄弟吃什么？”

娃娃道：“可是韩大奶奶答应过我的，她……”

三角眼道：“她答应过的话，只能算放了个屁，若不是咱们兄弟，她到今天也只不过还是个婊子，老婊子。做一天婊子，就得卖一天……”

娃娃不让他最后一个字说出来，大声道：“我求求你们，这两天你们能不能放过我，他们都受了伤，伤得都不轻。”

三角眼道：“他们？他们是谁？就算有一个是你的老哥，还有一个是什么东西？”

两个带刀的小伙子立刻抢着道：“我们认得这小子，他在韩大奶奶那里当过龟公，一定跟这小婊子有点关系。”

三角眼道：“好，好极了。”

他忽然转身，反手一巴掌掴在阿吉脸上。

"想不到你这婊子还有这小子，你再不乖乖地跟着咱们走就先阉了他。"

他又抬起脚，一脚从阿吉双腿间踢了过去。

可是娃娃已扑过来，扑倒阿吉身上，嘶声道："我死也不会跟你们走的，你们先杀了我吧。"

三角眼厉声道："臭婊子，你真的想死？"

这一次他还没有抬起脚，老苗子已拉住他肩膀，道："你说她是什么？"

三角眼道："是个婊子，臭婊子。"

老苗子什么话都不再说，就提起碗大的拳头，一拳打了过去。

三角眼挨了他一拳，可是他自己也被旁边的人踢了两脚，疼得满头冷汗，满地打滚。

老婆婆从厨房里冲出来，手里拿着把菜刀，嘶声道："你们这些强盗，我老太婆跟你们拼了。"

这一刀是往三角眼脖子后面砍过去的。

她当然没砍中。

她的刀已经被三角眼一把夺过来，她的人也被三角眼甩在地上。

娃娃扑过去抱住她，立刻失声痛哭。一个尝尽了辛酸穷苦，本就已风烛残年的老人，怎么禁得起这一甩？

三角眼冷冷道："这是她自己找死……"

"死"说出口，老苗子已狂吼着，踉跄扑上来。他已遍体鳞伤，连站都已站不稳，但是他还可以拼命！

他本就已准备拼命。

三角眼厉声道："你也想找死？"

他手里还拿着那把刚夺过来的菜刀，只要是刀，就能杀人。

他不怕杀人，顺手就是一刀，往老苗子胸膛上砍了过去。

老苗子的眼睛已红了，根本不想闪避，这一刀偏偏却砍空了。

刀锋刚落下，老苗子已经被推开，被阿吉推开。

阿吉自己也没法子站得很稳，但是他居然敢站了出来，就站在三角眼面前，面对着三角眼的刀，道："你……你们太欺负人了，太欺负人了……"

他的声音嘶哑，连话都已说不出。

三角眼冷笑道：“你想怎么样？难道还想替他们报仇？”

阿吉道：“我……我……”

三角眼道：“只要你有胆子，就拿这把菜刀杀了我吧。”

他居然真的将菜刀递了过去：“只要你有胆子杀人，我就服了你，算你有种！”

阿吉没有接过这把刀。

他的手在抖，全身都在抖，不停地抖。

三角眼大笑，一把揪住娃娃的头发，厉声道：“走！”

娃娃没有跟他走。他的手忽然被另一只握住，一双坚强有力的手，他只觉得自己几乎被握碎。

这只手竟是阿吉的手。

三角眼抬起眼，吃惊地看着他，道：“你……你敢动我？”

阿吉道：“我不敢，我没有种，我不敢杀人，也不想杀人。”

他的手又慢慢松开。

三角眼立刻狂吼，道：“那么我就杀了你！”

他顺手又是 刀劈向阿吉的咽喉。

阿吉连动都没有动，更没有闪避，只不过轻轻挥拳，一拳击出。

三角眼本来是先出手的，可是这一刀还没有砍下去，阿吉的拳头已打在他下巴上。

他这个人忽然就飞了出去，“砰”的一声，撞破了窗户，远远地飞了出去，又“咚”的一声，撞在矮墙上，才落下来。他整个人都已软瘫，就像是一摊泥！

每个人都怔住，吃惊地看着阿吉。阿吉没有看他们，一双眼睛空空洞洞的，仿佛完全没有表情，又仿佛充满了痛苦。

一直手叉着腰站在门口的车夫忽然跳起来，大喝道：“挂了他！”

这是句市井好汉们说的“唇典”，意思就是要人杀了他！

带刀的小伙子迟疑着，终于还是拔出了刀。这两把刀曾经在阿吉身上刺了八刀，现在又同时往他胁下的要害刺过去。可是这一次都刺空了。

两个年轻力壮的小伙子忽然倒了下去，也像是一摊泥般倒了下去。

因为阿吉的双手一切，就切在他们的咽喉上，他们倒下去时，连叫都叫不出来。

车夫的脸色惨变，一步步向后退。

阿吉连看都没有看他一眼，只淡淡地说了两个字："站住。"

车夫居然很听话，居然真的站住。

阿吉道："我本来不想杀人的，你们为什么一定要逼我？"

他垂着头，看着自己的一双手，眼睛里充满了悲伤和痛苦。因为这双手上，现在又已染上了血腥。

车夫忽然挺起胸，大声道："你就算杀了我，你自己也休想走得了！"

阿吉道："我绝不走。"

他脸上的表情更痛苦，一字字接着道："因为我已无路可走。"

车夫看他垂下了头，突然出手，一把飞刀直掷他的胸膛。

可是这把刀忽然又飞了回去，打在他自己的右肩上，直钉入他的关节。

他这只手已再也不能杀人！

阿吉道："我不杀你，只因为我要让你活着回去，告诉你的铁头大哥，告诉你们的大老板，杀人的是我，他们若想报仇，就来找我，不要连累了无辜。"

车夫满头冷汗如豆，咬紧了牙，道："好小子，算你有种。"

他转身飞奔而出，忽然回头："你真的有种就把名字说出来。"

阿吉道："我叫阿吉，没有用的阿吉。"

暗夜，昏灯。

凄凄惨惨的灯光，照着床上老婆婆的尸体，也照着娃娃和老苗子惨白的脸。

这是他们的母亲，为他们的成长辛劳了一生，他们报答她的是什么？

阿吉远远地站在屋角的阴影里，垂着头，仿佛已不敢再面对他们。

因为这老人本来不该死的，只要他有勇气面对一切，她就绝不会死。

老苗子忽然回头看着他，道："你走吧！"

他的脸已因悲痛而扭曲："你替我们的娘报了仇，我们本该感激你，可是……可是现在我们已没法子再留你。"

阿吉没有动，没有开口。他明白老苗子的意思，他要他走，只因为不愿再连累他。

可是他绝不走。

老苗子忽然大吼，道："就算我们对你有恩，你已报答过了，现在为什么还不走？"

阿吉道："你真的要我走，只有一个法子。"

老苗子道："什么法子？"

阿吉道："打死我，把我抬出去。"

老苗子看着他，热泪已忍不住夺眶而出，大声道："我知道你有功夫，就认为可以对付他们了，你知不知道他们是些什么人？"

阿吉道："不知道。"

老苗子道："他们又有钱，又有势，他们的大老板养着的打手，最少也有三五百个，其中最厉害的，一个叫铁头，一个叫铁手，一个叫铁虎，据说以前都是杀人不眨眼的江洋大盗，被官家搜索得太紧，才改名换姓，躲到这里来。"

他又在吼："就算你功夫还不错，遇见了这三个人，也只有死路一条。"

阿吉道："我本来已无路可走。"

他垂着头，他的脸在阴影中。老苗子看不见他脸上的表情，却听得出他的声音里的悲痛和决心。

悲痛也是种力量，可以让人做出很多平时不敢做的事。

老苗子终于长长叹息，道："好，你既然要死，就跟我们死在一起也好。"

只听一个人在门外冷冷道："好，好极了。"

"砰"的一声响，很厚的木栅门已被打穿了一个洞。

一只拳头从外面伸了过来，又缩回去。

接着又"轰"的一响，旁边的砖墙也被打穿了一个洞。

这人好硬的拳头。

阿吉慢慢地从阴影中走出来，走过去打开了门。

门外站着一群人，身材最高大，衣着最华丽的一个正用左手捏着右拳，斜眼打量着阿吉，道："你就是那个没有用的阿吉？"

阿吉道："我就是。"

这人道："我就叫铁拳阿勇。"

阿吉道："随便你叫什么名字都一样。"

铁拳阿勇冷冷道："我的拳头却不一样。"

阿吉道："哦？"

铁拳阿勇道："听说你很有种，你若敢挨我一拳，我就算你真的有种。"

阿吉道："请。"

老苗子的脸色变了，娃娃用力握住他的手，两个人的手都冰冷。

他们都看得出阿吉已不想活了，否则怎会愿意去挨这只一下就能打穿砖墙的铁拳？

可是他们反正也只有死路一条，早死也是死，晚死也是死，死又算得了什么？

"去他娘的，死就死吧！"

老苗子忽然冲出去，大吼道："你有种就先打老子一拳。"

铁拳阿勇道："也行。"

他说打就打，一个直拳打出来，迎面痛击老苗子的脸。

每个人都听见了骨头碎裂的声音，碎的却不是老苗子的脸。碎的是铁拳阿勇的拳头。

阿吉突然出手，一拳打在他的拳头上，反手一拳，猛切他的小腹。

铁拳阿勇痛得整个人都像虾米般缩成了一团，痛得满地直滚。

阿吉看着他后面的人。一群人都带着刀，却没有一个敢动的。

阿吉道："去告诉你们的大老板，想要我的命，就得找个好手来，像这样的人还不配！"

第十三章

青衣军师

后园中的枫叶已红了，秋菊却灿烂如黄金。

大老板背负着双手，站在菊花前，喃喃自语："等到阳澄湖的那批大螃蟹送来，说不定也就恰巧是这些菊花开得最好的时候。"

他舒舒服服地叹了口气，又喃喃道："那真是好极了，好极了。"

他身后站着一群人，一个穿着蓝布长衫，看来好像是个落第秀才的中年人，距离他最近，手上缠着布的铁拳阿勇，站得最远。

不管站得近也好，站得远也好，大老板在赏花的时候，绝没有一个人敢出声的。

大老板弯下腰，仿佛想去嗅嗅花香，却突然出手，用两根手指捏住只飞虫，然后才慢慢地问道："你们说那个人叫什么名字？"

青衫人看看铁拳阿勇。

阿勇道："他叫阿吉，没有用的阿吉。"

大老板道："阿吉？没有用的阿吉？"

他用两根手指一捏，捏死了那只飞虫，忽然转身，盯着阿勇，道："他叫没有用的阿吉，你叫铁拳阿勇？"

阿勇道："是。"

大老板道："是你的拳头硬，还是他的？"

铁拳阿勇垂下头，看着那只包着白布的拳头，只有承认："是他的拳头硬。"

大老板道："是你勇敢？还是他？"

铁拳阿勇道："是他。"

大老板道："是你没有用？还是他？"

铁拳阿勇道："是我。"

大老板叹了口气，道："这么样看来，好像是你的名字叫错了。"

铁拳阿勇道："是。"

大老板道："那么你为什么不改个名字，叫废物阿狗？"

铁拳阿勇惨白的脸已经开始扭曲变形。

一直默默地站在旁边的青衫人，忽然躬身道："他已经尽了力。"

大老板又叹了口气，挥手道："叫他滚吧。"

青衫人道："是。"

大老板道："再弄点银子叫他养伤去，伤好了再来见我。"

青衫人立刻大声道："大老板叫你到账房去领一千两银子，你还不谢恩。"

阿勇立刻磕头如捣蒜，大老板却又在叹气，看着这青衫人叹着气苦笑道："一出手就是一千两，你这人倒是大方得很。"

青衫人微笑道："只可惜我这也是慷他人之慨。"

大老板大笑，道："你这个人最大的好处，就是会说老实话。"

等他的笑声停止，青衫人才悄悄地道："我还有几句老实话要说。"

大老板立刻挥手，道："退下去。"

所有的人立刻都退了下去。

庭院寂寂，枫红菊黄，夕阳已下，将大老板的影子长长地拖在地上。

他在欣赏着自己的影子。他肥而矮小，却欣赏长而瘦削的人。

青衫人瘦而长，可是他弯下腰的时候，大老板就可以不必抬头看他。

他弯着腰，声音还是压得很低："那个没有用的阿吉，绝不是没有用的人。"

大老板在听。这个人说话的时候，大老板总是很注意地在听。

青衫人道："铁拳阿勇是崆峒出身的，近年来崆峒虽然已人才凋零，可是他们的独门功夫仍然有它的独到之处。"

大老板道："崆峒不坏。"

青衫人道："在崆峒弟子中，阿勇一直是最硬的一把手，还没有被逐出门墙时，就已经干掉过少林的四个大和尚、武当的两把剑。”

大老板道：“这些事我都知道，否则我怎么会花八百两银子一个月用他。”

青衫人道：“可是那个没有用的阿吉，却一下子就把他废了，由此可见，阿吉这个人很不简单。”

大老板冷笑。

青衫人道：“奇怪的是，这附近方圆几百里之内，竟没有一个知道他的来历。”

大老板道：“你调查过？”

青衫人道：“我已经派出了六十三个人，都是地面上耳目最灵通的，现在回来的已经有三十一个人，都没有查出来。”

大老板本来一直在慢慢往前走，突然回头站着，道：“你究竟想说什么？”

青衫人道：“这个人留在附近，迟早总是个祸害。”

大老板道：“那么你就赶快叫人去做了他。”

青衫人道：“叫谁？”

大老板道：“铁头。”

青衫人道：“大刚‘油头贯顶’的功夫，的确已很少有人能比得上。”

大老板道：“我亲眼看过他一头撞断一棵树。”

青衫人道：“只可惜阿吉不是树。”

大老板道：“他的硬功夫也不错。”

青衫人道：“比阿勇的铁拳功也强不了太多。”

大老板道：“你认为他也对付不了那个没有用的阿吉？”

青衫人道：“不是绝对不行，只不过没有把握而已。”

他慢慢地接着道：“我记得大老板曾经吩咐过，没有把握的事，绝对不能做。”

大老板微笑点头，觉得很满意。他喜欢别人记住他说的话，最好每句话都记住。

青衫人道：“我想来想去，我们这边有把握能对付他的，只有一个人。”

大老板道："铁虎？"

青衫人点点头，道："大老板当然也知道他的来历，这个人机智深沉，平时出手，从不肯露出他的真功夫来，却已经比大刚、阿勇高出很多。"

大老板道："他要到什么时候才能回来？"

青衫人道："他这次差事并不好办，以我看，最快得再过十来天。"

大老板沉下脸，道："现在我们难道就没法子对付那个没有用的阿吉了？"

青衫人道："当然有。"

他微笑，又道："我们只要用一个字就可以对付他。"

大老板道："哪个字？"

青衫人道："拖。"

他又补充说明："我们有的是工夫，有的是钱，他们却已连吃饭都成问题，而且随时随地都得提防着我们去找他，一定也睡不着觉的，这样子拖个三五天下去，用不着我们出手，他们也要被拖垮了。"

大老板大笑，用力拍他的肩，道："好小子，真有你的，难怪别人要叫你竹叶青。"

竹叶青是一种烈酒的名字。喝下去很少有人能不醉的，竹叶青也是种毒蛇，毒得要命。

大老板忽又问道："就算我们不去找他，他若来找我们呢？"

竹叶青道："一个人出来找人拼命的时候，能不能带着个受了重伤的蠢汉，和一个只会卖淫的婊子跟着他一起去？"

大老板道："不能。"

竹叶青道："所以他若出来找我们，一定只有把那个苗子留下。"

大老板道："他可以把他们藏起来。"

竹叶青道："城里都是我们的人，而且我又早已在他们家附近布下了眼线，他能把人藏到哪里去？"

大老板冷笑道："除非他们能像蚯蚓一样钻到土里去。"

竹叶青道："这次阿吉肯出来拼命，就是为了那兄妹两个，他们若是落入我们手里，阿吉还能翻得出大老板的掌心？"

大老板又大笑，道："好，我们就在这里赏花喝酒，等着他们来送死。"

竹叶青微笑道："我保证不出三天，他们就会来的。"

黄昏。

娃娃刚端起一碗肉汤，眼泪就一颗颗滴入了碗里。

肉汤不会让人流泪，让她流泪的，是买这块肉，煮这碗汤的人。

现在肉汤还在，人却已埋入黄土。这碗汤又有谁忍心吃得下去？

可是她一定要他们吃下去，因为他们需要体力，饿着肚子的人不会有体力。

她擦干了眼泪，才将两碗汤和两个馒头用个木盘盛着捧出厨房。

阿吉还坐在屋角的阴影里。她先送了一碗汤一个馒头过去，摆在他面前的桌上。

阿吉没有动，没有开口。娃娃又将木盘捧到他哥哥面前，轻轻道："汤还是热的，你们快吃。"

老苗子道："你呢？"

娃娃道："我……我不饿。"

她真的不饿？一个已有两天一夜水米未进的人会不饿？

她不饿，只因为这已是他们最后的一点食物，只因为他们比她更需要体力。

老苗子抬头看着她，勉强忍住泪，道："我的胃口也不好，吃不下这么多，我们一人一半。"

娃娃也忍住了泪，道："难道我不吃也不行？"

老苗子道："不行。"

他刚想将馒头分一半给她，阿吉忽然站起来道："这碗汤给娃娃。"

老苗子立刻大声道："不行，那是你的。"

阿吉不理，大步往外走。

娃娃过去拉住他，道："你要到哪里去？"

阿吉道："出去吃饭。"

娃娃道："家里有东西，你为什么要出去吃？"

阿吉道："因为我不想吃馒头。"

娃娃盯着他，道："不想吃馒头想吃什么？是不是想吃铁头？"

阿吉闭着嘴。

娃娃的眼泪终于又流下来，柔声道："我明白你的意思，这么样拖下去，连我都受不了，何况你，可是……"

她泪流如雨，黯然道："可是你也该知道，城里都是他们的人，你又何必去送死？"

阿吉道："就算是去送死，也比在这里等死好。"

夜色凄凉。

无论多么美的夜色，在凄凉的人们眼中看来，也是凄凉的。

秋风已起，一个卖糖炒栗子的妇人，头上包着块青布，缩着脖子，在窄巷中叫卖。

巷子口外面，还有个要饭的瞎子，缩在墙角里不停地在发抖。

阿吉走过去，忽又停下，道："卖什么？"

妇人道："糖炒栗子，又香又甜的糖炒栗子，二十五个大钱一斤。"

阿吉道："不贵。"

妇人道："你想买多少？"

阿吉道："一百斤。"

妇人道："可是我这里一共只有十来斤。"

阿吉道："再加上你的人，就有一百斤了，我要连你的人一起买。"

妇人身子后缩，勉强笑道："我只卖栗子，不卖人。"

阿吉道："我非买不可。"

他忽然出手，一把揪着她的衣襟。

妇人大叫："强盗，要强奸女人……"

她只叫了两声，下巴就被捏住。

阿吉冷冷道："你若是个女人，怎么会长胡子？"

这人的下巴刮得虽干净，却还是有些胡茬子留下来。

阿吉道："我看你一定是个疯子，疯子都应该被活活打死。"

这人拼命摇头，吃吃道：“我……我不是，我没有疯。”

阿吉道：“你若没有疯，怎么会到这里来卖糖炒栗子？这里的人穷得连饭都吃不起。”

这人怔住，眼睛里露出恐惧之色。

阿吉道：“你若不想被我活活打死，最好就乖乖说出是谁叫你来的。”

这人还没开口，蹲在墙角要饭的那瞎子忽然跳起来，飞一般地逃走了。

——这里的人自己都穷得没饭吃，没毛病的人，怎么会到这里来要饭？

阿吉冷笑，又问道：“现在你的伙伴已溜了，你还不说实话，若是被人像野狗一样打死在这里，只怕连个收尸的人都没有。”

这人终于不敢不说，道：“是……是竹叶青派我来的。”

阿吉道：“竹叶青是什么人？”

这人道：“是大老板的军师，也是大老板面前最红的两个人之一。”

阿吉道：“还有一个是谁？”

这人道：“是铁虎。他的功夫比铁头高得多，和竹叶青两个人一文一武，谁都惹不起。”

阿吉道：“你知道他在哪里？”

这人道：“听说是到外地办事了，要过半个月才能回来。”

阿吉道：“铁头呢？”

这人道：“他有三个姨太太，三姨太最得宠，而且她一样喜欢赌，所以平时他通常都在那里。”

阿吉道：“你的家住在哪里？”

这人吃了一惊，道：“大爷你问小人的家在哪里干什么？”

阿吉道：“我问你，你就得说，死人就没有家了。”

这人苦着脸，道：“在芝麻巷。”

阿吉道：“你家里还有些什么人？”

这人道：“有老婆孩子，连丫头算上，一共六个人。”

阿吉道：“现在就要变成八个人了。”

这人不懂："为什么？"

阿吉道："因为我要替你请两位客人，到你家去住两天，你若走漏了一点消息，那么我保证你的家马上就会变得只剩下一个人。"

他冷冷地接着道："只剩下那个丫头。"

夜。

灯光照在铁头大刚的光头上，亮得就像是刚从油桶里捞出来的光葫芦。

他的头愈亮，就表示愈高兴。今天晚上来的客人特别多，赌的也特别多，除了"抽头"的不算，他自己和三姨太至少已捞进了上千两银子。

现在他手里拿的一张牌是"二四"六点，虽然不太好，也不太坏。另外一张牌在他的三姨太手里。三姨太的领子已解开了，露出了雪白的粉颈，用一双春葱般的纤纤玉手，抱着自己的一张牌，斜眼瞟着他，道："怎么？"

铁头大刚道："你要什么？"

三姨太道："金六银五小板凳！"

铁头大刚精神一振，大喝道："好一个金六银五小板凳！"

"啪"的一声响，他手里的一张"四六"已经被用力摆在桌上。

三姨太立刻眉飞色舞，吃吃地笑，道："我要的就是你这只公猴子。"

她手里的牌赫然竟是张"丁三"。铁头大笑："我要的也正是你这只母猴子，咱们倒真是天生的一对。"

"丁三"配"四六"，猴玉对，至尊宝。

铁头大喝："至尊宝，通吃！"

他双臂一张，正想把桌上的银子全都扫过来，突听一个人冷冷道："吃不得！"

三姨太的公馆里，赌局常开，只要有钱可输，就可以进来。所以三教九流，什么样的人都有。

铁头大刚既不是怕事的人，也从来没有人敢在这里闹事。可是说话的人，看起来不但很陌生，也不像是在赌钱的。

他穿得实在太脏太破，谁也没看见他是怎么进来的。

第十四章

有恃无恐

铁头大刚瞪眼道："刚才是不是你在放屁？"

这人的样子虽然不中看，态度却很冷静，淡淡道："我不是放屁，是在说公道话！"

铁头大刚道："你说我吃不得？凭什么吃不得？"

这人道："你凭什么要通吃？"

铁头大刚道："就凭这对猴王！"

这人道："只可惜这副牌到你手里，就不叫猴王了。"

铁头大刚忍住怒火，道："叫什么？"

这人道："叫剃光了脑袋的猪八戒，通赔！"

铁头大刚的脸色变了。每个人的脸色都变了，每个人都已看出这小子是特地来找麻烦的。

谁有这么大的胆子，敢来找铁头大哥的麻烦？

兄弟们全都跳了起来，纷纷大喝："你这小王八蛋，你姓什么？叫什么？"

这人道："我叫阿吉，没有用的阿吉。"

所有的声音立刻全都停顿，城里的兄弟们，当然已全都听过"阿吉"这名字。

铁头大刚忽大笑，道："好，好小子，你真有种，居然敢找上门来！"

阿吉道："我只不过想来看看。"

铁头大刚道："看什么？"

阿吉道："看看你的头，是不是真的是铁头！"

铁头大刚又大笑，道："好，老子就让你开开眼界。"

一张铺着整块大理石的桌子，居然一下子就被他端了起来。至少有七八十斤的桌子，在他的手里，竟好像是纸扎的。

石头也有很多种，大理石不但是最名贵的一种，也可能是最坚硬的一种，他却用自己的脑袋撞了上去。

只听“卜”的一声响，这块比年糕还厚的大理石，竟让他一头撞得粉碎。

他的头却还是像个刚从油桶里捞出来的葫芦，又光又亮。

兄弟们立刻大声喝彩：“好！”

等他们喝彩声停下，阿吉才慢慢地接着道：“好……好……好一个猪八戒！”

本来正在睥睨自耀，洋洋得意的铁头大刚脸色又变了，怒道：“你说什么？”

阿吉道：“我说你是个猪八戒，因为除了猪之外，谁也不会笨得用自己的脑袋去撞石头。”

铁头大刚狞笑道：“我应该撞什么？撞你？”

阿吉道：“好。”

这个字刚出口，铁头已虎扑过去，抓住了他的肩，把他像刚才举石桌一样举了起来。

铁头不但头厉害，这几招动作也快，而且准确。他知道现在要撞的不是桌子，是个有手有脚的活人，所以他一出手就抓住了阿吉的肩井穴，先让他不能动，然后再一头撞过去。

没有人能受得住他这颗铁头一撞，看来这个没有用的阿吉，立刻就要变成没有命的阿吉了。

兄弟们又在大声喝彩。可是这一次彩声停顿得很快，因为阿吉没有被撞碎，铁头反而被打碎了。

它是被一掌打碎的。无论谁的肩井穴被抓住，一双手本来是绝对动不了的。

想不到阿吉的手却偏偏还能动。

铁头的脑袋，本来连铁锤都敲不破，却偏偏受不了他这只手的轻轻一拍。

惨呼和挣扎都已停止，屋子里闷得令人窒息。

阿吉动也不动站在那里，棕黑的眼睛里全无表情，仿佛深不见底。

每个人都在看着他，每个人身上都带着武器，可是没有人敢动。

这个没有用的阿吉，竟使得这些终日在刀头舐血的兄弟们，心里产生出一股莫名的恐惧。

——这个人究竟是谁？

——他杀人后为什么还能如此冷静？

——他以前杀过多少人？现在他心里在想些什么？

没有人看得出他心里正在呐喊："我又杀了人，我为什么又要杀人？"

秋风吹动窗纸，阿吉终于抬起头，才发现面前站着个女人。一个很美的女人，带着种说不出的妖娆诱人的魅力。

他知道她一定就是铁头的三姨太。她站得离他很近，已盯着他看了很久，眼睛里带着种很奇特的表情，既非悲伤，也不是仇恨，却带着几分惊奇和迷惑。

满屋子的人都已悄悄溜了出去，只剩下她一个人没有走。

阿吉冷冷道："我杀了你的男人！"

三姨太道："你不杀他，他迟早也总有一天会死在别人手里！"

她的声音平静得接近冷酷："像他这种人，天生就是个杀胚！"

阿吉道："我也很可能会杀死你，你本该早就走了的。"

三姨太道："应该走的是你。"

阿吉冷笑。

三姨太道："你杀了铁头，大老板绝不会放过你。"

阿吉道："我本就在等他！"

三姨太看着他，眼神显得更奇特，忽然道："我认得你，我以前一定见过你。"

阿吉道："你一定看错了人！"

三姨太道："绝不会。"

她说得很肯定："我是个婊子，从十四岁就开始做婊子，也不知见过了多少男人，可是像你这种男人并不多。"

阿吉眼睛里忽然也闪过一丝奇怪的表情，慢慢地转身走出去。

三姨太看着他的背影，眼睛里忽然发出了光，大声道："我想起来了，你是……"

她没有说完这句话。因为阿吉已闪电般转回身，掩住了她的嘴，将她拦腰抱起。

他不想杀这个女人，可是他一定要封住她的嘴。他绝不能让任何人知道他的秘密。

卧房里灯光柔和。

他将她抛在床上，她就仰面躺在那里看着他，目中忽然有了泪光，黯然道："你怎么会变成这样子的，怎么会变得这么多？"

阿吉道："每个人都在变！"

三姨太道："可是无论你怎么变，我还是认得出你！"

她忍住泪又道："你知不知道，我这一生中，唯一真正喜欢过的一个男人就是你……你当然不会知道，因为我只不过是你无数个女人其中之一，而且是个下贱的婊子。"

阿吉沉默了很久，声音变得很温柔："我也记得你，你叫金兰花！"

她看着他，忽然痛哭失声，扑上抱住他："只要你还记得我，我死也甘心。"

阿吉道："但是我却希望别人忘了我！"

她紧紧抱住他，眼泪流在他脸上："我知道，我一定听你的话，绝不说出你的秘密，就算死，也绝不会说出去。"

大老板平生有三件最得意的事，其中一件就是他有一张世上最大的床。

不但最大，也最奇妙，最豪华，无论到哪里都找不出第二张。

这并不是夸张。

现在还是上午，大老板还躺在床上，他最宠爱的九位姬妾都在床上陪着他。

一个丫头悄悄地走进来，嗫嚅着道："叶先生说有要紧的事，一定要见老爷！”

大老板想坐起，又躺下道：“叫他进来！”

他的姬妾立刻抗议：“我们这样子，你怎么能叫别的男人进来？”

大老板微笑，道：“这个男人没关系！”

有人问：“为什么？”

大老板淡淡道：“因为他对我比你们九个人加起来都有用。”

虽然已通宵未睡，竹叶青看起来还是容光焕发，完全没有一点倦态。

大老板常说他精力之充沛，就好像织布机一样，只要大老板要他动，他就绝不会停。

他垂首站在大老板床前，目不斜视，床上九个如花似玉的美人，在他眼中看来，竟完全不值一顾。对这一点，大老板也很满意。

他先让竹叶青坐下，然后再问：“你说有要紧的事，是什么事？”

竹叶青虽然遵命坐下，却又立刻站起，垂首道：“阿吉发现了我在他那里布下了眼线，带走了苗子兄妹。”

他的头垂得更低：“这是我的疏忽，我低估了那个没有用的阿吉，请大老板严厉处分。”

他先用最简单的话扼要说出事件经过，然后立刻承认自己的错，自请处分。这是他做事的一贯作风，他从不掩饰自己的过错，更不推诿责任，这种作风也正是大老板最欣赏的，所以大老板虽然皱了皱眉，语声却不严厉：“每个人都难免有做错事的时候，你先坐下说话！”

竹叶青道：“是！”

等他坐下去，大老板才问：“这件事是什么时候发生的？”

竹叶青道：“昨天晚上子时前后！”

大老板道：“直到现在你还没有找到他们？”

竹叶青道：“阿吉的行踪我们已知道，苗子兄妹却一直下落不明！”

大老板道：“阿吉在哪里？”

竹叶青道：“一直都在大刚的三姨太那里！”

大老板沉下脸，道：“铁头已经被他……？”

竹叶青道：“是。”

大老板道："他是什么时候去的？"

竹叶青道："刚过子时不久！"

大老板脸色更难看，道："他在半个时辰之内，就能将苗子兄妹那么样两个大人藏起来，你们花了一夜工夫，居然还找不到？"

竹叶青又站起来，垂首道："城里能容他们兄妹躲藏的地方并不多，我已经派人将每一个有可能的地方都彻底查过，却没有人看见过他们！"

大老板冷笑道："想不到这个没有用的阿吉，居然连你都斗他不过。"

竹叶青不敢开口。

这一次大老板也没有再让他坐下，过了很久，才慢慢地问道："铁头真是被他亲手杀了的？"

竹叶青道："据当场目睹的人说，他一掌就拍碎了铁头的脑袋。"

大老板脸色又变了变，道："有没有看出他用的是哪一门的武功？"

竹叶青道："没有。"

他又补充道："就因为没有人知道他的武功和来历，可见这个人必定大有来历。"

大老板道："最近江湖中有没有什么人忽然失踪？"

竹叶青道："这一点我也去调查过，最近忽然销声匿迹的武林高手，只有大盗赵独行、天杀星战空和剑客燕十三。"

大老板又在皱眉，这三个人的声名，他当然也听说过。

竹叶青道："可是这三个人的体形相貌年纪，都没有一点和阿吉符合。"

大老板冷笑道："难道这个人是从天上掉下来的？地下长出来的？"

他忽然握紧拳头，用力敲在床头的矮几上，厉声道："不管他是哪里来的，先做了他再说，人死之后，就不必再问他的来历。"

竹叶青道："是。"

大老板道："不管你用什么法子，不管要花多大的代价，我都要他这条命！"

竹叶青道：“是。”

大老板的命令，一向要立刻执行，可是这一次竹叶青居然还没有走。

这是从来未有的现象，大老板怒道：“难道你还有什么话说？”

竹叶青迟疑着，终于鼓起勇气道：“他人单势孤，我们要他的命并不难，可是我们的牺牲一定也很惨重！”

大老板道：“那么你的意思呢？”

竹叶青道：“这个人就像是一把出了鞘的刀，就看他是被谁握在手里！”

大老板道：“你的意思是要我将这把刀买下来？”

竹叶青道：“他肯为苗子兄妹那种人卖命，只不过因为他们对他有一点恩情，大老板若是给他点好处，怎知他不肯为大老板效死？”

大老板沉吟着，脸色渐渐和缓，道：“你认为我们能买得到？”

竹叶青道：“每个人都有价钱的，我们至少应该去试试！”

大老板道：“谁去？”

竹叶青躬身道：“我想自己去走一趟！”

大老板道：“既然他是把已出鞘的刀，说不定一碰上他就会出血的，你何必自己去冒险！”

竹叶青道：“我全身上下，都属大老板所有，何况几滴血？”

大老板忽然下床，握住了他的手，道：“我没有儿子，你就是我的儿子，你千万要小心！”

竹叶青低着头，热泪仿佛已将夺眶而出，连旁边看着的人，也都被感动。

等他退出去，大老板才长长吐出口气，对他的姬妾们道：“现在你们是不是已看出来，他对我是不是比你们九个人加起来都有用？”

一个嘴角有痣、眼角含情的女人忽然道：“我只看出了一点！”

大老板道：“哪一点？”

这女人道：“他实在比我们九个人加起来都会拍马屁！”

大老板大笑，道：“说得好，说得好。”

他笑声忽又停顿，盯着这女人，道：“我要你做的事，你都肯做？”

这女人开始乘机撒娇，蛇一般缠住了他，道：“你要我做什么？”

大老板冷冷道：“我要你从今天晚上开始，就去陪他睡觉！”

阿吉还在睡。他太疲倦，太需要睡眠，有太多的事都在等着他去做，他的体力必须恢复。

他醒来时，金兰花还躺在他身旁，睁着眼，看着他，眼睛里充满了柔情。

阿吉却又闭上眼，道：“昨天晚上一夜都没有人来过？”

金兰花道：“没有。”

阿吉全身肌肉放松，心里却已抽紧。

他知道暴风雨来临前的一刻，通常都是最沉闷的时候，那就像黎明前的那一刻通常都是最黑暗的时候。

以后会有些什么样的转变？最后会有什么样的结果？他全不知道。

他只知道这件事现在已黏上了他，他已不能放手。因为他只要一放手，老苗子、娃娃、金兰花就只有死定了。

更重要的一点是，他知道城里还有无数个像他们这样的人，都在火坑里等着他帮助。

外面的屋子里忽然有了脚步声。

脚步声很重，好像故意要让人听见，然后阿吉又听见有人在咳嗽。

他等着这个人进来，等了很久，外面反而变得全无动静。

金兰花的脸色惨白，她猜不出来的是什么人，可是这个人既然敢来面对一掌拍碎铁头的人，必定有恃无恐。

阿吉拍了拍她的头，慢慢地站起来，穿上衣服。他已感觉此刻等在外面的这个人，一定是最难对付的一个。

第十五章

人事无常

铁头的尸体已被收走，他最后拿的那副“至尊宝”却还留在桌上。

竹叶青就坐在桌子边，用手轻抚着这副牌，微笑着道：“据说一个人能拿到这副牌的机会只有万分之一，那意思就是说，就算你赌了五十年牌九，每天都在赌，能拿到这副牌的机会，最多也不会超过三十次！”

他并不是自言自语，他知道阿吉已走出来，正在静静地看着他。

他微笑回头，又道：“所以无论谁能拿到这副牌，运气都一定很不错！”

阿吉道：“昨天晚上拿到这副牌的人，运气并不好。”

竹叶青叹了口气，道：“这也正是我想说的，人事无常，又有谁能一直保持住自己的好运气？”

他抬起头，凝视着阿吉，缓缓道：“所以一个人若是有了机会时，就一定要好好把握住，不可放弃！”

阿吉道：“你还想说什么？”

竹叶青道：“现在阁下的机会已来了！”

阿吉道：“什么机会？”

竹叶青道：“世人操劳奔走一生，所寻求的是什么？也只不过是名利二字而已。”

他微笑又道：“现在阁下已经有了这种机会，实在可贺可喜！”

阿吉盯着他，就好像钉子钉在墙里一样，忽然问：“你就是竹叶青？”

竹叶青仍在微笑，道：“我姓叶，叫叶青竹，可是别人都喜欢叫我竹叶青！”

他仍在微笑，笑得有点奇怪。

阿吉道："是不是大老板叫你来的？"

竹叶青承认。

阿吉道："那么我也想告诉你一件事！"

竹叶青道："什么事？"

阿吉道："一个人挣扎奋斗一生，有时候并不是为了名利两个字。"

竹叶青道："除此之外，还有什么？"

阿吉道："还有两个字，理想！"

竹叶青道："理想？"

他真的不太懂得这两个字的意思："你想要的是什么？"

阿吉道："我想要每个人都自由自在地过他自己愿意过的日子！"

他知道这句话的意思竹叶青是不会懂的，所以又解释："虽然有些人出卖自己，可是也有些人愿意挨穷受苦，因为他们觉得心安，受点苦也没有关系！"

竹叶青道："真有这种人？"

阿吉道："我有很多朋友都是这种人，还有许许多多别的人也一样，只可惜你们却偏偏不肯让他们过自己的生活，所以……"

竹叶青道："所以怎么样？"

阿吉道："所以你们要我走，只有一个条件！"

竹叶青道："什么条件？"

阿吉道："只要你们放过这些人，我就放过你们，只要大老板自己亲口答应我，绝不再勉强任何人做任何事，我马上就走。"

竹叶青道："你一定要大老板当面告诉你？"

阿吉道："一定。"

竹叶青道："十万两能不能改变你的意思？"

阿吉道："不能！"

竹叶青在考虑，缓缓道："你真的愿意见大老板？"

阿吉道："今天我就愿意见他！"

竹叶青道："在什么地方见？"

阿吉道："随便他！"

竹叶青道："韩大奶奶那里行不行？"

阿吉道："行。"

竹叶青道："吃晚饭的时候好不好？"

阿吉道："好。"

竹叶青立刻站起来准备走了，忽又带着笑道："我还没有请教贵姓大名？"

阿吉道："我叫阿吉，没有用的阿吉。"

看着竹叶青走出去，阿吉又看着那副"至尊宝"沉思了很久，他在想竹叶青刚才说的话。

——机会来到时，一定要好好把握住，绝不可放弃。

现在他们给他的是种什么样的机会？

他没有再想下去，因为他忽然想到件很可怕的事，等他冲回里面那间屋子，金兰花果然已不见了。

大老板坐在他那宽大舒服的交椅上，看着站在他面前的竹叶青，心里忽然觉得有点歉意。

这个人已为他工作六年，工作得比任何人都辛苦，享受得却比任何人都少。

现在他非但通宵未眠，而且水米未进，却还是看不出一点怨怼疲倦之色，能够为大老板做事，就已经是他最大的光荣和安慰。

——像这样忠心勤劳的人，现在已愈来愈少了。

大老板从心里叹了口气，才问道："你已见过了阿吉？"

竹叶青点点头，道："那个人的确像是把出了鞘的刀，而且是把快刀。"

大老板道："你把他买了下来？"

竹叶青道："现在还没有。"

大老板道："是不是因为他要的价钱太高？"

竹叶青道："我带了十万两银票去，可是我一见到他，就知道再多十倍也没有用。"

大老板道："为什么？"

竹叶青道："我去的时候，桌上还堆满了银子，他非但没有碰过，甚至连看都没有看一眼。”

他又补充：“他本来已经穷得连饭都没有得吃，却还是没有把那么多银子看在眼里，由此可见，他要的绝不是这个。”

大老板道：“他要的是什么？”

竹叶青道：“他只有一个条件，他要我们让每个人都过自己愿意过的日子。”

大老板道：“这是什么意思？”

竹叶青道：“这意思就是说，他要我们放手，把现在我们做的生意全停下来！”

大老板沉下了脸。

竹叶青道：“他还要跟大老板见一次面，亲口答应他这条件！”

大老板道：“你怎么说？”

竹叶青道：“我已替大老板跟他约好，今天晚上，在韩大奶奶的地方跟他见面！”

大老板眼中现出怒色，冷冷道：“你什么时候变得可以替我作主的？”

竹叶青垂下头，道：“没有人敢替大老板作主！”

大老板道：“你呢？”

竹叶青道：“我只不过替大老板做了个圈套，让他自己把脖子套进去。”

大老板改变了一下坐的姿势，脸上的神色已和缓了许多。

竹叶青道：“我跟他在外面谈判时，忽然发现了件怪事。”

大老板道：“什么事？”

竹叶青道：“我发现铁头的三姨太一直在里面的门缝里偷看，而且一直都在看着他，显得又紧张，又关切。”

大老板的手握紧，道：“那个女人是铁头从哪里弄来的？”

竹叶青道：“那女人叫金兰花，本来是淮扬一带的名妓，江湖中有不少名人，都做过她的入幕之宾。”

大老板眼睛里发出光，道：“你认为她以前一定认得那个没有用的阿吉？”

竹叶青道：“不但认得，而且一定是老相好！”

大老板道："所以她一定知道阿吉的来历？"

竹叶青道："一定！"

大老板盯着他，道："现在她当然已经不在阿吉那里了？"

竹叶青道："已经不在了！"

大老板满意地吐出口气，道："她在哪里？"

竹叶青道："就在外面，和苗子兄妹在一起。"

大老板眼睛更亮道："你怎么找到他们的？"

竹叶青道："我找遍了城里可能容他们藏身的地方，都没有找到。"

大老板目光闪动，道："所以你就从最不可能的地方去找？"

竹叶青目光露出尊敬佩服之色，道："我能想得到的，当然早已在大老板计算之中。"

大老板道："你在哪里找到了他们？"

竹叶青道："我派去望风的两个人中，有一个叫大牛，虽然很机灵，胆子却很小，而且是个很顾家的男人，赚的钱一大半都要拿回家的！"

大老板道："所以你就想，阿吉很可能就用这一点要挟大牛，要他把苗子兄妹藏到他家里去？"

竹叶青道："我只想到像那么样两个大活人，总不会凭空一下子失踪！"

大老板微笑，道："这一手阿吉的确做得很聪明，只可惜他想不到我这里还有一个比他更聪明的人！"

竹叶青态度更恭谨，垂首道："那也只不过因为我从来不敢忘记大老板平日的教训！"

大老板笑得更愉快，道："现在我们只要先从金兰花嘴里问出他的来历，再用苗子兄妹作钓鱼的饵，还怕他不乖乖把脖子伸进来！"

竹叶青道："我只怕金兰花不肯说实话！"

大老板道："她是不是个婊子？"

竹叶青道："是的！"

大老板道："你有没有见过一个真正多情多义的婊子？"

竹叶青道："没有。"

大老板道："你有没有见过一个既不要钱，也不要命的婊子？"

竹叶青道："没有。"

大老板微笑道："我也没有。"

被单雪白干净，还带着金兰花的香气。阿吉把它撕开来，撕成一条条，包扎住身上的刀伤。他知道大老板绝不会接受他提出的条件，也知道今夜必定会有恶战。

他一点都不在乎，可是他不能不想到金兰花。

——我一定听你的话，就算死，也绝不会说出去。

她留在他脸上的泪痕虽已干，她的声音却仿佛还在他耳畔。这些话他能不能相信？一个人若连自己都能够出卖，又有谁能相信她宁死也不出卖别人？

阿吉用力将布带在胸膛上打了结。他的心里也有个结，千千万万个结，解不开的结，因为他并不是平空从天上掉下来的，他当然也有他的过去。在逝去的那一段日子里，他有过悲伤，有过欢乐，当然也有过女人。

他从不相信任何女人。在他眼中，女人只不过是一种装饰，一种工具，当他需要她们时，她们就会像猫一样乖乖投入他怀里。当他厌倦时，他就会像垃圾般将她们抛开。

对这一点，他从不隐瞒，也从无歉疚，因为他总认为他天生就应该享受女人的宠爱。

如果有女人爱他，爱得要死，爱得恨不得能死在他怀里，他都认为那女人活该。

所以如果金兰花现在出卖了他，他也会认为自己活该。他一点都不在乎，因为他已经准备拼了。

一个人，一条命，不管是怎样一个人，不管是怎样一条命，只要他自己准备拼了，还有什么可在乎的？

——他是不是真的不在乎？

——他心里是不是有某种不能向人诉说的隐痛？

——他是不是受过某种永远不能平愈的创伤？

谁知道？

连他自己都已几乎忘记——

至少他全心全意都希望自己能忘记，还有谁知道？

桌子上有一斛珍珠，一把刀。

桌子旁边有三个人——大老板、竹叶青、金兰花。

大老板没有开口。

不必要的时候，他从不开口——如果有人替他说出他要说的话，他何必开口？先开口的当然是竹叶青。

他说话的声音永远和缓轻柔："这是最好的珍珠，漂亮的女人戴在身上，当然会更漂亮，就算不漂亮的女人戴在身上，也会有很多男人会觉得她忽然变得很漂亮。"

金兰花道："我知道。"

竹叶青道："你是个很漂亮的女人，可是每个女人都有老的时候！"

金兰花道："我知道。"

竹叶青道："不管多漂亮的女人，到了她老的时候，都会变得不漂亮。"

金兰花道："我知道。"

竹叶青道："每个女人都需要男人，可是到了那时候，你就会发觉，珍珠远比男人更重要。"

金兰花道："我知道。"

竹叶青轻抚刀鞘，道："这是一把刀，可以杀人的刀。"

金兰花道："我知道。"

竹叶青道："不管多漂亮的女人，如果被这把刀戳在心口里，珍珠对她就没有用了，男人对她也没有用了。"

金兰花道："我知道。"

竹叶青道："你喜欢被人戳一刀，还是喜欢珍珠？"

金兰花道："珍珠。"

竹叶青盯着她看了很久，才慢慢地问道："你知不知道那个没有用的阿吉姓什么？叫什么？是从哪里来的？"

金兰花道："不知道。"

竹叶青笑了，就在他开始笑的时候，刀已在他手里，刀光一闪，划过金兰花的左耳。

这一刀并不是虚张声势，他知道只有血淋淋的事实才能真正令人恐惧。

金兰花全身都因恐惧而收缩。她看见了自己的血，也看见了随着鲜血落下的半只耳朵。

但是她并没有觉得痛，这种恐惧竟使得她连痛苦都已感觉不到。

竹叶青脸上却毫无表情，淡淡道：“耳朵缺了一半，还可以用头发盖住，若是鼻子少掉半个，就难看得很了！”

金兰花忽然大声道：“好，我说。”

竹叶青微笑着放下手里的刀，道：“只要你肯说，这些珍珠还是你的！”

金兰花道：“其实根本用不着我说，你们也应该知道他是谁！”

竹叶青道：“哦？”

金兰花道：“他就是要你们命的阎王！”

这句话没说完，她的人已扑上桌子，用两只手握住桌上的刀，刺入自己的胸膛。

大老板的脸色变了，一把揪住她头发，厉声道：“你只不过是个婊子，为什么要为一个男人死？”

金兰花的脸色苍白，嘴角已开始有鲜血渗出，却还有一口气，还可以说出心里的话：“因为只有他才是真正的男人，你们却只不过是一群连猪狗都不如的杂种，我能够为他死，我……我已经高兴得很。”

第十六章

步步杀机

屋子里没有声音，一点声音都没有。也不知过了多久，大老板忽然问：“你跟他约的是今天晚上？”

竹叶青道：“是。”

大老板道：“那么你现在就应该赶快去将那地方安排好。”

竹叶青道：“大老板真的准备要去？”

大老板点点头，道：“我想见见他！”

他又替自己解释：“因为我从未想到世上真的有他这种男人，能够让一个婊子心甘情愿地为他死，我想看看他到底有什么特别的地方！”

竹叶青闭上嘴。他知道大老板的主意是从来没有任何人能够改变的。

大老板却偏偏要问他：“你的意思怎么样？”

竹叶青没有立刻回答。

这件事的关系实在太大，绝不能有一点疏忽错误，他必须详细考虑。

大老板又在问：“你认为我会有危险？”

竹叶青沉吟着，缓缓道：“既然苗子兄妹还在我们手里，他也许还不敢轻举妄动。”

大老板道：“这一点我已想到。”

竹叶青道：“可是一个人如果能让一个婊子为他死，也许什么事都做得出的！”

大老板道：“譬如说什么事？”

竹叶青道：“有些人平时虽然对朋友很讲义气，可是到了必要时，就会不惜将朋友牺牲的！”

大老板道："什么时候才是必要的时候？"

竹叶青道："他决心要做一件大事的时候！"

大老板没有再问下去。

他当然懂得竹叶青的意思，无论谁杀了他，都必定是件轰动江湖的大事。

竹叶青道："在天黑之前，我一定可以将所有的好手都集中到韩大奶奶那里去，我们可以用的好手，至少还有三十几个。"

大老板道："有他们保护我还不够？"

竹叶青道："也许够了，也许不够，只要有一分危险，我就不敢这么做！"

大老板道："有他们在前面挡着，我至少可以全身而退！"

竹叶青道："可是他目标只有大老板一个人，我们只要有一分疏忽，他就很可能会出手，他的出手一击，也许没有人能挡得住！"

他轻轻叹了口气，道："如果铁虎在，情况当然又完全不同了。"

大老板道："你的意思是说我不能去？"

竹叶青道："大老板如果一定要见他，当然可以去，只不过……"

大老板道："怎么样？"

竹叶青道："我们却不一定让他见到大老板。"

他没有再解释，他知道大老板立刻就会明白他的意思。

无论什么人能够做到像大老板这样的大老板，都绝不是侥幸的，他一定要有别人比不上的才能和机智。

大老板果然没有让他失望："因为他从来没有见过我，所以我们可以随便找个人冒充我去会他，我扮成随从跟在后面，一样还是可以见到他。"

竹叶青道："他如果出手，首当其冲的就是那个人了，大老板就一定可以全身而退！"

大老板微笑道："好，好主意！"

门外忽然有个人道："不好，一点都不好！"

这是大老板的书房，也就是他和他的高级幕僚商谈机密的地方。没有大老板的允许，谁也不敢直闯到门外。

这个人却已在门外。

大老板的意思，从来没有人敢反驳。大老板说“好”，就一定是好的，从来没有人敢争辩。

这个人却是例外。

在大老板面前，只有这个人敢做别人不敢做的事，敢说别人不敢说的话。

因为他能为大老板做的事，也绝不是任何人能做得到的。

听见他的声音，大老板已面有喜色：“铁虎回来了！”

一大碗热气腾腾的牛肉面刚端上来，汤是原汁，里面还加了四个蛋，两块排骨。看来滋味一定不错。阿吉心里却不知是什么滋味。

他已有很久未曾吃过这么好的东西，对他来说，这已是种很奢侈的享受。

他很想能与他的朋友们分享，他很想到大牛家里去看苗子和娃娃，可是他不敢冒险。

离开铁头的小公馆时，桌上还堆满了昨夜的赌注银子，他只拿走了最小的一锭。

他一定要吃点能够补充体力的食物，他一定要勉强自己吃下去。

这是家很小的面馆，狭窄而阴暗。阿吉就坐在最阴暗的一个角落里，低着头，慢慢地吃面。

他不想去看别人，也不想让别人看见他，只想安安静静地吃完这碗面。可是他没有吃完。

就在他开始吃第二颗蛋时，用旧木板搭成的屋顶上，忽然有一大片灰尘掉下来，掉在他的面碗里。

接着就是“咯吱”一声响，屋顶已裂开个大洞，一个人轻飘飘落下，伏在他身后，压低声音道：“不许动，不许开口，否则就要你的命！”

阿吉没有动，没有开口。

面馆里唯一的伙计更吓得腿都软了，因为他已看见这个人手里一把雪亮的刀。

也看见了这个人一双像野兽般的眼睛。

一条已经被猎人追捕得无路可走的野兽，眼睛里充满了恐惧和杀气。

“你坐下来，慢慢地坐下来！”

这个人在命令面馆里的伙计：“就像什么都没有看见。”

伙计立刻坐到他那张破木椅上，整个人都软了。

这人又命令阿吉：“继续吃你的面，你把它吃完！”

阿吉继续吃面。

掉在粪汁里的馒头，他都能吃得下去，面碗里有灰，他当然更不在乎。

他能感觉到背后这人的紧张和恐惧，却不知这人怕的是什么。

他也不想知道。但是就在这时候，他正好看见一个很高大的人昂着头从门外走过。

看见这条大汉，街上大部分人都立刻弯下腰，垂下头。

躲在阿吉背后的人呼吸立刻变得更急促，全身都好像在不停地发抖。

——他怕的一定就是这条大汉？

——这条大汉究竟是什么人？

——为什么能让人怕得这么厉害？

阿吉又低下头的时候，仿佛看见这条大汉往面馆里瞥了一眼，目光就像是厉电。

幸好他只看了一眼，就大步走了过去。

这时阿吉才看见他背后的腰带上还挂着条绳子，绳子上还系着六个人。

六个人的衣着都很华丽，甚至连腰饰、帽饰、靴子，也都配得很考究。

可是六个人都已被打得鼻青眼肿，有的人连手脚都已被打断了。

每个人都像狗一样乖乖地被那条大汉用绳子牵着走过去，躲在阿吉背后的人才吐口气，紧握着刀柄的手也已放松。

阿吉忽然问：“这些人都是你的朋友？”

这人低叱：“闭嘴！”

阿吉没有闭嘴，又道："既然你能逃出来，为什么不救救他们？"

这句话还没有说完，刀柄已架在他的脖子后："你再开口，我就要你的命！"

他这句话还没有说完，已有人冷冷道："你不开口，我也一样要你的命！"

刚才明明已从门外走过去的大汉，忽然间又回来了，忽然间已站在阿吉面前。

他的一双眼睛闪射如厉电，脸上颧骨高耸，鹰鼻阔口。

阿吉低着头吃面。

躲在他背后的人，用刀架住他的脖子："你一动手，我就先杀了这个人！"

大汉道："你杀了他，我就不杀你！"

他的声音沉重冷酷："我至少要让你多活三年，多受三年罪。"

阿吉还是在低着头吃面。

躲在他身后的人，却已飞跃而起，一刀闪电般往这条大汉头顶上砍了下去。

大汉的身子没有动，头也没有动，只一伸手，就握住了这个人的手腕。

"咯"的一响，这个人的手腕就断了，"当"的一声，刀落在地上，他的人就跪了下去。

大汉冷冷地看着他，道："你走不走？"

这人疼得连眼泪都已流下，不停地点头，道："我走！"

大汉冷笑，拿着他走出去，忽又回头，瞪着阿吉。

阿吉还是在吃面。

大汉冷笑道："你倒很沉得住气！"

阿吉没有抬头，道："我饿极了，我只想吃面！"

大汉又瞪着他看了很久，忽然回头向面馆伙计道："这碗面的账我付！"

伙计道："是！"

阿吉道："谢谢。"

大汉道："不必！"

绳子上又多了一个人，七个人被绳子系着，像狗一样被大汉牵着走。

阿吉终于吃完了他的面。他决心要吃完这碗面，他就一定要吃完，不管这碗面里有灰也好，有血也好，有泪也好。

然后他才站起来，走到面馆伙计面前，问："那个人是谁？"

伙计惊魂犹未定，颤声道："哪个人？"

阿吉道："刚才那个请我吃面的人。"

伙计东张张，西望望，才压低声音，道："那是个惹不得的人！"

阿吉道："他叫什么？"

伙计道："铁虎，铁老虎，只不过比铁还硬，比老虎还凶！"

阿吉笑了，笑容中带着一种说不出的讥诮："能够把七匹狼像狗一样牵着走的人，当然比老虎还凶！"

伙计的声音压得更低，悄悄地问："你认得他？"

阿吉道："不认得！"

他笑得更奇怪，慢慢地接着道："可是我知道我们很快就会认得的。"

"铁虎回来了。"

现在他就站在大老板面前，腰虽然弯得并不低，神色间却带着绝非任何人所能伪装出的骄傲和尊敬。骄傲的是，他又为自己所尊敬的人做成了一件事。

大老板道："你回来得比我们想的还早！"

铁虎道："因为那群狼根本不是狼，是狗！"

大老板微笑，道："在你面前，就算真是狼也变成了狗。"

铁虎也在笑。

他并不是个谦虚的人，他喜欢听别人的赞美，尤其是大老板的赞美。

大老板道："现在那群狗呢？"

铁虎道："六条死狗已喂了狼，七条活狗我都带回来了。"

大老板道："连一条都没有漏网？"

铁虎道："半路上本来有一条几乎溜了，我想不到他在裤裆里还夹着把刀。"

大老板道："现在那把刀呢？"

铁虎道："现在那把刀已经在他屁眼里。"

大老板大笑。

他喜欢铁虎做事的方式。

铁虎做事，永远最直接、最简单、最有效。

铁虎忽然道："刚才大老板要见的是什么人？"

大老板道："他叫阿吉！"

铁虎道："阿吉？"

大老板道："我知道你一定没听过这个人的名字，因为他根本没有名，而且总喜欢把自己说成是个没有用的人。"

铁虎道："其实他很有用？"

大老板道："不但很有用，而且一定很有名，只不过名声太响的人有时候就不愿别人再提起他的名字。"

铁虎明白这意思。

他自己也一样，他已将自己的真名实姓隐藏了多年。

大老板道："我们本来约好了今天晚上见面的，可是小叶怕我出事！"

铁虎冷笑，道："小叶的胆子比叶子还小。"

大老板道："你不能怪他，一个人做事谨慎些，总不是坏事。"

竹叶青一直在听着，赔着笑，等到铁虎不再开口，才说："那时候我不能不特别谨慎，只因为虎大哥还没有回来。"

铁虎道："现在呢？"

竹叶青道："现在当然不同了。"

他在笑，可是笑得令人很不舒服："现在大老板若是想要见一个人，只要虎大哥一出手，马上就能把那个人抓回来！"

铁虎瞪着他："你以为我办不到？"

竹叶青道："这世上若是还有虎大哥办不到的事，还有谁能办得到？"

铁虎的双拳已握紧。

大老板忽然道："你累了！"

他是对竹叶青说的："现在铁虎已回来，你不妨先回去睡两个时辰！"

竹叶青道："是！"

大老板道："如果你床上有人在等着陪你睡觉，你也不必吃惊，也不必客气！"

竹叶青道："是！"

大老板道："不管那个人是谁都一样！"

竹叶青道："是！"

他立刻退了下去，既没有问那个人是谁，也没有问别的。大老板说的话，他永远只听从，从不多问。

一直到竹叶青走出门，铁虎还在瞪着他，握紧的双拳上青筋凸起，眼角也在跳。

大多数人看见他眼角跳的时候，都会远远地躲走，能够走多远，就走多远。

大老板盯着他跳动的眼角，忽然问："你跟我已有多久？"

铁虎道："五年。"

大老板道："不是五年，是四年九个月零二十四天。"

铁虎的眼角不跳了，眼睛立刻露出佩服和尊敬之色。他想不到大老板能将这种小事都记得这么清楚，记忆力这么好的人，通常都能令人佩服尊敬。

大老板又问："你知不知道小叶已跟我多久？"

铁虎道："他比我久！"

大老板道："他跟着我已有六年，六年三个月零十三天。"

铁虎不敢开口。

大老板道："你跟着我，已经花了我四十七万，已经换了七十九个女人，他呢？"

铁虎不知道。

大老板道："我已经通知过账房，你们两个人，不管要用多少，我都照付，可是他在这六年间，一共只用了三两。”

铁虎忍耐着，终于还是忍不住道：“有的人会花钱，有的人不会。”

大老板道：“他也没有女人。”

铁虎又忍耐了很久，又忍不住道：“那也许只因为他根本不是男人？”

大老板道：“可是他替我做的事，绝不比你少。”

铁虎不愿承认，又不敢否认。

大老板道：“他为我做的并不是什么可以光宗耀祖的事，他既不要钱也不要女人，你说他为的是什么？”

铁虎更不敢开口。

大老板道：“这世上除了名利和女人外，还有什么能更令男人动心的？”

铁虎知道，可是不敢说。

大老板自己说了出来：“权力！”

第十七章

渐露端倪

一个男人如果有了权力，还有什么得不到的？

大老板道："他什么都不要，也许只因为他要的是我这个位子！"

铁虎眼睛里发出了光："只要大老板说一句话，我随时都可以做掉了他！"

大老板道："你有把握？"

铁虎道："我……"

大老板道："我知道你的功夫，也知道你从前做掉不少有名的人！"

铁虎不否认，也没有谦虚。

大老板道："这六年，我从未要小叶参加过一次行动，因为连我都一直认为他没有功夫！"

铁虎道："他本来就没有！"

大老板道："你错了，我也错了。"

铁虎道："哦？"

大老板道："直到今天，我也才知他也是个高手。"

铁虎忍不住道："什么高手？"

大老板道："用刀的高手。"

铁虎道："大老板看见过他用刀？"

大老板道："今天我才见到，他用刀的手法，远比我见过的任何人都好。"

——刀光一闪，就削落了金兰花的半边耳朵。

大老板道："他出刀不但快，而且准确，可是他一直都深藏不露，也许直到现在他还以为我没看出来。"

他微笑，又道：“可是他也错了，我就算没有吃过猪肉，至少总看过猪走路。”

他笑得还是很和平，铁虎却已开始愤怒：“会用刀的人，我也不是没有见过。”

大老板道：“我知道，五虎断门刀、万胜刀、七巧刀和太行快刀门下的高手，栽在你手下的，最少也有二二十个。”

铁虎道：“连今天的‘飞狼刀’江中，整整是三十个。”

大老板道：“我也知道你一定可以做掉他！”

铁虎道：“随时都可以！”

大老板道：“可是现在还不必。”

铁虎道：“为什么？”

大老板道：“因为我知道他至少直到现在还没有背叛过我。”

铁虎道：“等到大老板知道的时候，也许就已经太迟了。”

大老板道：“绝不会太迟！”

铁虎又问：“为什么？”

大老板道：“因为他也是个男人，无论什么样的男人在自己喜欢的女人面前，都很难保守自己心里的秘密。”

几上有花瓶，瓶中有花。

他从瓶中摘下朵菊花嗅了嗅：“如果那个女人够聪明，又时常在他枕边，就算他不说，那个女人也会知道的。”

铁虎道：“他也有喜欢的女人？”

大老板道：“当然有。”

铁虎道：“谁？”

大老板道：“紫铃！”

他知道铁虎一定不知道紫铃是谁，所以又解释：“紫铃就是那个我从淮河带回来，嘴角上有颗痣的那个女人。”

铁虎并不笨，立刻明白：“也就是今天在床上等着他睡觉的那个女人！”

大老板微笑，他知道自己已让铁虎明白了两件事。

——大老板绝不是个容易对付的人，绝不容人欺骗。

——大老板真正的心腹，只有铁虎一个人。

他知道就凭这两点，已足够换取铁虎对他的绝对忠心。他微笑着闭上眼睛，铁虎就悄悄地退了下去，他相信铁虎一定有法子对付阿吉。而且一定会先去找铁手阿勇，问清楚阿吉出手的方法。

这个人在做别的事时，虽然会显得有点粗枝大叶，可是一遇到厉害的对手，他就会变得比任何人都精明仔细。从十年前他初成名时，他杀人就很少失手过。

大老板虽然闭着眼睛，却仿佛已能看见阿吉在铁虎剑下倒了下去，倒在他自己的血泊中。

屋子里舒服而干净。

大老板从不亏待自己的手下，阿勇也还没有完全失去他的利用价值。

只不过他的手还被包扎着，而且痛得要命。

铁虎进来的时候，他正躺在床上，希望韩大奶奶能替他找个处女来冲冲霉气。

可是他知道现在来的一定是铁虎。敢不敲门就闯进他屋子的，一向只有铁虎一个人。对这一点他心里虽然很不满意，却从未说出来过。他需要铁虎这样一个朋友，尤其是现在更需要，可是铁虎如果死了，他也绝不会掉一滴眼泪。

铁虎看着这只被白布密密包扎住的手，紧紧皱着眉问："你伤得很重？"

阿勇苦笑。他伤得当然很重，这只手很可能永远不能用了，可是这一点他必须保守秘密。他知道大老板绝不会长期养着一个已没有希望的废物。

铁虎道："打伤你的人是谁？"

阿勇道："他自己说他叫阿吉，没有用的阿吉。"

铁虎道："但他却打伤了你，杀死了大刚。"

阿勇苦笑道："也许他在别的地方没有用，可是他的武功却绝对有用。"

铁虎道："他是用什么打伤你的？"

阿勇道："就用他的手！"

他本来想说是被铁器打伤的，但是他不敢说谎，当时在场亲眼目睹这件事的人还有很多。

铁虎的浓眉皱得更紧。

他知道阿勇的铁掌功夫使得很不错，无论谁要赤手打伤他这只铁掌都很不容易。

阿勇道："我知道你一定是想来问我，他用的是什么功夫。"

铁虎承认，他本就不是来探病的。

阿勇道："只可惜我也不知道他用的是哪一门哪一派的武功。"

铁虎目中出现怒意，道："你练武练了二三十年，杀过的人也有不少，在江湖中也混得不错，现在别人把你打得这么惨，你却连别人是用什么功夫打伤你的都不知道？"

阿勇道："他的出手实在太快。"

铁虎冷笑，忽然抓起了他那只被打伤的手，去解手上包扎着的白布。

阿勇脸色立刻变了："你想干什么？"

铁虎道："我想看看。"

阿勇勉强笑道："一只手有什么好看的？"

铁虎道："有。"

阿勇道："章宝堂的大夫说，他们替我包扎得很好，叫我这两天千万不能去动它。"

铁虎道："去他妈的屁！"

阿勇闭上了嘴，因为他手上包扎着的布已完全被解开。

看见他这只手，铁虎的脸色也变了。这只练过二十年铁掌功夫的手，现在竟已完全被击碎。

是被三根手指击碎的，他手背上还有着三根紫黑的指印。

——那个没有用的阿吉，练的究竟是什么功夫？

铁虎忽然长长叹了口气，道："不管怎么样，我们总算是朋友。"

阿勇赔笑道："我们本来就是朋友。"

铁虎道："所以你放心，这件事我绝不会说出去的。"

阿勇笑得很勉强："什么事？"

铁虎道："你这只手已从此废了。"

阿勇的笑容冻结，瞳孔收缩。

铁虎道："只不过我就算替你保守这秘密，大老板还是迟早会知道的，所以……你最好还是赶快给自己作个打算。"

阿勇垂下头，忽又大声道："我用另外一只手，还是一样能为大老板杀人！"

铁虎冷笑，道："杀什么样的人？杀比你还没有用的废物？"

他忽然从身上取出沓银票，看也不看，就全都甩给了阿勇："这些银子你迟早总有一天会用得着的，你好好地收着，不要一下子就花光。"

说完这句话，他就头也不回地走了出去。

竹叶青进来的时候，银票还摊在床上。

阿勇正在看着他发怔。

竹叶青柔声道："我特地来探你的病，刚巧听见你们说的话。"

阿勇道："你也听见了，听见最好。"

竹叶青道："不管怎么样，他对你总算不错。"

阿勇道："他对我不错，他对我简直好极了，所以叫我把这些钱好好收着。"

他忽然大笑："收着干什么？难道要我用他这点臭钱去做个小本生意？去开个小店卖牛肉面去？"

他疯狂般大笑，用另一只手抓起银票，用力摔了出去。然后他就倒在床上，失声痛哭了起来。

竹叶青了解他这种心情，让他哭了很久，才柔声道："你只管放心，好好地养伤，无论出了什么事，我都会想法子替你应付的！"

大老板闭着眼，从一只温柔的手里，接过碗参汤饮了。

他慢慢地啜了两口，才问："紫铃呢？"

"已经到叶先生那里去了！"

"叶先生是不是已经跟她……"

"已经有过一次！"

大老板微笑。

他相信竹叶青一定不敢违抗他的命令，无论大老板要人做什么事，都绝没有人敢违抗。

于是大老板又问："铁虎呢？"

"他出去了！"

"有没有说是到哪里去？"

"他先去看了看阿勇，现在好像是去找韩大奶奶去了。"

大老板皱了眉，但立刻就明白了他这么样做的意思。

他当然不会是去找女人的。

阿吉第一次在城里出现，就是在韩大奶奶那地方，要调查阿吉的来历，当然要去找韩大奶奶，她知道的至少要比别人多一点。

能够想到这一点，就证明铁虎出手前的准备，比以前更精明仔细。于是大老板笑得更愉快。

现在每件事都已在他控制之下，每个人都已在他掌握之中。无论谁冒犯了他，无论谁欺骗了他，都休想逃得过他的惩罚。他的惩罚一向很公平，也很可怕。

铁虎坐在韩大奶奶对面，盯着她的眼睛，直等他认为她眼睛的醉意已不太浓，才慢慢地说道："你应该知道我是为什么来的。"

韩大奶奶的眼睛笑得眯成了一条线："我知道你这趟差事很辛苦，我这里刚好来了一批新货，其中还有个是原装货！"

铁虎道："我要找的不是女人！"

韩大奶奶道："难道虎大爷最近兴趣变了，想找个男人换换口味！"

铁虎沉下脸，冷冷道："你若醉了，我有法子可以让你清醒清醒。"

韩大奶奶的笑容立刻冻结。

铁虎道："现在你是不是已经够清醒？"

韩大奶奶道："是的！"

铁虎道："现在你是不是已知道我要找的是谁？"

韩大奶奶道："你要找的一定是阿吉，那个没有用的阿吉。"

铁虎道："据说他是从你这里出去的？"

韩大奶奶道：“他曾经在我这里耽过一阵子！”

铁虎道：“他是从什么地方来的？”

韩大奶奶道：“谁也不知道他是从什么地方来的，他来的时候就已经醉了，一连醉了好几天，醉得人事不知。”

铁虎盯着她，直到他认为她并没有说谎，才继续问道：“你怎么会收容他的？”

韩大奶奶道：“因为他没钱付账，而且看起来一副可怜兮兮的样子！”

铁虎道：“而且很年轻，长得也不难看！”

韩大奶奶的脸色居然有点红了：“可是他跟我一点关系都没有。”

铁虎道：“因为他看不上你！”

韩大奶奶叹了口气，道：“他好像什么女人都看不上。”

铁虎又问：“他在你这里做过些什么比较特别的事？”

他每句话都问得很快，显然早已经过周密的思虑。

韩大奶奶却不能不先想想再回答，因为她知道只要答错一句，就很可能有杀身之祸：“其实他在这里也没有做什么，只不过替我们洗洗碗，倒倒茶……”

她忽然想起一件较特别的事：“他还为我挨了几刀。”

铁虎道：“是谁动的刀？”

韩大奶奶道：“好像是车夫的小兄弟！”

铁虎道：“阿吉杀了他们？”

韩大奶奶道：“没有，他根本没有还手。”

铁虎的瞳孔突然收缩：“难道他就站在那里挨那些小鬼的刀？”

韩大奶奶道：“他连动都没有动。”

铁虎的眼角又开始在跳。

他眼角跳的时候，并不一定表示要杀人，有时这也是他自己的凶兆。

他是在贫苦中长大的，从小就混迹在市井中，当然也挨过别人的刀。他第一次挨刀之前，眼角就在跳。

因为那一次他惹了当地的老大，他知道自己要面对的是个很可怕的对手。

现在他眼角跳得就几乎和那一次差不多。

——这次他即将面对的，究竟是个什么样的人？

——一个人用三根手指就可以敲碎阿勇的铁掌，为什么要站在那里，挨那些小鬼的刀？

——他为什么要忍受这种本来不必忍受的痛苦和羞辱？

韩大奶奶在叹气，又道："那时候我们连做梦都想不到，他会是这样一个人。"

铁虎道："依你看，他是个怎么样的人？"

韩大奶奶道："看起来他好像真的很没有用，不管你怎么样欺负他，他都好像不在乎，不管受了多大的气，他都可以忍下去。"

铁虎道："他本来可以不必受这种气的！"

韩大奶奶道："我也听说他昨天晚上杀了铁头大爷。"

铁虎道："你想他那时候为什么宁可受气挨刀，也不肯出手？"

韩大奶奶沉吟，道："也许他过去做了些很见不得人的事。"

铁虎道："不对！"

韩大奶奶道："不对？"

铁虎道："他动也不动地站在那里为你挨刀，对他有什么好处？"

第十八章

判若两人

韩大奶奶道："没有好处。"

铁虎道："因为他不为你挨那几刀，你还是一样对他的！"

韩大奶奶道："我怎么样对他，他根本也不太在乎。"

铁虎道："他不惜为了苗子兄妹跟大老板拼命，对他又有什么好处？"

韩大奶奶道："没有好处！"

铁虎道："像他这样的人，怎么会做出见不得人的事？"

韩大奶奶不说话了，因为她已经知道自己的判断错误。

铁虎道："他这么样做，一定是受了某种打击，忽然间对一切事都变得心灰意冷，他不惜忍受痛苦和羞辱，一定是因为他的家世和声名太显赫，现在他既然已变成这样子，就绝不能再让别人知道他的过去。"

这些话他并不是对韩大奶奶说的，只不过是自己在对自己分析阿吉这个人。

可是韩大奶奶每个字都听得很清楚。她一直认为铁虎是凶狠而鲁莽的人，从未见到他如此冷静，更从未想到他的思虑如此周密。

她认识铁虎已有多年，直到现在才发现他还有另一面。他的凶狠和鲁莽，也许都只不过是种掩护，让别人看不出他的机智和深沉，让别人不去提防他。

看到他冷静的脸和锐利的眼，韩大奶奶心里忽然有了种说不出的恐惧。直到现在，她才真正发现这个人的可怕。

她甚至已经在暗暗地为阿吉担心。不管阿吉究竟是什么样的人，这一次遇到的对手都一定远比他自己意料中的更可怕。

这一次很可能就是他最后一战，他以前的声名和光荣，都可能从此随着他永远埋于地下。

——也许这就正是他自己心里盼望的结果。

——在这里死的只不过是个没有用的阿吉，在远方他的声名和光荣却必将永存。

韩大奶奶从心底叹了口气，抬起头，才发现铁虎的一双锐眼一直在盯着她。她的心立刻发冷，直冷到脚底。

铁虎忽然道："其实你用不着为他担心的！"

韩大奶奶道："我……"

铁虎打断她的话，道："他一出手就杀了铁头，毁了铁手，竟连一点本门功夫都没有露出来，武功能练到这种地步的，我想来想去都不会超出五个人，像他这样年纪的，很可能只有一个！"

韩大奶奶忍不住问："是哪一个？"

铁虎道："那个人本来已经死了，可是我一直都认为他绝不会死得那么快！"

韩大奶奶道："你认为阿吉就是他？"

铁虎慢慢地点头，道："如果阿吉真的就是那个人，这一战死的就必定是我！"

韩大奶奶心里松了口气，脸上却一点都没有表现出来。她已久历风尘，当然懂得应该在什么时候，用什么方法表示自己对别人的关切。她轻轻握住了铁虎的手："那么你为什么一定要去为别人拼命？为什么一定要去找他？"

铁虎看着她肥胖多肉的手，缓缓道："我并不一定要去。"

这次韩大奶奶真的松了口气，铁虎接着又道："可是另外一个人却一定要去。"

韩大奶奶道："谁？"

铁虎道："你！"

韩大奶奶吃了一惊："你要我去找阿吉？"

铁虎道："去带他来见我！"

韩大奶奶想勉强笑一笑，却笑不出："我怎么知道他的人在哪里？"

铁虎的锐眼如鹰，冷冷地盯着她："你应该知道的，因为他现在只有一个地方可去！"

韩大奶奶道："什么地方？"

铁虎道："这里！"

韩大奶奶道："他为什么一定会到这里来？"

铁虎道："因为他已跟大老板约好了，今天晚上在这里相见，他当然一定会先来看看这里的情况，看看大老板是不是会布下什么埋伏陷阱。"

他接着道："城里只有这里是他最熟悉的，这里的每个人好像都对他不错，他可以随便找个地方躲起来，大老板的人一定找不到他，如果是我，也一定会这么样做的！"

韩大奶奶叹道："可惜他不是虎大爷，他没有虎大爷这么精明仔细！"

铁虎冷笑。

韩大奶奶道："虎大爷若是不相信，可以随便去搜。"

她勉强笑了笑："这地方虎大爷岂非熟得很？"

铁虎盯着她："他真的没有来？"

韩大奶奶道："他若来了，我怎么会不知？"

铁虎又盯着她看了很久，忽然站起来，大步走了出去。

日色已偏西。

韩大奶奶一个人坐在那里怔了半天，直到她确定铁虎已远离此地，才慢慢地站起来，叹息着喃喃自语："阿吉，阿吉，你究竟是什么人？你替自己找来的麻烦还不够？为什么要替别人找来这么多麻烦呢？"

厨房后有个破旧的小木屋，木屋里只有一张床、一张桌、一张椅。这就是哑巴厨子的家，虽然肮脏简陋，对他们说来，却已无异天堂。

他们劳苦工作了一天后，只有这里可以让他们安安静静地躺下来，做他们想做的事。就在这张床上，他们度过了这一生中最甜蜜美好的时光。

她的丈夫虽然粗鲁丑陋，他的妻子瘦小干枯，但是他们却能尽量使对方欢愉，因为他们都知道只有这才是自己真正拥有的。他们能有什么，就尽量享受什么。他们对自己的生活很满意。

现在他们夫妇就并肩坐在他们的床上，一双手还在桌上紧紧相握。

看着他们，阿吉心里在叹息。

——为什么我就永远不能过他们这样的日子？

桌上有三碟小菜，居然还有酒。哑巴指酒瓶，他的妻子道：“这不是好酒，但却是真的酒，哑巴知道你喜欢喝酒！”

阿吉没有开口。他的咽喉仿佛已被堵塞，他知道他们过的日子多么辛勤刻苦，为了这两瓶酒，他们很可能就要牺牲一件冬天的棉衣。

他感激他们对他的好意，可是今天他不能喝酒，滴酒都不能沾唇。他了解自己，只要一开始喝，就可能永无休止，直喝到烂醉为止。今天他若醉了，就一定会死在大老板手里，必死无疑。

哑巴已皱起了眉，他的妻子立刻道：“你为什么不喝？我们的酒虽然不好，至少总不是偷来的。”

她的人看来像是个锥子。阿吉并不介意，他知道她也和她丈夫一样，有一颗充满了温暖和同情的心。

他也知道对他们这样的人，有些事是永远都无法解释的。所以他只有喝。他永远无法拒绝别人的好意。

看见他干了一杯，哑巴就笑了，立刻又满满地替他倒了一杯，心里虽然有许多话要说，喉咙里却只能发出一两声短促而嘶哑的声音。

幸好他还有个久共患难的妻子，能了解他的心意：“哑巴想告诉你，你肯喝他的酒，就表示你看得起他，把他当作好朋友，好兄弟！”

阿吉抬头，他看得出哑巴眼睛里充满了对友情的渴望，这杯酒他怎么能不喝？

哑巴自己也喝了一杯，满足地叹了口气，对他来说，喝酒已是件非常奢侈而难得的事，就正如友情一样。

他喜欢喝酒，却很少有酒喝，他喜欢朋友，却从来没有人将他当作朋友。现在这两样他都有了，对人生他已别无所求，只有满足和感激。感激生命赐给他的一切。

看见他的样子，阿吉的喉头仿佛又被堵塞，只有再用酒才能冲下去，许多杯酒。

就在这时，韩大奶奶忽然闯了进来，吃惊地瞪着他手里的空杯：“你又在喝酒？”

阿吉道："喝了一点！"

韩大奶奶道："你自己也应该知道今天不该喝酒的，为什么还要喝？"

阿吉道："因为哑巴是我的朋友。"

韩大奶奶叹了口气，道："朋友，朋友一斤能值多少钱？难道比自己的命还珍贵？"

阿吉没有回答，也不必回答。任何人都应该看得出，他将友情看得远比生命更珍贵。

——生命本就是一片空白，本就要许许多多有价值的事去充实它，其中若是缺少了友情，剩下的还有多少？韩大奶奶自己也是喝酒的人，她了解一个酒鬼在戒酒多日后再开始喝的情况。在和大老板、铁虎那样的人决战之前，这种情况就足以令人毁灭。她忽然伸出手，抓起了桌上的酒瓶，把剩下的酒全都喝了下去。

劣酒通常都是烈酒，她眼睛里立刻有了醉意，瞪着阿吉："你知不知道刚才有什么人来找过你？"

阿吉道："铁虎？"

韩大奶奶道："你知不知道他是个怎么样的人？"

阿吉道："是个很厉害的人！"

韩大奶奶冷笑道："不但厉害，而且远比你想象中还厉害得多！"

阿吉道："哦？"

韩大奶奶道："他不但算准了你一定在这里，而且还猜出了你是谁。"

阿吉道："我是谁？"

韩大奶奶道："是个本来已经应该死了的人！"

阿吉神色不变，淡淡道："我现在还活着。"

韩大奶奶道："他也不相信你已死了，可是我相信。"

她大声在叫："我相信他一定可以让你再死一次！"

阿吉道："既然我已应该是个死人，再死一次又何妨？"

韩大奶奶叫不出来了。

对这么样一个人，她实在连一点法子都没有，只有叹气："其实铁虎自己也承认，如果你真的就是那个人，他也不是你的对手，可是你却偏偏要自己毁自己，偏偏要喝酒！”

说着说着，她的火气又上来了，重重地将酒瓶摔在地上：“喝的又是这种可以叫人把老命都喝掉的烧刀子。”

阿吉脸上还是全无表情，只冷冷地说了两个字：“出去！”

韩大奶奶跳了起来：“你知道我是这里的什么人？你叫我出去！”

阿吉道：“我不管你是这里什么人，我只知道这是朋友的家，不管谁在我朋友家里大吵大闹，我都要请他出去。”

韩大奶奶道：“你知不知道这个家是谁给他的？”

阿吉慢慢地站起来，面对着她：“我知道我要你出去，你就得出去！”

韩大奶奶吃惊地看着他，一步步往后退。就在这一瞬间，她才发现这个没有用的阿吉已变成了另一个人，变得说不出的冷酷无情。他说出来的话，也变成了命令，无论谁都不敢抗拒的命令。因为现在无论谁都已应该看得出，如果违抗了他的命令，就立刻会后悔的。

一个人绝不会变得这么快的，只有久已习惯于发号施令的人，才会有这种慑人的威严。

直退到门外，韩大奶奶才敢说出心里想说的话：“你一定就是那个人，一定是！”

只听身后一个人冷冷道：“不是！”

韩大奶奶转过身，就看见铁虎。

他的脸看来就像是风化了的岩石，粗糙、冷酷、坚定。

韩大奶奶的脸却已因恐惧而扭曲发抖：“你……你说他不是？”

铁虎道：“不管他以前是什么人，现在都已变了，变成了个没有用的酒鬼！”

韩大奶奶道：“他不是，不是酒鬼！”

铁虎道：“不管什么人，决战之前还敢喝酒的，都一定是个酒鬼！”

韩大奶奶道：“可是我知道江湖中也有不少酒侠，一定要喝醉了才有本事！”

铁虎冷笑，道：“那些酒侠的故事，只能去骗骗孩子！”

韩大奶奶道：“可是我每次喝过酒之后，就会觉得胆子变大了。”

铁虎道：“真正的好汉，用不着酒来壮胆。”

韩大奶奶道：“我喝过酒之后，力气也会变得大些。”

铁虎道：“高手相争，斗的不是力。”

韩大奶奶并不是没有见过世面的人，当然也明白这道理。

她根本就是在故意跟铁虎鬼扯，好分散他的注意力，造成阿吉的机会。

不管是想逃走，还是想出手，现在她都可帮阿吉造成一个机会。可是阿吉却连动也没有动。

铁虎接着道：“酒能令人的反应迟钝，判断错误，高手相争，只要有一点疏忽错误，就必败无疑。”

这些话他已不是对韩大奶奶说的，他的一双锐眼已盯在阿吉身上，一字字接着道：“高手相争，只要有一招败笔，就必死无救！”

阿吉脸上还是连一点表情都没有，只淡淡地问了句：“你是高手？”

铁虎道：“既然我已知道你是谁，你也应该知道我是谁。”

阿吉道：“我只知道你是请我吃过碗牛肉面的人，只可惜你并没有掏钱，付账的还是我。”

他淡淡地接着道：“我虽然不是什么高手，却也不是吃白食的人！”

铁虎盯着他，全身每一个骨节忽然全都爆竹般响起，一连串响个不停。

这正是外功中登峰造极的“一串鞭”，能练成这种功夫的，天下只有两个人。

——纵横辽北，生平从未遇见过敌手的“风云雷虎”雷震天。

——雄踞祁连山垂二十年的绿林大豪“玉霸王”白云城。

“玉霸王”的霸业已成，足迹已很少再入江湖。“风云雷虎”的行踪本来就极诡秘，近年来更连消息都没有了，有人说他已死在一位极有名的剑客手下，有人说他已和这位剑客同归于尽。

——传言中的这位剑客，据说就是天下无敌的燕十三。

另外还有一种说法是，雷震天已加入了江湖中一个极秘密的组织，成为这个组织中的八位首脑之一。

据说他们的组织远比昔年的“青龙会”还严密，势力也更庞大。

骨节响过，铁虎魁伟的身材仿佛又变得高大了些，突然吐气开声，大喝道：“你还不知道我是谁？”

阿吉叹了口气，道：“我只有一点不通！”

铁虎道：“哪一点？”

阿吉道：“你本该已死在燕十三剑下的，又怎会到了这种地方来做别人的奴才走狗？”

铁虎盯着他，忽然也长长叹了口气，道：“果然是你，我果然没有看错。”

阿吉道：“你有把握？”

铁虎道：“放眼天下，除了你之外，还有谁敢对雷震天如此无礼？”

阿吉道：“你那大老板也不敢？”

铁虎不回答，又道：“近七年来，我时时刻刻都想与你决一死战，可是我最不想见到的人也是你，因为我从无把握能胜你！”

阿吉道：“你根本全无机会！”

铁虎道：“可是今天我的机会已来了，最近你的酒喝得太多，功练得太少。”

阿吉不否认。

铁虎道：“就算我今日死在你的剑下，我也算求仁得仁，死得不冤，只不过……”

他的锐眼中突然露出杀机：“只不过今日你我这一战，无论是谁胜谁负，谁死谁活，都绝不容第三者将我们的秘密泄漏出去。”

阿吉的脸色变了。

铁虎已霍然转身，一拳击出，韩大奶奶立刻被打得飞了出去。她已绝对不能再出卖任何女孩子的青春和肉体了，也绝不会再泄漏任何人的秘密。阿吉的脸色惨白，却没有出手拦阻。

铁虎吐出口气，新力又生，道：“屋子里的两个人，真是你的朋友？”

阿吉道："是！"

铁虎道："我不想杀你的朋友，可是这两人却非死不可！"

阿吉道："为什么？"

铁虎冷冷道："这世上能击败雷震天的有几个？"

阿吉道："不多。"

铁虎道："你若胜了，想必也不愿别人将这一战的结果泄露出去。"

阿吉不能否认。只要没有别人泄露他们的秘密，他若胜了，击败的只不过是大老板手下的一个奴才而已；他若败了，死的也只不过是个没有用的阿吉。

阿吉活着又如何，死了又何妨？

铁虎道："我们的死活都无妨，我们的秘密，却是绝不能透漏的。"

阿吉闭着嘴，脸色更苍白。

铁虎道："那么你为何还不自己动手？"

阿吉沉默了很久，才缓缓道："我不能去，他们是我的朋友。"

铁虎盯着他，忽然狂笑："想当年你一剑纵横，无敌于天下，又有谁的性命你看在眼里？为了求胜，有什么事你是做不出的？可是现在你却连这么样两个人都不忍下手？"

第十九章

管鲍之交

他仰面狂笑："我知道你自己也曾说过，要做天下无敌的剑客，就一定要无情，现在呢？现在你已经变了，你已不再是那天下无敌的剑客，这一战你必败无疑。"

阿吉的双拳突然握紧，瞳孔也在收缩。

铁虎道："其实你是否去杀他们，我根本不在乎，只要能杀了你，他们能往哪里走？"

阿吉沉默。

铁虎道："你的人虽然变了，可是你的人仍在，你的剑呢？"

阿吉默默地俯下身，拾起了一段枯枝。

铁虎道："这就是你的剑？"

阿吉淡淡道："我的人变了，我的剑也变了！"

铁虎道："好！"

"好"字说出口，他全身骨节突又响起。他用的功夫就是外功中登峰造极、天下无双的绝技。

他的人就是纵横江湖从无敌手的雷震天。他心里充满了信心，对这一战，他几乎已有绝对的把握。

夕阳红如血。

血尚未流出。

阿吉的剑仍在手。虽然这并不是一把长的剑，只不过是仿佛柴捆中漏出的枯枝，可是一到他手里就变了，变成不可思议的杀人利器。

就在雷震天一串鞭的神功刚刚开始发动，全身都充满劲力和信心时，阿吉的剑已刺出，点在刚刚响起的一处骨节上。

他的出手很轻，轻飘飘地点下去，这段枯枝就随着骨节的响声震动，从左手无名指的第二个骨节一路跳跃过去，跳过左肘、肩井、脊椎……

一串鞭的神功一发，就正如蛰雷惊起，一发便不可收拾。

铁虎的人却似被这段枯枝黏住，连动都已不能动。枯枝跳过他左肩时，他脸上已无血色，满头冷汗如雨。

等到他全身每一处骨节都响过，停在他右手小指最后一处骨节上的枯枝，就突然化成了粉末，散入了秋风里。他的人却还是动也不能动地站在那里，脸上的冷汗忽又干透，连嘴角都已干裂，锐眼中也布满血丝，盯着阿吉看了很久，才问出了一句话。他的声音也变得低沉而嘶哑，一字字问道："这是什么剑法？"

阿吉道："这就是专破一串鞭的剑法。"

铁虎道："好，好……"

第二个"好"字说出口，这个就在一瞬间之前还像山岳般屹立不倒的铁虎，却突然开始软瘫，崩溃……

他那金刚不坏般的身子，在一刹那间就变得像是一摊泥。

枯枝化成的粉末，还在风中飞散，他的人却已不能动了。

夕阳也淡了，阿吉惶惶地摊开掌心，被他手掌握着的一段枯枝，立刻也化成了灰，散入风中。

——这是多么可怕的力量，不但将枯枝震成了粉末，也震麻了他的手。而他自己并没有用一点力。力量尽是由铁虎的骨节间发出的，他只不过因力借力，用铁虎第一个骨节间发出来的力量和震动，打碎他自己的第二个骨节。

现在他全身骨节都已被击碎——

被他自己的力量击碎。阿吉若出了力，这股力量很可能就会反激出来，穿过枯枝，穿过手臂，直打入他的心脏。

——高手相争，斗的不是力。

铁虎明白这道理，只可惜他低估了阿吉。

——你已变了，已不再是那天下无双的剑客，这一战你已必败无疑。

骄傲岂非也像是酒一样，不但能令人判断错误，也能令人醉。

阿吉喝了酒，也给他喝了一壶——

一壶“骄傲”。

阿吉没有醉，他却醉了。

——高手相争，斗的不仅是力与技，还得要斗智。

不管怎么样，胜总比败好，为了求胜，本就可以不择手段的。

风迎面过来，阿吉默默地在风中伫立良久，才发现哑巴夫妇站在木屋前看着他。

哑巴眼睛里带着种很奇怪的表情，他的妻子却在冷笑。

阿吉没有开口，因为他也正在问自己：“我究竟是个什么样的人？”

哑巴的妻子道：“你本来不该喝酒的，却偏偏要喝，只因为你早就算准铁虎会来的，你也想杀了我们，却偏偏不动手，只因为你知道我们根本逃不了，否则你为什么要让铁虎杀了韩大奶奶？”

她说的话永远比锥子还尖锐：“你故意这么样做，只因为要让铁虎认为你已变了，故意要让他瞧不起你，现在你怎么还不过来杀了我们夫妻两个人，难道你不怕我们把你的秘密泄漏出去？”

阿吉慢慢地走过去。

哑巴的妻子掏出一锭银子，用力摔在地上：“饭锅里不会长出银子来，我们也不想要你的银子，现在你既不欠我们的，我们也不欠你的。”

阿吉慢慢地伸出手。

可是他并没有去捡地上的银子，也没有杀他们，他只不过握住了哑巴的手。

哑巴也握住了他的手，两个人都没有开口。世上本就有很多事，很多情感都不是言语所能表达的。

男人们之间，也本就有很多事，不是女人所能了解的。就算一个女人已经跟一个男人患难与共，厮守了多年，也还是不能完全了解那个男人的思想和情感。

——男人又何尝能真正了解女人？

阿吉终于道：“虽然你不会说话，可是你心里想说的话我都知道。”

哑巴点点头，目中已热泪盈眶。

阿吉道：“我相信你绝不会泄露我的秘密，我绝对信任你。”

他又用力握了握哑巴的手，就头也不回地走了。

他不忍回头，因为他也知道这对平凡朴实的夫妇，只怕从此都不会再过他们以前那虽刻苦却平静的日子了。他又不禁在心里问自己。

——我究竟是个什么样的人？

为什么总是要为别人带来这许多烦恼？

——我这么做，究竟是对？还是错？

看着他走远，哑巴目中的热泪终于忍不住夺眶而出。

他的妻子却在嘀咕：“他带给我们的只有麻烦，你为什么还要这样对他？”

哑巴心里在呐喊：

——因为他没有看不起我，因为他把我当作他的朋友，除了他之外，从来没有人真正把我当作朋友。

这一次他的妻子没有听见他心里的呐喊，因为她永远无法了解，“友情”这两个字的分量，在一个男人心里占得有多重。一个真正的男人，一个真正的男子汉。

铁虎的尸体是用一块门板抬回来的，此刻就摆在花园中的六角亭里，暮色已深，亭柱间的灯笼已点起。

竹叶青背负着双手，静静地凝视着门板上的尸体，脸上连一点表情都没有。对这件事，他竟似丝毫不觉惊异。直到大老板匆匆赶来，他脸上才有些忧伤悲戚之色。

大老板却已经跳了起来，一看见铁虎的尸体他就跳起来大吼：“又是那个阿吉下的毒手？”

竹叶青垂下头，黯然道：“我想不到他这么快就找到阿吉，更想不到会死得这么惨。”

大老板看不出他身上的伤，所以竹叶青又解释：“他还没有死之前，全身的骨节就已全都被打碎了。”

“是被什么东西打碎的？”

“我看不出。”

竹叶青沉吟着，又道：“我只看出阿吉用的绝不是刀剑，也不是铁器。”

大老板立刻问：“你凭哪点看出来的？”

竹叶青道：“铁虎衣服上并没有被铁器打过的痕迹，也没有被划破，只留着些木屑。”

大老板瞪起了眼，道：“难道那个阿吉用的只不过是根木棍？”

竹叶青道：“很可能。”

大老板道：“你知不知道铁虎练的是什么功夫？”

竹叶青道：“好像是金钟罩、铁布衫、十三太保横练一类的外门功夫？”

大老板道：“你有没有看过他的真功夫？”

竹叶青道：“没有。”

大老板道：“我看过，就因为他功夫实在太强，所以我连他的来历都没有十分清楚，就将他收容下来。后来我才知道，他就是昔年曾在辽北横行过一时的‘云中金刚’崔老二。”

竹叶青道：“我也听大老板说过。”

大老板道：“虽然他曾经被雷震天逼得无路可走，可是我保证他的功夫绝不比那个姓雷的差太多，也绝不会比祁连山那个玉霸王差到哪里。”

竹叶青不敢反驳。

没有人敢怀疑大老板的眼力，经过大老板法眼鉴定的事，当然绝不会错。

大老板道：“可是现在你居然说那个没有用的阿吉只凭一根木棍就能将他的全身骨节打碎？”

竹叶青不敢开口。

大老板用力握紧拳头，又问道：“他的尸身是在哪里找到的？”

竹叶青道：“是在韩大奶奶那里。”

大老板道：“那里又不是坟场，总有几个人看见他们交手的。”

竹叶青道：“他们交手的地方，是在厨房后面一个堆垃圾和木柴的小院子里，姑娘们都很少到那里去，所以当时在场的，除了阿吉和铁虎外，最多只有三个人。”

大老板道：“哪三个？”

竹叶青道：“韩大奶奶和一对烧饭的哑巴厨子夫妻。”

大老板道：“现在你是不是已经把他们的人带了回来？”

竹叶青道：“没有。”

大老板怒道：“为什么？”

竹叶青道：“因为他们已经被阿吉杀了灭口！”

大老板额上的青筋凸起，咬着牙道：“好，好，我养了你们这么多人，养了你们这么多年，你们竟连一个挑粪的小子都对付不了。”

他忽又跳起来大吼：“你们却为什么还不卷起铺盖来走路！”

等他的火气稍平，竹叶青才压低声音，道：“因为我们还要等几个人。”

大老板道：“等谁？”

竹叶青的声音更低：“等几个可以去对付阿吉的人。”

大老板眼睛里立刻发出了光，也压低声音，道：“你有把握？”

竹叶青道：“有。”

大老板道：“先说一个人的名字给我听。”

竹叶青弯过腰，在他耳边轻轻说了两个字。

大老板的眼睛更亮了。

竹叶青又从衣袖中拿出纸卷，道：“这就是他开给我的名单，他负责将人全都带来。”

大老板接过纸卷，立刻又问：“他们什么时候可以到？”

竹叶青道：“最迟明天下午。”

大老板长长吐出口气，道：“好，替我安排，明天下午见阿吉。”

竹叶青道：“是。”

大老板又拍了拍他的肩：“我就知道无论什么事你都会替我安排好的。”

他脸上又露出微笑：“今天晚上，你可以好好地睡一觉了，明天也不妨迟些起来，那个女人……”

他没有说下去，竹叶青已弯身赔笑道：“我知道，我绝不会辜负大老板对我的好意！”

大老板大笑：“好，好极了！”

铁虎的尸身还在那里，可是他却连看都不再看一眼了。

大老板刚走，铁手阿勇就冲了进来，跪在铁虎尸体前，放声恸哭。

竹叶青皱起眉，道：“大丈夫有泪不轻弹，人死不能复生，你哭什么？”

阿勇道：“我哭的不是他，是我自己！”

他咬紧牙，握紧拳：“因为我总算看见了替大老板做事的人，会有什么样的下场！”

竹叶青道：“大老板待人并不坏。”

阿勇道：“可是现在铁虎死了，大老板至少也应该安排安排他的后事才对……”

竹叶青打断他的话，道：“大老板知道我会替他安排的！”

阿勇道：“你？铁虎是为大老板死的？还是为了你？”

竹叶青立刻捂住他的嘴，可是肃立在六角亭内外的二十几条大汉，脸色都已变了。

谁都知道铁虎对大老板的忠心，谁都不愿有他这样的下场。

竹叶青却在叹息，道：“我不管铁虎是为谁死的，我只知道大老板若是现在要我去死，我还是会立刻就去。”

夜色已临。

竹叶青穿过六角亭的小径，从后墙的角门出去，走入墙外的窄巷，窄巷转角处，有扇小门。

他轻敲三声，又轻敲两声，门就开了，阴暗的小院中全无灯光。

一个驼背老人关起门，上了闩。

竹叶青沉声问：“人呢？”

驼背老人不开口，只搬起墙角一个水缸，掀起一块石板。水缸和石板都不轻，他搬起来却好像并没有费什么力气。石板下居然有微弱的灯光露出，照着几阶石阶，竹叶青已背负着双手，慢慢地往石阶上走了下去。

地窖中潮湿而阴森，角落里缩着两个人，赫然竟是哑巴夫妻。

他们虽然还没有死，阿吉并没有杀他们灭口，可是谁也不知道他们怎么会到这里来的。连他们自己都不知道。他们只记得脑后忽然受到一下重击，醒来时人已在这里。

哑巴脸上带着怒意，因为一醒来他的妻子就开始嘀咕："我就知道他给我们带来的只有麻烦和霉运，我就知道这次……"

她没有说下去，她已经看见一个人从石阶上走下来，脸上虽带着微笑，可是在这里微弱的灯光下看来，却带着种说不出的诡秘之意。她忍不住激灵灵打了个寒噤，紧紧握住她丈夫粗糙宽厚的手。

竹叶青微笑着，看着他们，柔声道："你们不要害怕，我不是来害你们的，只不过想来问你们几句话！"

他随手取出一沓金叶子和两锭白银："只要你们老实回答，这些金银就是你们的，已足够你们开间很像样的小饭馆了！"

哑巴闭着嘴，他的妻子眼睛里却已不禁露出贪婪之色，她这一生中，还没有看见过这么多金子——

有几个女人不喜欢黄金？

竹叶青笑容更温和。他喜欢看别人在他面前暴露出自己的弱点，也已看出自己这方法用得绝对正确有效。

所以他立刻问："他们在交手之前，有没有说过话？"

"说过！"

"铁虎本来的名字，是不是叫雷震天？'风云雷虎'雷震天？"

"好像是的！"

哑巴的妻子道："我好像听他自己在说，江湖中能击败雷震天的人并不多！"

竹叶青微笑。

这件事铁虎虽然骗过了大老板，却没有骗过他，没有人能骗得过他。

于是他又问："阿吉有没有说出自己的名字来？"

"没有！"

哑巴的妻子道：“可是铁虎好像已认出他是什么人……”

哑巴一直在瞪着她，目中充满愤怒，忽然一巴掌掴在她脸上，打得她整个人都跳了起来，泼妇似的大叫：“我跟你吃了一辈子的苦，现在有了这机会，为什么要放过，我凭什么要为你那倒霉的朋友保守秘密，他给了我们什么好处？”

哑巴气得全身发抖。现在这女人已不再是他温驯的妻子，已是个为了黄金不惜出卖一切的贪心妇人。

为了黄金连丈夫都不认的女人，她并不是第一个，也绝不会是最后一个。

他忽然发现她以前跟着他吃苦，只不过她从未有这种像这样的机会而已，否则很可能早已背弃了他。

这想法就像是一根针，直刺入他的心。

她还在叫！

“不让我说，我偏要说，你若不愿意享福，可以滚，滚得愈远愈好，我……”

她没有说完这句话，哑巴已扑上去，用力掐住了她的脖子，手臂上青筋一根根凸起。

竹叶青连一点拉他的意思都没有，只是面带微笑，冷冷地在旁边看着。

等到哑巴发现自己的力气用得太大，发现他的妻子呼吸已停顿，再放开手时，就已太迟了。

他吃惊地看着自己的一双手，再看看他的妻子，眼泪和冷汗就一起雨点般落下。

竹叶青微笑道：“好，好汉子，这世上能一下子就把自己老婆掐死的好汉还不多，我佩服你！”

哑巴喉咙里发出野兽般的乱吼，转身向他扑了过去。

竹叶青衣袖轻拂，就掠了出去，冷冷道：“杀你老婆的不是我，你找我干什么？”

他头也不回地走了出去，刚走上石阶，就听见“咚”的一声响。

只有一个人用脑袋撞在石壁上时，才会发出这种声音。

竹叶青还是没有回头。对这种事，他既不觉意外，也不感悲伤，他不但早已算准了他们的下场，还有很多别的人，命运也已在他掌握之中。他对自己觉得很满意，他一定要想个法子好好地奖励自己。

他想到了紫铃。

紫铃光滑柔软的胴体，颤动得就像一条响尾蛇，直等他完全满足，颤动才平息。

她嘴唇还是冰冷的，鼻尖上的汗珠在灯下看来晶莹如珠。

一个有经验的男人只要看见她脸上的表情，就应该看出她已完全被征服。

竹叶青是个有经验的男人，这种征服感总是能让他感到骄傲而愉快。

他故意叹了口气："看来大老板还是比我强得多！"

紫铃的媚眼如丝："为什么？"

第二十章

不祥之兆

竹叶青道："因为像你这样的女人，我是死也舍不得送给别人的。"

紫铃笑了，用春葱般的指尖，轻戳他的鼻子："不管怎么样，灌迷汤的本事，你总可以算天下第一。"

竹叶青道："别的本事难道我就比别人差了？"

紫铃媚笑道："你若不比别人强，我怎么会死心塌地地跟着你？"

她的笑声如铃："我笑那个老乌龟，居然叫我到你这里来做奸细，他若知道我们的事，不气得跳楼才怪！"

竹叶青也笑了．"那也只因为你实在太会做戏，居然能让他以为你最讨厌我，居然能让他做了活王八还在自鸣得意。"

紫铃的指尖已落在他胸膛上，轻轻地画着圈子："可是我也弄不懂你究竟在搞什么鬼。"

竹叶青道："我搞了什么鬼？"

紫铃道："你是不是又替那老乌龟约了一批帮手来？"

竹叶青道："嗯！"

紫铃道："你约的是些什么人？"

竹叶青道："你有没有听说'黑杀'这两个字？"

紫铃摇摇头，反问道："黑杀是一个人？"

竹叶青道："不是一个人，是一群人！"

紫铃道："他们为什么要替自己取这么不吉祥的名字？"

竹叶青道："因为他们本来就像是瘟疫一样，无论谁遇着他们，都很难保住性命！"

紫铃道："他们是些什么样的人？"

竹叶青道："各式各样的人都有，有的出身下五门，也有些是从武当、少林这些名门正派中被逐出的弟子，甚至有些是从东海扶桑岛上，流落到中土来的浪人！"

紫铃道："难道他们每个人都有一身好功夫？"

竹叶青点点头，道："可是他们真正可怕的地方，不是他们的武功！"

紫铃道："是什么？"

竹叶青道："是他们既不要脸，也不要命！"

紫铃叹了口气，也不能不承认："这种人的确很难对付！"

竹叶青道："所以你才奇怪，我为什么要他们来帮那老乌龟对付阿吉？"

紫铃道："嗯！"

竹叶青微笑道："你为什么不想想，现在连铁虎都已死了，若没有这些人来保护他，他怎么敢去见阿吉？阿吉若连他的面都见不到，怎么能要他死？"

紫铃立刻明白了他的意思，却又忍不住问："有了这些人来保护他，他还会死？"

竹叶青道："只有死得更快些！"

紫铃道："难道连这些人都不是阿吉的对手？"

竹叶青道："绝不是。"

紫铃道："所以这次他已死定了！"

竹叶青道："大概是的。"

紫铃跳起来，压在他身上，忽又皱起眉，道："可是你还忘了一点。"

竹叶青道："哦！"

紫铃道："大老板死了后，阿吉要对付的人就是你了！"

竹叶青道："很可能！"

紫铃道："到了那时候，你准备怎么办？"

竹叶青微笑不语。

紫铃道："难道你已经有了对付他的法子？"

竹叶青并不否认。

紫铃道："你有把握？"

竹叶青道："我几时做过没有把握的事？"

紫铃松了口气，用眼角瞟着他："等到这件事一过去，你当然就是大老板了，我呢？"

竹叶青笑道："你当然就是老板娘！"

紫铃笑了，整个人压下去，轻轻咬住了他的耳朵："你最好记住，老板娘只能有一个，否则……"

她的话还没有说完，竹叶青忽然掩住了她的嘴，压低声音问："谁？"

窗外人影一闪，一个沙哑冷酷的声音回答："是我，崔老三。"

竹叶青吐出口气："请进来！"

窗外人影子一闪，窗户"咯"的一声，灯光也一闪，已有个人到他们面前，灯光恰巧照着他铁青的脸和残酷的嘴。

他的一双眼睛，却藏在斗笠下的阴影里，盯着紫铃赤裸的肩。

紫铃大半个人虽已缩进被里，可是无论谁看见她露出被外的一部分，都可以想象到她整个人都一定是完全赤裸的，也可以想象到她整个胴体都一定和她的肩同样光滑柔软。

她当然也知道男人们在看着她的时候，心里在想什么。可是她并没有把露在被外的那部分缩进去，她喜欢男人看她。

崔老三将头上的斗笠又压低了些，冷冷地问："这个女人是谁？"

竹叶青道："她是我们自己人，没关系！"

紫铃的嘴扬了扬，忽然也问道："这个崔老三，就是那个'云中金刚'崔老三？"

竹叶青微笑点头，道："我们多年前在辽北道上就已认得。"

紫铃道："所以你早就知道铁虎不是他。"

一提起铁虎，崔老三的双拳立刻握紧。

竹叶青笑道："现在不管铁虎是谁，都没关系了，我已经替你杀了他。"

崔老三道："他的尸体还在不在？"

竹叶青道："就在外面，你随时都可以带走！"

崔老三"哼"了一声，人死了之后，连尸体他都不肯放过，可见他们之间的怨毒之深。

竹叶青又问："我要的人呢？"

崔老三道："我说过负责带他们来，他们就一定会来。"

竹叶青道："九个人都来！"

崔老三道："一个都不会少！"

竹叶青道："在哪里见面？"

崔老三道："他们也喜欢女人，他们都听说过这里有个韩大奶奶。"

竹叶青微笑，道："现在韩大奶奶虽已不在了，我还是保证可以让他们满意。"

崔老三的眼睛刀一般在斗笠下盯着他，冷冷道："你应该让他们满意，因为这已是他们最后一次。"

竹叶青皱眉道："怎么会是最后一次！"

崔老三冷笑道："你自己应该知道，他们这次来，并不是来杀人，而来送死的！"

竹叶青道："送死？"

崔老三道："那个阿吉既然能杀铁虎，就一定也可以杀他们！"

竹叶青又笑了："看来我好像什么事都瞒不过你。"

崔老三冷冷道："我能够活到现在，并不是全靠运气。"

竹叶青道："所以你一定还能活下去。"

崔老三道："哼！"

竹叶青道："而且我保证你一定会活得比以前更逍遥自在。"

崔老三道："哦？"

竹叶青道："所以别人就算真不幸死了，你也不必要伤心。"

崔老三又盯着他看了很久，才徐徐道："我虽然也入了黑教，但那些人却不是我的朋友！"

竹叶青道："他们还不配做你的朋友。"

崔老三道："我根本就没有朋友，连一个朋友都没有，因为我从不相信任何人。"

竹叶青立刻明白："所以我说的话，你也不太相信？"

崔老三冷笑。

竹叶青道："但是我可以给你保证！"

崔老三道："什么保证？"

竹叶青道："你要什么都行！"

崔老三道："我要你亲笔写一张字据，说明你要我做了些什么。"

竹叶青想也不想，立刻道："行！"

崔老三道："我要你在明天中午之前，把十万两现银存入利源银号我的账户里去！"

竹叶青道："行！"

崔老三目光又忽落在紫铃赤裸的肩头上："我还要这个女人。"

竹叶青又笑了："这一点更容易，你现在就可以把她带走！"

他忽然掀起了紫铃身上的被，冷风从窗外吹进来，她身子又开始像蛇一般颤抖。

崔老三忽然觉得喉头涌起一阵热意，这女人身上的其他部分，远比他想象中更美好。

她的身子颤抖时，双腿已夹紧。他的咽喉仿佛也已被夹紧。

就在这时，掀起的棉被下忽然有剑光一闪，一柄剑闪电般飞出，刺入了他的咽喉。

他的双眼立刻凸出，瞪着竹叶青。

竹叶青面不改色，淡淡道："你一定想不到我还会用剑！"

崔老三喉咙里"咯咯"地响，却已连一个字都说不出来。

他能活到现在并不容易，死得却容易极了。

剑尖还带着血。

紫铃忽又叹了口气，道："非但他想不到，连我都想不到！"

竹叶青道："想不到我会用剑！"

紫铃道："你非但会用剑，而且还一定是个高手！"

竹叶青冷冷道："现在你总该已明白了，我不但是高手，而且还是高手中的高手！"

紫铃目中忽然露出恐惧之色，忽然扑过去抱住他，用赤裸的胴体紧贴着他道："可是你一定知道我绝不会泄露你的秘密，就好像我早就知道你绝不会把我送给别人一样。"

竹叶青沉默了很久，终于伸手搂住了她的腰，柔声道："我知道。"

紫铃吐出口气道："只要你信任我，什么事我都替你做！"

竹叶青道："现在我就有样事要你做！"

紫铃道："什么事？"

竹叶青道："去替韩大奶奶招呼黑杀的兄弟，想法子要他们一切满意，他们才会为大老板拼命，拼命去杀阿吉，阿吉就绝不会放过他们了！"

他忽又笑了笑："只不过这都是明天下午的事，现在我们当然还有别的事要做。"

如果你真正征服了一个女人，她的确是什么事都肯为你做的。

紫铃醒来时，只觉得全身无力，腰肢酸疼，几乎连眼睛都睁不开。

等她张开眼睛，才发现枕畔的竹叶青已不见了，地上的血泊和尸身也不见了。

她又缩在被里耽了很久，仿佛还在回味着昨夜的疯狂和刺激。

可是等到她能确定竹叶青不在屋里时，她就很快地跳了起来，只披上件长衫，就赤着足奔出。

她推开门就怔住。

一个白发苍苍的驼背老人，正在门外看着她，一张满布刀疤的脸上，带着种阴森而诡秘的笑声。

紫铃失声道："你是什么人？"

驼背老人的声音远比崔老三还沙哑冷酷："我是来报讯的！"

紫铃长长吸一口气！

"是什么事？"

驼背老人道："黑杀的兄弟已提早到了，正在韩大奶奶那里等着姑娘去！"

紫铃道："你是不是要陪我去？"

驼背老人笑得更可怕，道："叶先生再三吩咐，只要我离开姑娘一步，我这两条腿就要被砍掉喂狗。"

不是杨柳府，没有晓风残月。

阿吉也没有醉。

昨夜他几乎已醉了，却没有醉。他走过许多卖酒的地方，他有许多次想停下来买醉，可是他忍住。

一直忍耐到午夜，他已将忍不住时，他就去找娃娃和苗子，他相信这时候去找他们一定已经很安全。

因为大牛虽然不是个很正常的人，他的家庭却是个很正常的家庭。

正当而平凡。

像这样的家庭，在午夜时，都已应该睡了，都不应该再有访客。那么他就可以悄悄地溜进去，去握一握苗子的手，看一看娃娃的眼睛，纵然惊醒了大牛的妻子，他也可以说一声道歉再溜走，他见过大牛的妻子，那也是个平凡而拙朴的妇人，只要自己的丈夫和儿女过得好，她就已满足。

他们的家，就是她凭着这种爱心节省和一双会做针线的手买下来的。那是栋很简陋的平房子，三间房，一个厅，丫头住最小的一间，她和幺儿陪丈夫住最大的一间，剩下的一间让她的长子和女儿同住。

她的长子才十一岁。阿吉到他们家去过一次，送娃娃和苗子去的，看了他们的家庭，阿吉心里不但有很多感触，也很奇怪——为什么一个人有了这么样的一个家之后，还会去做那种事。

“我为了养家！”

大牛解释：“为了要活下去，让大家活下去，我什么事都做！”

他说的也许是真话，也许不是，阿吉听了心里都觉得有点酸酸的。经过了这一段艰辛的日子后，他才发觉一个人要活下去确实不像他以前想象中那么容易，确实要被迫做某些自己并不想做的事！虽然他只去过一次，这个家庭却已让他留下很深刻的印象，所以这次他再去的时候，还特地买了些糖果给他们的子女。

可是现在糖果却已掉落在地上！因为大牛夫妻都不在，他们的子女也不在，甚至连丫头都不在。事实上，这栋屋子里，只有苗子一个人痴痴地坐在客厅里，面对着一张摆满酒菜的桌子，两眼发直。

客厅里布置得也很简陋，神龛里供着的是两位无论什么地方都没有相同之处的神祇——观世音菩萨和关夫子。

神龛就在这张桌子前面的墙上。一张很破旧简陋的桌子，现在却摆着很丰富奢侈的酒菜，绝不是他们这种人家所能负担的酒菜。二十年陈的竹叶青，再加上从洋澄湖快马运来的大闸蟹和红烧鱼翅。

苗子正对着这一桌酒菜发怔，一双眼睛里空空洞洞的，完全没有表情。

阿吉的心立刻沉了下去。

他已从这双空洞的眼睛里，看出了某种不祥的预兆和灾祸。

苗子只抬头看了他一眼，忽然道："坐。"

他对面有个空位，阿吉就坐了下去。

第二十一章

恐怖黑杀

苗子忽又举杯，道：“喝！”

座前有杯，杯中有酒，阿吉却没有喝。

苗子板着脸，道：“这桌是特地为你准备的，酒也是特地为你准备的！”

阿吉道：“所以我一定要喝？”

苗子道：“一定。”

阿吉迟疑着，终于举杯，一饮而尽：“这是竹叶青。”

苗子道：“竹叶青是好酒！”

阿吉道：“虽然是好酒，却不是好人！”

苗子的脸立刻抽紧，耳上的铜环也开始在不停地抖。

阿吉道：“你已见到过竹叶青这个人？”

苗子咬紧牙，忽然拈起个大闸蟹，抛到他面前，道：“吃。”

刚蒸透的大闸蟹，满满一壳蟹黄，几乎还是滚烫的。这桌酒菜显然刚摆上来还不久。

难道竹叶青早已算准了阿吉要来，所以就摆好了这桌酒菜在等他？

阿吉忍不住问：“现在他的人在哪里？”

苗子道：“谁？”

阿吉道：“竹叶青！”

苗子拿起了满满的一壶酒，道：“这就是竹叶青，竹叶青就在这里！”他的手也在抖，抖得几乎连酒壶都拿不稳。

阿吉接下酒壶，才发现自己的手竟比这锡壶还冷。他已发现自己的判断错误，因为他低估了竹叶青。

这错误虽然未必能令他致命，却已一定害了别人。

又满满地喝了一杯酒下去，他才有勇气问："娃娃呢？"

苗子双拳虽握紧，还在抖得很可怕，忽然大声道："你还想不想见她？"

阿吉道："想。"

苗子道："那么你就最后听我的，多吃、多喝、少问。"

阿吉果然连一句话都不再问。

苗子叫他吃，他就猛吃，苗子叫他喝，他就猛喝，芳香甘美的竹叶青喝到他嘴里，竟似已变得又酸又苦。可是无论多酸多苦的酒，都要喝下去，就算是毒酒，他也要喝下去。

苗子看着他，一双空空洞洞的眼睛里，忽然有了泪光。

阿吉却不忍看他，也不敢看他。

苗子自己也连干了几杯，忽然又道："后面屋里有床。"

阿吉道："我知道。"

苗子道："吃饱了，喝足了，才睡得好！"

阿吉道："我知道！"

苗子道："睡得好才有精神力气，才能去杀人。"

阿吉道："杀大老板？"

苗子点点头，道："杀了大老板，才能见得到娃娃。"

这句话说完，他眼中的泪已几乎忍不住要流下。

阿吉的瞳孔在收缩，他把这句话又重复一遍："杀了大老板，才能见到娃娃。"

说完了这句话，他立刻又开始猛吃猛喝，苗子喝得也绝不比他慢，吃得也绝不比他少。

两个人一言不发，一坛酒，一桌菜，很快就被他们一扫而空。

阿吉道："现在我已该去睡了！"

苗子道："你去。"

阿吉慢慢地站起来，走入后房，走到门口，又忍不住回头去看一眼，才发现苗子已泪流满面。

大老板在灯下展开竹叶青交给他的纸卷，上面有九个人的名字。

白木。武当弟子，被逐出门墙后仍着道装，佩剑，身长六尺八寸，面黄体瘦，眉角有痣。

土和尚。出身少林，头陀打扮，身长八尺，擅伏虎罗汉神拳，天生神力。

黑鬼。关西浪子，使刀，好杀人，身长六尺，终年着黑衣。使缅刀，可作腰带。

佐佐木。东满岛，九洲国浪人，所使东洋刀长六尺，残酷好杀。

江岛。佐佐木之弟，擅轻功暗器，本是扶桑忍者“伊贺”传人。

丁二郎。本为关中豪门，败尽家财，流浪江湖，好酒色，使剑。

青蛇。机智善变，身长六尺三寸。

老柴。年纪最长，络腮胡子，好酒常醉，早年即为刺客，杀人无算，近年来却常因贪杯误事。

斧头。九尺大汉，使大斧，粗鲁健壮，性如烈火。

看完这九个人的名字，大老板才轻轻叹了口气，抬头：“你看怎么样？”

他问的是垂手肃立在他对面的一个人，这人年纪很轻，可是满面精悍之色。

平时很少有人在大老板身边看到他，当然也不会知道他在大老板心目中的地位也日渐重要，所以人人都叫他“小弟”，他自己似也忘记了本来的名字。

他一向很少说话，只有在大老板问他的时候才开口：“看来这九个人都是杀人的好手。”

大老板问道：“他们杀的人都不少？”

小弟道：“是。”

大老板又问：“你看他们能不能对付那个没有用的阿吉？”

小弟迟疑着，道：“他们有九个人，阿吉只有一双手，他们杀的人也一定比阿吉多！”

大老板微笑，将纸卷交给他：“明天一早就叫人分头去接他们，只要他们的人一到，就送到韩大奶奶那里去。”

小弟道：“是。”

大老板道：“他们一定是分批来的，这么样九个人聚在一起，太引人注意。”

小弟道："是。"

大老板道："要杀人，就不能引人注意。"

小弟道："是。"

大老板微笑着，将刚才说的话又重复一次："你一定要记住，要杀人，就不能引人注意！"

凌晨。

早市已开，正是茶馆最热闹的时候，茶馆里也正是大老板的小兄弟们最活跃的地方。那其中有些人甚至连大老板的面都未见过，可是每个人都肯为大老板卖命。

大老板能够在这里站得住脚，就因为有这些亡命的小伙子做他的基层部属。

当他们听到有人问起大老板的时候，就全都跳了起来。

问起大老板的这个人看来就像是一杆枪，腰上佩着的却是一柄剑。

他很高，很瘦，穿着紧身的黑色衣服，行动矫健而剽悍。

他是骑快马来的，跟他一起来的还有另外两个人，看他们脸上的风尘之色，无疑赶过远路。

快马一停，他的人就箭一般蹿入，兀鹰般的目光在人群中一扫，立刻问："这里有谁是大老板的兄弟？"

当然有。

一听见这句话，茶馆里至少有十来个人跳了起来。

黑衣人道："你们都是？"

这附近一带兄弟们的老大叫"长三"，他立刻反问道："你找大老板干什么？"

黑衣人道："我有点东西要卖给他！"

长三道："什么东西？"

黑衣人道："我们这三条命。"

长三道："你们准备卖多少？"

黑衣人道："十万两。"

长三笑了，道："三条命十万两并不贵。"

黑衣人道："本来就不贵。"

长三沉下脸，道："但我却看不出你们凭什么能值十万两。"

黑衣人道："就凭我这柄剑！"

"剑"字出口，剑已出鞘，只听"唰"的一声，剑风破空，接着又是"叮"的一响，桌上已有三只茶杯被剑锋贯穿。

长剑挑起了茶杯，茶杯居然没有碎，这一剑的力量和速度，就是不会用剑的人也该看得出来。

长三的脸色变了。

黑衣人道："怎么样？"

长三道："好，好快的剑。"

黑衣人道："比起那个阿吉来怎么样？"

长三道："阿吉？"

黑衣人道："听说这里出了个叫阿吉的人，时常要跟大老板过不去。"

长三道："你们就是来替大老板办这件事的？"

黑衣人道："好货总得卖给识货的。"

长三松了口气，赔笑道："我保证大老板绝对是个识货的人。"

只听一个人冷冷道："只可惜这三位仁兄却不是好货。"

长三怔住。

这句话并不是他的兄弟们说出来的，说话的人就在黑衣人身后。

刚才他身后明明只有两个跟他一起来的伙伴，现在忽然已变成了三个。谁也没有看清楚多出来的这个人是几时来的？是从哪里来的？

这个人也穿着身黑衣服，身材却比这黑衣人瘦小些，站在他两个高大健壮的伙伴之间，就好像随时都可能被挤扁。可是他两个高大的伙伴，却偏偏连动也没有动。他们本来并不是那种受了别人侮辱却不敢出头的人。他们都已跟随这黑衣人多年，也曾出生入死，身经百战。

黑衣人听见背后的人声，还没有回头，人已蹿出，厉声道："拿下来。"

他的两个伙伴却连一点反应都没有，只不过脸色变了，变得很奇怪，黑衣人回过头，脸色也变了。

他的两个伙伴不但脸上的颜色变了，连五官的部位都已变了，变得丑恶而扭曲，然后鲜血就从他们的耳朵、眼睛、鼻子，和嘴里同时流了出来。

站在他们中间的这个瘦小的黑衣人，脸上却连一点表情都没有。

他的脸很小，眼睛也很小，眼睛里却带着种毒蛇般恶毒的笑意。

毒蛇不会笑，可是如果毒蛇会笑，一定就是他这样子。

看见他这双眼睛，黑衣人竟忍不住激灵灵打了个冷战，厉声问："是你杀了他们？"

这个有一双毒蛇般恶眼的黑衣人冷冷道："除了我还有谁？"

黑衣人道："你是谁？"

这人道："黑杀，黑鬼！"

听见了这四个字，黑衣人脸色变得更可怕："我姓杜，杜方！"

黑鬼道："黑煞剑杜方？"

杜方点点头，道："我们一向河水不犯井水，你……"

黑鬼打断了他的话，道："那么你们就不该到这里来。"

杜方道："难道这件事你们已接了下来？"

黑鬼道："难道我们不能接？"

杜方道："我知道只要是黑杀接下的事，就没有人能插手。"

黑鬼道："你知道就很好！"

杜方道："但是我并不知道你们已插手！"

黑鬼道："哦？"

杜方道："所以你并不一定要杀人。"

黑鬼道："一定要杀！"

杜方道："为什么？"

黑鬼道："我喜欢杀人！"

他说的是真话，无论谁只要看见他的眼睛，就应该看得出他喜欢杀人。

杜方在看着他的眼睛，两个人的瞳孔同时收缩，杜方的剑已刺出。

这一剑的力量比刚才贯穿茶杯时更强，速度也更快，刺的是黑鬼胸膛，不是咽喉，因胸膛的目标更大，更不易闪避。可是黑鬼闪开了。

他的人一闪开，两旁的大汉立刻迎面向杜方倒了下来。

杜方一惊抬手，黑鬼已到了他胁下。

没有人看见黑鬼出手，只看见杜方的脸突然变了，就像是他那两个伙伴一样，不但脸色改变，眼鼻五官的位置也已改变，变得丑恶而扭曲，然后鲜血就从他七窍中同时流出。

茶馆中立刻散出一阵臭气，两个人红着脸蹲下，裤裆已湿透。

可是没有人笑他们，因为每个人都已几乎被吓破了胆。

杀人并不可怕，可怕的是他这种杀人的方式，对他来说，杀人已不仅是杀人，而是一种艺术，一种享受。

直到杜方的身子完全冰冷，黑鬼还紧贴在他胁下，享受着另一人逐渐死亡的滋味。

如果你也能感觉到紧贴在你身上的一个人身子逐渐冰冷僵硬时，你才会了解到那是种什么样的滋味。

也不知过了多久，长三才能移动自己的脚。

黑鬼忽然抬头，看着他，道："现在你已知道我是谁？"

长三垂头道："是。"

他不敢面对这个人，他的衣服也已被冷汗湿透。

黑鬼道："你怕我？"

长三不能否认，也不敢否认。

黑鬼道："我知道你一定也杀过人，为什么要怕我？"

长三道："因为……因为……"

黑鬼道："是因为我杀人的方法可怕，还是因为我喜欢杀人？"

长三不能回答，也不敢回答。

黑鬼忽然问道："你见过白木没有？"

长三道："没有。"

黑鬼道："你若能见到他杀人，才会明白要怎样杀人才能真正算杀人。"

长三的手里又捏起了把冷汗。

——难道白木杀人还能比他更准确、更冷酷？

黑鬼又问："你有没有见过江岛和佐佐木？"

长三道："没有。"

黑鬼道："你若见到他们，才会明白要什么样的人才算喜欢杀人。”

他淡淡地接着道：“我杀人至少还有原因，他们杀人却只不过是为了自己高兴。”

长三忍不住道：“只要他们高兴，随时都会杀人？”

黑鬼道：“随时随地，随便什么人。”

杜方也已倒下。

他倒下去后，大家才能看见他胁下的衣服已被鲜血染红，却还是看不见黑鬼的刀。

只有长三看见刀光一闪，就入了衣袖。

衣袖上也有血。

黑鬼忽又问道：“你知不知道血是什么味道？”

长三立刻摇头。

黑鬼伸出手，将衣袖送到他面前：“你只要尝一尝，就会知道了。”

长三又摇头，不停地摇头，只觉得胃在抽缩，几乎已忍不住要呕吐。

黑鬼冷笑，道：“难道大老板手下，都是你这种连血都不敢尝的脓包？”

“不是的。”

说话的人本来在门外，忽然就到了他身后。

黑鬼霍然转身，就看见了一个长身玉立的青衫少年。

他本来的年纪一定还很轻，但面上已因苦难的磨炼而有了皱纹，所以看起来远比他的实际年龄要大得多。

黑鬼道：“你也是大老板的手下？”

这人道：“我也是，我叫小弟。”

黑鬼道：“你尝过血是什么味道？”

第二十二章

奇幻身法

小弟弯下腰，拾起了杜方的剑，在血泊中一刺，剑尖沾血。他舐净了，忽又反手，将自己左臂划破道血口，鲜血涌出时，他的嘴已凑上去，然后才慢慢地抬起头。

神色不变，淡淡道："活人的血是咸的，死人的血就咸得发苦。"

黑鬼的脸色却不禁有点变了，冷冷道："我并没有问你这么多。"

小弟道："要做一件事，就要做得确实地道。"

黑鬼道："这话是谁说的？"

小弟道："大老板说的。"

黑鬼忽然大笑："好，能够为他这种人做事，我们这趟来得就不算冤枉了。"

小弟躬身道："那么就请随我来。"

他转身走出去时，每个人脸上都已不禁露出尊敬之色。

只有长三的眼睛里却充满了羞愧与痛苦。

他知道自己已经完了。

上午。

闹市中的人声突然安静，只听见"踢嗒踢嗒"的木屐声，由远而近，两个人穿着五寸高的木屐，大摇大摆地走了过来。

两个发髻蓬松，相貌狞恶的扶桑浪人，宽袍大袖，其中一个人七寸宽的纯丝腰带上，斜插着一柄八尺长刀，双手却缩在衣袖里。

另一人黑袍黑屐，连脸色都是乌黑的，看来更诡秘可怖。

江岛和佐佐木也来了。

看见了他们，每个人都闭上了嘴，虽然没有人认得他们，可是每个人都能感觉到他们身上带着的那种邪恶的杀气。连孩子们都能感觉到。

一个体态丰盈的少妇，正抱着她五个月大的孩子从“瑞德翔”的后室中走出来。瑞德翔是家很大的绸布庄，这少妇就是少掌柜的新婚夫人，本来就是花一样的年华，刚经过女人一生中最辉煌美丽的时期，就像是一块本就肥腴的土地，刚经过春雨的滋润。

一看见她，江岛和佐佐木的眼睛立刻发了直。

佐佐木道：“花姑娘大大的漂亮。”

江岛道：“大大的好。”

少妇本在逗着怀里的孩子，看见了他们，一张苹果般的脸立刻吓得惨白。

佐佐木已冲了进去，店里一个伙计正赔着笑迎上来，刀光一闪，左臂已被砍断。

孩子吓哭了，妈妈的腿已吓得发软。

佐佐木手里还握着滴血的刀，狞笑道：“花姑娘不怕，我喜欢花姑娘。”

他又准备扑上去，这次已没有人敢来阻拦，可是他的腰带却忽然被江岛一把抓住，反手一提，手肘一撞，他的人就飞了出去。

江岛大笑，道：“花姑娘是我的，你……”

一句话还没有说完，佐佐木已凌空翻身，一刀砍了下来。

这一刀又狠又准又快，用的正是扶桑剑道中最具威力的“迎风一刀斩”！

就好像恨不得一刀就将他弟弟的脑袋砍成两半。

这个人果然是随时随地都会杀人，而且随便什么人都杀！

可是江岛也不差，就地一滚，从刀锋下滚了出去，反手打出了三枚铁角乌星，正是伊贺忍者常利用的独家暗器。

这兄弟俩竟为了一个别人的妻子，就真的拼起命来。

佐佐木长刀霍霍，每一刀砍的都是江岛要害；江岛的身法更怪异，满地翻滚，各式各样的暗器，层出不穷。

突听“夺”的一声，三枚铁星被削落，长刀也被挡住。

一个又高又瘦的蓝袍道人，发髻上横插着一根白木簪，手里一柄青钢剑，削落了暗器，架住了长刀，一脚把江岛踢出五丈开外，挥手给了佐佐木三个耳光，冷冷道："要找花姑娘，到韩大奶奶那里去，有孩子的女人不是花姑娘。"

这两个横行霸道，穷凶恶极的扶桑浪人，见了他居然服服帖帖，垂头丧气地站起来，连屁都不敢放。

人丛中却突然传出了一声冷笑："这道士想必就是被人从武当山赶下来的白木了，想不到现在还是这样的威风。"

另一人笑声更难听："在自己人面前不发威，你叫他到哪里发威去？"

白木面不改色，眉角的一颗痣却突然开始不停跳动，冷冷道："看来这地方倒真热闹得很，居然连米家兄弟也到了。"

人丛中传出了一阵大笑："这老杂毛好灵的耳朵。"

笑声中，两道剑光飞出，如惊虹交剪，一左一右刺了过来。

白木没有动。

江岛和佐佐木却退了下去。

可是他们也没有机会出手，两道剑光中的人影后，还有两条人影，就像是影子般紧贴着他们。

米家兄弟仗剑飞出，这两个人也跟着飞了出来。

只听一声惨呼，剑光中血花四溅，两个人凭空跌下，背后一柄短刀直没入柄。

另外两个人凌空一个翻身，才轻飘飘地落下，落在血泊中，一个人脸色发青，另一人还带着酒意，正是丁二郎和青蛇。

丁二郎还在叹着气，看着地上的两个死人，喃喃道："原来米家双剑也不过如此，我们一直钉在他们后面，他们竟像死人一样，完全不知道。"

青蛇淡淡道："所以现在他们才会真的变成死人。"

白木冷峻的脸上露出微笑，道："青蛇轻功一向是好的，想不到二郎的轻功也有精进。"

丁二郎道："那只因为我暂时还不想死。"

在这种行业中，你若不想死，就得随时随地磨炼自己。

白木微笑道："好，说得好，这件事办得也好！"

眨了眨眼，忽然丁二郎问道："最好的是什么？"

白木抚长剑，傲然道："最好的当然还是我这把剑。"

剑已入鞘。

没有人敢反驳这骄傲的道人，因为没有人能抵挡他的剑。他自己也很明白这一点，而且随时随地都不会忘记提醒别人。在黑杀中，他永远是高高在上的。

忽然间，人丛中一阵惊呼骚动，四散而开，一条血淋淋的大汉，手持板斧，飞奔而来。

青蛇皱眉道："不知道斧头又闯了什么祸。"

白木冷笑，道："闯祸的只怕不是他。"

看见他们，斧头立刻停住脚，面露喜色，道："我总算赶上你们了。"

白木道："什么事？"

斧头道："老柴又喝醉了酒，在城外和一批河北道上的镖师干了起来。"

白木冷笑道："闯祸的果然又是他。"

斧头道："我看见的时候，他已经挨了两下子，想不到连我加上去都不行，只好杀开一条血路闯出来找救兵。"

白木道："哼！"

斧头道："那批镖师实在扎手得很，大家再不赶去，老柴只怕就死定了。"

白木冷冷道："那么就让他去死吧！"

斧头吃了一惊："让他去死？"

白木道："我们这次是来杀人的，不是来被杀的！"

白木居然真的走了，大家当然也都跟着走，斧头站在那里发了半天怔，终于也赶了上去。

他们当街杀人，扬长而去，街上大大小小的几百个人，却只能眼睁睁地看着。

没有人敢惹他们，因为他们有的不要脸，有的不要命。

还有的又不要脸，又不要命！

直到他们都走远，又有个胖大头陀，挑着根比鸭蛋还粗的精钢禅杖，施施然从瑞德翔对面一家酒楼走了出来。

那少妇惊魂甫定，刚放下孩子，坐在柜台喘气，突听“砰”的一声响，坚木做成的柜台，已被这和尚一禅杖打得粉碎。

这一杖竟似有千斤之力，再反手横扫出去，力量更惊人。

这家已有三百年字号的绸布庄，竟被他三两下打得稀烂，店里十二个伙计，有的断手，有的断腿，也没有几个还能站得起来。

那少妇吓得晕了过去。和尚一伸手，就把她像小鸡般抓了起来，挟在肋下，大步飞奔而去。

看见他刚才的凶横和神力，有谁敢拦他？和尚肋下虽然挟着一个人，还是健步如飞，顷刻间就已赶上他的同伴，转过脸，咧开大嘴，对着白木一笑，就越过了他们，走得踪影不见。

青蛇皱眉道：“这和尚是不是疯了？”

白木冷冷道：“他本来就有疯病，每隔三两天，就要犯一次。”

佐佐木道：“他抱着的那女人，好像是刚才那个花姑娘。”

江岛一句话都不说，拔脚就追。佐佐木也绝不肯落后。

突听前面横巷中传出一声惨呼，竟像是和尚的声音。等大家赶过去时，和尚一个百把多斤重的身子，竟已被人悬空吊了起来，吊在一棵大树上，眼睛凸出，裤裆湿透，眼泪、鼻涕、口水、大小便都一起流了出来，叫得巷子外面都可以听到。

这和尚不但天生神力，一身外门功夫也练得不错，却在这片刻之间就已被人吊死在树上，杀他的人已连影子都看不见。

白木反手握紧了剑柄，掌心已被冷汗湿透，不停地冷笑道：“好，好快的身手。”

青蛇皱眉道：“想不到附近居然还有这样的高人，出手居然比我们还毒。”

丁二郎弯着腰，仿佛已忍不住要呕吐。

斧头正大吼：“你既然有种杀人，为什么没种出来，跟老子们见见面？”

深巷中寂无回声，连个鬼影子都看不见。

佐佐木关心的却不是这些，忽然问："那个花姑娘呢？"

大家这才发现，刚才还被和尚挟在肋下的女人已不见了，那条用百炼精钢打成，和尚连睡觉都舍不得放手的禅杖也不见了。

难道这女人竟是个深藏不露的高手？

大老板高高地坐在一张特地从他公馆搬来的虎皮交椅上，看看他面前的七个人，面带微笑，不住点头，显然觉得很满意。

竹叶青当然也笑容满面，只要大老板高兴，他一定也很高兴。

白木这些人却好像有点笑不出，看见了那和尚的惨死，大家心里都很不舒服。

——究竟是谁杀了他？

是不是那个女人扮猪吃了老虎？还是这附近另有高手？

竹叶青微笑道："据说各位一进城，就做了几件惊人的事，真是好极了。"

白木冷冷道："一点都不好。"

竹叶青道："可是现在城里的人，已没有一个不知道各位的厉害了。"

白木闭上嘴，他的同伴已全都闭着嘴，虽然每个人都有一肚子的苦水，却连一口都吐不出。

他们本来的确是想显点威风，先给这城市一个下马威的，想不到自己的同伴反而先糊里糊涂地死了一个，这种事若是说出来，岂非长他人的志气，灭自己的威风？

斧头忽然大吼："气死我了！"

竹叶青道："斧头兄为何生气？"

斧头刚想说，看见白木、青蛇都在瞪他，立刻改口道："我自己喜欢生气，一高兴就要生气！"

竹叶青笑道："那更好极了！"

斧头瞪眼道："那有什么好？"

竹叶青道："就凭阁下这一股怒气，就足以令人心寒胆破！"

丁二郎道："可是我就从来不生气！"

竹叶青道："那也好！"

丁二郎道："有什么好？"

竹叶青道："平时静如处子，动时必如脱免。平时若是不发，发必定惊人。"

丁二郎笑了："看来不管我们怎么说，你总有法子称赞我们几句，这倒也是本事。"

竹叶青微笑道："在下既没有各位这样的功夫，就只有靠这点本事混混饭吃。"

大老板一直带着微笑在听，忽然说道："各位的人已到齐了么？"

白木道："到齐了。"

大老板道："我却记得这次来的好像应该是九位。"

白木道："嗯。"

大老板道："还有两位呢？"

白木冷冷道："那两个人来不来都一样。"

大老板道："哦？"

白木道："有我们七个人来了，无论做什么都已足够。"

大老板道："对付阿古也已足够？"

白木道："不管对付什么人都已足够。"

大老板笑了："我知道近来道长的剑术又有精进，其余的几位也都是好手，只不过有件事却总是让我放心不下。"

白木道："什么事？"

大老板微笑着挥了挥手，门外立刻出现了两个人，抬着根精钢禅杖大步走了进来。

白木的脸色变了。

黑杀的兄弟们的脸色全都变了。大老板道："各位想必是认得这根禅杖的！"

他们当然认得，这正是土和尚成名的兵器，他们已不知亲眼看过多少人死在这根禅杖下。

大老板道："据说这根禅杖一向和土和尚寸步不离，却不知怎会到了别人手里？"

白木变色道："贫道正想请教，这根禅杖是从哪里来的？"

大老板道："有个人特地送来，要我转交给各位。"

白木道："他的人还在不在？"

大老板道："还在。"

白木道："在哪里？"

大老板道："就在那里。"

他伸手一指，每个人都随着他手指看了过去，就看见了一个人站在门外。

一个体态丰盈、柔若无骨的女人，赫然竟是"瑞德翔"绸布庄的少奶奶。

难道这女人真的是位深藏不露的高手，竟能在刹那间将土和尚吊死在树上？

谁也看不出，谁也不相信，却又不能不信。

江岛突然狂吼，就地一滚，扑了上去，扬手发出了三枚铁星。

少奶奶的身子一闪，已缩在门后。江岛却又一声狂吼，仰面跌倒，胸膛上并排钉着三枚铁星，正是他刚才自己打出去的。

白木的脸色惨白，他的同伴们手足都冰冷，门外又有个人慢慢地走了出来，赫然又是那刚生过孩子的少奶奶。

佐佐木吃惊地看着她，喃喃道："这花姑娘果然不是花姑娘，是个女妖怪。"

少奶奶居然对他笑了笑，道："你喜不喜欢女妖怪？"

她声音虽然有点发抖，这一笑却笑得甜极了。

佐佐木看得眼睛发红，双手紧握着刀柄，一步步走了过去。

白木低叱道："小心。"只可惜他的警告已太迟了，佐佐木已伸开双臂扑上去，想去搂她的腰。

他扑了个空。

少奶奶的身子又缩到门后，他刚追出去，突然一声惨呼，一步步向后退。别人还没有看见他的脸，已看见一截刀尖，从他后背露出，鲜血也如箭一般射出。

等他仰面倒下来时，大家才看见这柄刀。

八尺长的倭刀，从他的前胸刺入，后背穿出，又赫然正是他自己的随身武器。

少奶奶又出现在门口，盯着他们，美丽的眼睛里充满悲愤与恐惧。

这次已没有人再敢扑上去，连竹叶青的脸色都变了。

只有大老板依旧不动声色，淡淡道：“这就是你特地请来保护我的？”

这句话他问的是竹叶青。

竹叶青垂下了头，不敢开口。

大老板道：“凭他们就能够对付阿吉？”

竹叶青脸色发白，头垂得更低。

大老板叹了口气：“我看他们连一个女人都对付不了，怎么能……”

白木忽然打断了他的话，厉声道：“朋友既然来了，为何躲在门外，不敢露面？”

大老板道：“你是在跟谁说话？”

白木道：“门外的那位朋友。”

大老板道：“门外有你的朋友？”

他自己摇头，替自己回答：“绝没有，我可以保证绝对没有。”

门外的确寂无回应，唯一站在门外的，就是那位绸布庄的少奶奶。

她刚才还在片刻间手刃了两个人，现却又像是怕得要命。

白木冷笑，向他的同伴们打了个眼色。丁二郎和青蛇立刻飞身而起，一左一右，穿出了窗户。身法轻盈如飞燕。

斧头抡起大斧，虎吼着冲过去，眼前人影一闪，黑鬼已抢在他前面。

少奶奶又不见了。

四个人前后左右包抄，行动配合得准确而严密。不管门后面是不是躲着人，不管这个人是谁，都很难再逃得出他们的围扑。尤其是黑鬼的剑，一剑穿喉，绝少失手。

奇怪的是，四个人出去了很久，外面还是连一点反应都没有。

白木手握剑柄，额上已沁出冷汗。

就在这时，“砰”的一声响，左面的窗户被震开，一个人飞了起来。

右面的窗户几乎也在同一瞬间被震开，也有个人飞了起来。

两个人同时落下，“吧”的一声，就像是两口麻袋被人重重地摔在地上，赫然竟是刚才燕子般飞出去的青蛇和丁二郎。

就在他们倒下去时，斧头和黑鬼也回过头来，可是斧头已没有头，黑鬼已真的做了鬼。

斧头的头是被他自己的斧头砍下去的，黑鬼手里已没有剑，咽喉上却多了个血洞。

第二十三章

江南慕容

白木的手还握住剑柄，额上的冷汗却已如雨点般落下。

大老板淡淡道："我早就说过，门外绝没有你们的朋友，最多只不过有一两个要来向你们催魂买命的厉鬼而已。"

白木握剑的手背上青筋如盘蛇般凸起，忽然道："好，很好。"

他的声音已嘶哑："想不到'以牙还牙，以血还血'居然也到了。"

门外突然发出了一声短促的冷笑。

"你错了！"

白木道："来的难道是茅大先生？"

门外一个人道："这次你对了。"

白木冷笑道："好，好功夫，'以子之弟，攻子之伯'，果然不愧是江南慕容的亲传嫡系。"

说到"江南慕容"这四个字，门外忽又响起一声野兽般的怒吼。

门外剑光一闪，白木已飞身而出，剑光如流云般护住了全身。

竹叶青不敢跟出去，连动都不敢动，也看不见门外的人，却听见"咯"的一声响，一道寒光飞入，钉在墙上，竟是一截剑尖。

接着又是"咯咯咯"三声响，又有三截剑尖飞入，钉在墙上。

然后白木就一步步退了回来，脸上全无人色，手里的剑已只剩下一段剑柄。

那柄百炼精钢长剑，竟已被人一截截拗断。

门外一个人冷笑道："我不用慕容家的功力，也一样能杀你！"

白木想说话，又忍住，忽然张口喷出了一口鲜血，倒下去时惨白的脸色已变成乌黑。

大老板微笑道："这果然不是慕容家的功夫，这是黑砂掌！"

门外的人道："好眼力。"

大老板道："这一次辛苦了茅大先生。"

茅大先生在门外道："杀这么样几个无名鼠辈，怎么能算辛苦，若撞见了仇二，这些人死得更快。"

大老板道："仇二先生是不是也快来了？"

茅大先生道："他会来的。"

大老板长长吐出了口气，道："仇二先生的剑法天下无双，在下也早已久仰得很。"

茅大先生道："他的剑法虽然未必一定是天下无敌，能胜过他的人只怕也不多。"

大老板大笑，忽然转脸看着竹叶青。

竹叶青脸如死灰。

大老板道："你听见了么？"

竹叶青道："听见了。"

大老板道："有了茅大先生和仇二先生拔刀相助，阿吉想要我的命，只怕还不太容易。"

竹叶青道："是。"

大老板淡淡道："你若想要我的命，只怕也不太容易！"

竹叶青道："我……"

大老板忽然沉下脸，冷冷道："你的好意我知道，可是我若真的要靠你请来的这几位高手保护，今日岂非就死定了。"

竹叶青不敢再开口。

他跪了下去，笔笔直直地跪了下去，跪在大老板面前。

他已发现这个人远比他想象中更厉害。

大老板却连一眼都不再看他，挥手道："你累了，不妨出去。"

竹叶青不敢动。就在这道门外，就有个追魂索命的人在等着，他怎么敢出去？可是他也知道，大老板说出来的话，就是命令，违抗了大老板的命令，就只有死！

幸好这时院子里已有人高呼："阿吉来了！"

夜，冷夜。

冷风迎面吹过来，阿吉慢慢地走入了窄巷。就在半个月前，他从这条窄巷走出去时，还不知道自己将来该走哪条路。现在他已知道。

——是什么样的人，就得走什么样的路。

——他面前只有一条路可走，根本就没有选择的余地。

开了大门，就可以看见一条路，蜿蜒曲折，穿入花丛。

一个精悍而斯文的青年人垂手肃立在门口，態度诚恳而恭敬："阁下来找什么人？"

阿吉道："找你们的大老板。"

青年人只抬头看了他一眼，立刻又垂下："阁下就是……"

阿吉道："我就是阿吉，就是那个没有用的阿吉。"

青年人的态度恭敬："大老板正在花厅相候，请。"

阿吉盯着他，忽然道："我以前好像没有看见过你。"

青年人道："没有。"

阿吉道："你叫什么？"

青年道："我叫小弟。"

他忽然笑了笑："我才真的是没有用的小弟，一点用都没有。"

小弟在前面带路，阿吉慢慢地在后面跟着。

他不想让这个年轻人走在他背后。他已感觉到这个没有用的小弟一定远比大多数人都有用。

走完这条花径，就可以看见花厅左面那扇被撞碎了的窗户，窗户里仿佛有刀光闪起。

刀在竹叶青手里。

违抗了大老板的命令，就只有死！

竹叶青忽然拔起了钉在佐佐木身上的刀——既然要死，就不如死在自己手里。

他反手横过刀，去割自己的咽喉。

忽然间，"叮"的一声，火星四溅，他手里的刀竟被打得飞了出去，“夺”地钉在窗框上，一样东西落下来，却是块小石子。

大老板冷笑，道：“好腕力，看来阿吉果然已到了。”

这句话说完，他就看见了阿吉。

虽然已睡了一整天，而且睡得很沉，阿吉还是显得很疲倦。

一种从心底深处生出来的疲倦，就像是一棵已在心里生了根的毒草。

他身上穿着的还是那套破旧的粗布衣裳，苍白的脸上已长出黑森森的胡子，看来非但疲倦，而且憔悴衰老。他甚至头发都已有很久未曾梳洗过。

可是他的一双手却很干净，指甲也修得很短，很整齐。

大老板并没有注意到他的手，男人们通常都很少会去注意另一个男人的手。

他盯着阿吉，上上下下打量了很多遍，才问：“你就是阿吉？”

阿吉懒洋洋地站在那里，一点反应都没有，根本不必要问的问题，他从不回答。

大老板当然已知道他是谁，却有一点想不通：“你为什么要救这个人？”

这个人当然就是竹叶青。

阿吉却道：“我救的不是他。”

大老板道：“不是他是谁？”

阿吉道：“娃娃。”

大老板的瞳孔收缩：“因为娃娃在他手里，他一死，娃娃也只有死。”

他收缩的瞳孔钉子般盯着竹叶青：“你当然也早已算准他不会让你死。”

竹叶青没有否认。

骰子已出手，点子已打了出来，这出戏已没有必要再唱下去，他扮演的角色也该下台了。

现在他唯一能做的事，就是等着看阿吉掷出的是什么点子。现在他已没有把握赌阿吉一定能赢。

大老板长长叹息，道：“我一直将你当作我的心腹，想不到你在我面前一直是在演戏！”

竹叶青也承认：“我们演的本就是对手戏！”

大老板道：“是以在落幕以前，我们两个人之间，定有个人要死？”

竹叶青道：“这出戏若是完全照我的本子唱，死的本该是你。”

大老板道：“现在呢？”

竹叶青苦笑，道：“现在我扮的角色已下台了，重头戏已落在阿吉身上。”

大老板道：“他演的是什么角色？”

竹叶青道：“是个杀人的角色，杀的人就是你。”

大老板转向阿吉，冷冷道：“你是不是一定要将你的角色演下去？”

阿吉没有开口。

他忽然感觉到有股逼人的杀气，针尖般刺入他的背脊。

只有真正想杀人，而且有把握能杀人的高手，才会带来这种杀气。

现在无疑已有这么样一个人到了他背后，他甚至已可感觉到自己脖子后有根肌肉突然僵硬。

可是他没有回头。现在他虽然只不过是随随便便地站着，他的手足四肢，和全身肌肉都是完全平衡协调的，绝没有一点缺陷和破绽。

只要他一回头，就绝对无法再保持这种状况，纵然只不过是一刹那间的疏忽，也足以致命。他绝不能给对方这种机会。

对方却一直在等着这种机会，花厅里每个人都已感觉到这种逼人的杀机，每个人呼吸都已几乎停顿，额上都冒出了汗。

阿吉连指尖都没有动。一个人若是明知背后有人要杀他，还能不闻不动，这个人身上每根神经，都必定已炼得像钢丝般坚韧。

阿吉居然连眼睛都闭了起来。

要杀他的人，在他背后，他用眼睛去看，也看不见。他一定要让自己的心保持一片空灵。

他身后的人居然也没有动。

这个人当然也是高手，只有身经百战，杀人无算的高手，才能这样的忍耐和镇定，等不到机会，就绝不出手。

所有的一切都完全静止，甚至连风都已停顿。

一粒黄豆般大的汗珠，沿着鼻梁，从大老板脸上流落，他没有伸手去擦。

他整个人都已如弓弦般绷紧，他想不通这两个人为什么能如此沉得住气。

他自己已沉不住气，忽然问："你知不知道你背后有人要杀你？"

阿吉不听、不闻、不动。

大老板道："你不知道这个人是谁？"

阿吉不知道。

他只知道无论这个人是谁，现在都绝不敢出手的。

大老板道："你为什么不回头去看看，他究竟是谁？"

阿吉没有回头，却张开了眼。因为他忽然又感觉到一股杀气。

这次杀气竟是从他面前来的。

他张开眼，就看见一个人远远地站在对面，道装玄冠，长身玉立，背负长剑，苍白的脸上眼角上挑，带着种说不出的傲气，两条几乎接连在一起的浓眉间，又仿佛充满了仇恨。

阿吉一张开眼，他就停住脚。

他看得出这少年精气劲力，都已集聚，一触即发，一发就不可收拾。

他也不敢动，却在盯着阿吉的一双手，忽然问："阁下为什么不带你的剑来？"

阿吉沉默。

大老板却忍不住问："你看得出他是用剑的？"

道人点点头，道："他有双很好的手。"

大老板从未注意到阿吉的手，直到现在，才发现他的手和他很不相配。

他的手太干净。

道人道："这是我们的习惯。"

大老板道："什么习惯？"

道人道："我们绝不玷污自己的剑。"

大老板道："所以你们的手一定总是很干净。"

道人道："我们的指甲也一定剪得很短。"

大老板道："为什么？"

道人道："指甲长了，妨害握剑，只要我们一剑在手，绝不容任何妨害。"

大老板道："这是种好习惯。"

道人道："有这种习惯的人并不多。"

大老板道："哦？"

道人道："若不是身经百战的剑客，绝不会将这种习惯保持很久。"

大老板道："能够被仇二先生称为剑客的人，当然是用剑的高手。"

仇二先生道："绝对是。"

大老板道："可是仇二先生的剑下，又有几个人逃得了活口？"

仇二先生傲然道："不多。"

他骄傲，当然有他的理由。

这半年来，他走遍江南，掌中一柄长剑，已会过了江南十大剑客中的七位，从来没有一个人能在他剑下走过三十招的。

他的剑法不但奇诡辛辣，反应速度之快，更令人不可思议。

死在他剑下的七大剑客，每个人本都有一招致命的杀招，尤其是"闪电追风剑"梅子仪的"风雷三刺"，更是江湖少见的绝技。

他杀梅子仪时，用的就是这一招。

梅子仪的"风雷三刺"出手，他竟以同样的招式反击。

一个人的剑术能够被称为"闪电追风"，速度之快，可想而知。

可是梅子仪的剑距离他咽喉还有三寸时，他的剑已后发先至，洞穿了梅子仪的咽喉。

大老板的属下，有人亲眼看见过他们那一战，根据他回来的报告：

"仇二先生那一剑刺出，在场的四十多位武林高手，竟没有一个人能看出他是怎么出手的，只看见剑光一闪，鲜血已染红了梅子仪的衣服。"

所以大老板对这个人早已有了信心。

何况现在还有江南慕容世家唯一的外姓弟子茅一云和他互相呼应。

就算茅一云不出手，至少也可以分散阿吉的注意力。

这一战的胜负，几乎已成了定局。

大老板高坐在他的虎皮交椅上，心里已稳如泰山，微笑道："自从谢三少暴卒于神剑山庄，燕十三刻舟沉剑后，江湖中的剑客，还有谁能比得上仇二先生的？仇二先生若想要谢家那一块'天下第一剑'的金字招牌，已不过是迟早间的事。"

他心情愉快时，总不会忘记赞美别人几句，只可惜这些话仇二先生竟好像完全没有听见。

他一直在盯着阿吉——不是盯着阿吉的手，是阿吉的眼睛。

一听见"仇二先生"四个字，阿吉的瞳孔突然收缩，就好像被一根针刺了进去，一根已被鲜血和仇恨染红了的毒针。

仇二先生不认得这个落拓憔悴的青年人，甚至连见都没有见过。他想不通这个人为什么会有这种表情。

他也不知道这个人为什么会对他的名字有这种反应。

他只知一件事——他的机会已经来了！

无论多坚强镇定的高手，若是突然受到某种出乎意外的刺激，反应都会变得迟疑些。

现在这年轻人无疑已受到这种刺激。仇恨有时也是种力量，很可怕的力量，可是现在阿吉眼睛里的表情并不是仇恨，而是一种无法描述的痛苦和悲伤。这种情感只能令人软弱崩溃。

仇二先生并不想等到阿吉完全崩溃，他知道良机一失，就永不再来。

佐佐木那柄八尺长的倭刀，还钉在窗框上，仇二先生突然反手拔出，抛给了阿吉。

他还有另一只手。

他背后的长剑也已出鞘！

无论阿吉会不会接住这把刀，他都已准备发出致命的一击。

他已有绝对的把握！

阿吉接住了这把刀。

他用的本来是长剑，从剑柄至剑尖，长不过三尺九寸。

第二十四章

地破天惊

这把刀的柄就有一尺五寸，扶桑的武士们通常都是双手握刀的，他们的刀法和中土完全不同，和剑法更不同。

他手里有了这把刀，就像是要铁匠用画笔打铁，书生用铁锤作画，有了还不如没有的好。

可是他接住了这把刀。

他竟似已完全失去了判断的能力，已无法判断这举动是否正确。就在他的手触及刀柄的那一刹那间，剑光已闪电般破空飞来。三尺七寸长的剑，已抢入了空门，八尺长的倭刀，根本无法施展。

剑光一闪，已到了阿吉咽喉。阿吉的手突然一抖。“咯”的一声响，倭刀突然断成了两截。

从刚才被石子打中的地方斩成了两截。

石子打在刀身中间。三尺多长的刀锋落下，还有三尺长的刀锋突然挑起。

仇二先生的剑锋毒蛇般刺来，距离咽喉已不及三寸，这一剑本来绝对准确而致命。拔刀、抛出、拔剑、出手，每一个步骤，他都已算得很准。

可惜他没有算到这一招。

“叮”的一声，火星，刀已溅断迎上他的剑——不是剑锋，是剑尖。

没有人能在这一刹那间迎击上闪电般刺来的那一点剑尖。

没有人的出手能有这么快，这么准。

——也许并不是绝对没有人，也许还有一个人。

但是仇二先生做梦也没有想到阿吉就是这个人。

剑尖一震，他立刻就感觉到一种奇异的震动从剑身传入他的手，他的臂，他的肩。

然后他仿佛又觉得有阵风吹起。

阿吉手里的断刀，竟似已化成了一阵风，轻轻地向他吹了过来。

他看得见刀光，也能感觉到这阵风，但却完全不知道如何闪避招架。

——风吹来的时候，有谁能躲得开？又有谁知道风是从哪里吹来的？

可是他并没有绝望，因为他还有个朋友在阿吉背后等着。

江湖中大多数人都认为仇二先生的剑法比茅大先生高，武功比茅大先生更可怕。

只有他自己知道这种看法错得多么愚蠢可笑，也只有他自己才知道，茅大先生若想要他的命，只要一招就已足够。

那才是真正致命的一招，那才是真正可怕的剑法，没有人能想象那一招的速度、力量和变化，因为根本没有人看见过。

他和茅大先生出生入死，患难相共了多年，连他也只看过一次。

他相信只要茅大先生这一招出手，阿吉纵然能避开，也绝对没有余力伤人了。

他相信茅大先生现在必定已出手！

因为就在这间不容发的一瞬间，他已听见了声低叱："刀下！"

叱声响起，风声立刻停顿，刀光也同时消失，茅大先生掌中的剑，已到了阿吉后颈。

剑气森寒，就像是远山之巅上亘古不化的冰雪，你用不着触及它，就可以感觉到那种尖针般的寒意，令你的血液和骨髓都冷透。

剑本来就是冷的，可是只有真正高手掌中的剑，才会发出这种森寒的剑气。

一剑飞来，骤然停顿，距离阿吉颈后的大血管已不及半寸。

他的血管在跳动。血管旁那根本已抽紧的肌肉也在跳动。

他的人却没有动。他动时如风，不动时如山岳。可是山岳也有崩溃的时候。

他的嘴唇已干裂，就像是山峰上已被风化龟裂的岩石。他的脸也像是岩石般一点表情都没有。

难道他不知道这柄剑只要再往前刺一寸，他的血就必将流尽？

难道他真的不怕死？

不管他是不是真的不怕死，这次都已死定了！

仇二先生长长吐出口气，大老板也长长吐出口气，只等着茅大先生这一剑刺出。

茅大先生眼睛一直盯在他脖子后那条跳动的血管上，眼睛里却带着种奇怪的表情，仿佛充满了怨毒，又仿佛充满了痛苦。

他这一剑为什么还不刺出去？他还在等什么？

仇二忍不住道："你用不着顾忌我！"

阿吉掌中的断刀，还在他咽喉前的方寸之间，可是他掌中还有剑："我有把握能躲开这一刀。"

茅大先生没有反应。

仇二道："就算我躲不开，你也一定要杀了他！这个人不死，就没有我们的活路，我们不能不冒险一搏。"

大老板立刻道："这绝不能算是冒险，你们的机会比他大得多。"

茅大先生忽然笑了，笑容也像他的眼色同样奇怪，就在他开始笑的时候，他的剑已刺出，从阿吉颈旁刺了出去，刺入了仇二的肩。

"叮"的一声，仇二手中的剑落地，鲜血飞溅，溅上了他自己的脸。

他的脸已因惊讶愤怒而扭曲。

大老板也跳了起来。

谁也想不到这变化，谁也不知道茅大先生为什么要这样做。

也许只有他自己和阿吉知道。

阿吉的脸上还是全无表情，这变化竟似早已在他意料之中。

可是他的眼睛里偏偏又充满了痛苦，甚至比茅大先生的痛苦还深。

剑光一闪，剑已入鞘。

茅大先生忽又长长叹了口气，道："我们是不是已有五年不见了？"

这句话竟是对阿吉说的，看来他们不但认得，而且还是多年的老友。

茅大先生又道：“这些年来，你日子过得好不好？有没有什么病痛？”

多年不见的朋友，忽然重聚，当然要互问安好，这本来是句很普通的话。可是这句话从他嘴里说出来，却又仿佛充满了痛苦和怨毒。阿吉的双拳紧握，非但不开口，也不回头。

茅大先生道：“我既然已认出了你，你为什么还不肯回头，让我看看你？”

阿吉忽然也长长叹息，道：“你既然已认出了我，又何必再看？”

茅大先生道：“那么你至少也该看看我已变成了什么样子。”

他的声音虽然说得很轻，却偏偏又像是在嘶声呐喊。

阿吉终于回过头，一回过头，他的脸色就变了。站在他面前的，只不过是个白发苍苍的老人而已，并没有什么奇特可怖的地方。可是阿吉脸上的表情，却远比忽然看见洪荒怪兽还吃惊。

茅大先生又笑了，笑得更奇怪：“你看我是不是已变得很多？”

阿吉想说话，却没有声音发出。

茅大先生道：“我们若是在路上偶然相逢，你只怕已不会认得出我来。”

他忽然转过脸，去问大老板：“你是不是在奇怪，他看见我为什么会如此吃惊？”

大老板只有点头，他实在猜不透这两人之间究竟是什么关系。

茅大先生又问道：“你看他已有多大年纪？”

大老板看着阿吉，迟疑着道：“二十出头，不到三十。”

茅大先生道：“我呢？”

大老板看着他满头苍苍白发，和脸上的皱纹，心里虽然想少说几岁，也不能说得太少。

茅大先生道：“你看我是不是已有六十左右？”

大老板道：“就算阁下真的已有六十岁，看起来也只有五十三四。”

茅大先生忽然大笑。

就好像从来也没有听过比这更可笑的事，但是他的笑声听来却又偏偏连一点笑意都没有，甚至有几分像是在哭。

大老板看看他，再看看阿吉："难道我全都猜错了？"

阿吉终于长长吐出口气，道："我是属虎的，今年整整三十二。"

大老板道："他呢？"

阿吉道："他只比我大三岁。"

大老板吃惊地看着他，无论谁都绝对看不出这个人今年才三十五："他为什么老得如此快？"

阿吉道："因为仇恨。"

太深的仇恨，就正如太深的悲伤一样，总是会令人特别容易衰老。

大老板也明白这道理，却又忍不住问："他恨的是什么？"

阿吉道："他恨的就是我！"

大老板也长长吐出口气，道："他为什么要恨你？"

阿吉道："因为我带着他未过门的妻子私奔了！"

他脸上又变得全无表情，淡淡地接着道："那次我本来是诚心去贺喜的，却在他们定亲的第二天晚上，带着他的女人私奔了。"

大老板道："因为你也爱上了那个女人？"

阿吉没有直接回答这句话，却冷冷道："就在我带她私奔的半个月之后，我就甩了她。"

大老板道："你为什么要做这种事？"

阿吉道："因为我高兴！"

大老板道："只要你高兴，不管什么事你都做得出？"

阿吉道："是的！"

大老板又长长吐出口气，道："现在我总算明白了。"

阿吉道："明白了什么事？"

大老板道："他刚才不杀你，只因为他不想让你死得太快，他要让你也像他一样，受尽折磨，再慢慢地死。"

茅大先生的笑声已停顿，忽然大吼："放你妈的屁！"

大老板怔住。

茅大先生握紧双拳，盯着阿吉，一字字道："我一定要你看看我，只因为我一定要你明白一件事。"

阿吉在听。

茅大先生道："我恨的不是你，是我自己，所以我才会将自己折磨成这样子。"

阿吉沉默着，终于慢慢地点了点头，道："我明白。"

茅大先生道："你真的已明白？"

阿吉道："真的！"

茅大先生道："你能原谅我？"

阿吉道："我……我早已原谅你。"

茅大先生也长长吐出口气，好像已将肩上压着的一副千斤担放了下来。

然后他就跪了下去，跪在阿吉面前，喃喃道："谢谢你，谢谢你……"

仇二先生一直在吃惊地看着他，忍不住怒吼："他拐走了你的妻子，又始乱终弃，你反而求他原谅你，反而要谢谢他，你……你……你刚才为什么不让我一剑杀了他？"

刚才他的剑已在动，已有了出手的机会，他看得出阿吉已经被他说的话分了心，却想不到他的朋友反而出手救了阿吉。

茅大先生轻轻叹息，道："你以为刚才真的是我救了他？"

仇二怒道："难道不是？"

茅大先生道："我救的不是他，是你，刚才你那一剑出手，就死无葬身之地了。"

他苦笑，又接着道："就算我也忘恩负义，与你同时出手，也未必能伤得了他毫发。"

仇二的怒气已变为惊讶。

他知道他这朋友不是个会说谎的人，却忍不住道："刚才我们双剑夹击，已成了天地交泰之势，他还有法子能破得了？"

茅大先生道："他有。"

他脸上竟露出了尊敬之色："世上只有他一个人，只有一种法子。"

仇二面容骤然变色，道："天地俱焚？"

茅大先生道："不错，地破天惊，天地俱焚。"

仇二失声道："难道他就是那个人？"

茅大先生道："他就是。"

仇二先生踉跄后退，仿佛已连站都站不住了。

茅大先生道："我生平只做了一件罪无可赦的事，若不是一个人替我保守了秘密，我也早就已死无葬身之地了。"

仇二道："他也就是这个人？"

茅大先生道："是的。"

他慢慢地接着道："已是多年前的往事了，这些年来，我也曾见过他，可是他却从未给过我说话的机会，从未听我说完过一句话，现在……"

现在他这句话也没有说完。

突然间，一道寒光无声无息地飞来，一截三尺长的断刀，已钉入了他的背。

鲜血溅出，茅大先生倒下去时，竹叶青仿佛正在微笑。

出手的人却不是他。出手的人没有笑，这少年平时脸上总是带着种很可爱的微笑，现在却没有笑。

看见他出手，大老板先吃了一惊，阿吉也吃了一惊。

仇二不但吃惊，而且愤怒，厉声道："这个人是谁？"

这少年道："我叫小弟。"

他慢慢地走过来："我只不过是个既没有名，也没有用的小孩子而已，像你们这样的大英雄、大剑客，当然不会杀我的。"

仇二怒道："杀人者死，不管是谁杀了人都一样。"

他已拾起了他的剑。

小弟却还是面不改色，悠然道："只有我不一样，我知道你绝不会杀我的。"

仇二的剑已在握，忍不住问："为什么？"

小弟道："因为只要你一出手，就一定有人会替我杀了你！"

他在看着阿吉，眼色很奇怪。

阿吉也忍不住问："谁会替你杀他？"

小弟道："当然是你。"

阿吉道："我为什么要替你杀人？"

小弟道："因为我虽然既没有名，也没有用，却有个很好的母亲，而且跟你熟得很！"

阿吉的脸色变了："难道你母亲就是……就是……"

他的声音嘶哑，他已说不出那个名字，那个他一直都想忘记，却又永远忘不了的名字。

小弟替他说了出来。

"家母就是江南慕容世家的大小姐，茅大先生的小师妹……"

竹叶青面带微笑，又替他说了下去："这位大小姐的芳名，就叫作慕容秋荻。"

阿吉的手冰冷，直冷入骨髓。

小弟看着他，淡淡道："家母再三嘱咐我，若有人敢在外面胡言乱语，毁坏慕容世家的名声，就算我不杀他，你也不会答应的。何况这位茅大先生本就是慕容家的门人，我这么做，只不过是替家母清理门户而已。"

阿吉用力握紧双拳，道："你母亲几时做了慕容家的执法掌门！"

小弟道："还没有多久。"

阿吉道："她为什么不将你留在身旁？"

小弟叹了口气，道："因为我是个见不得人的孩子，根本没资格进慕容家的门，只有寄人离下，做一个低三下四的小弟。"

阿吉的脸色又变了，眼睛里又充满了痛苦和悲愤，过了很久，才轻轻的问："你今年已有多大年纪？"

小弟道："我今年才十五。"

大老板又吃了一惊，无论谁都看不出这少年才只不过是个十四五岁的孩子。

小弟道："我知道别人一定看不出我今年才只十五岁，就好像别人也看不出这位茅大先生今年才三十五一样。"

他忽然笑了笑，笑容显得很凄凉："这也许只不过因为我的日子比别人家的孩子过得苦些，所以长得也就比别人快些。"

痛苦的经验确实本就最容易令孩子们成熟长大。

仇二看着他，又看看阿吉，忽然跺了跺脚，抱起他朋友的尸身，头也不回地走了出去。

大老板知道他这一走，自己只怕也得走了，忍不住道："二先生请留步。"

小弟冷冷道："他明知今生已复仇无望，再留下岂非更无趣？"

这是句很伤人的话，江湖男儿流血拼命，往往就是为了这么样一句话。可是现在他却算准了仇二就算听见了，也只好装作没有听见，因为他说的的确是不容争辩的事实。

所以他想不到仇二居然又退了回来，一走出门，就退了回来，一步步往后退，惨白的脸上带着种很奇怪的表情，却不是悲伤愤怒，而是惊惶恐惧。

他已不再是那种热血冲动的少年，也绝不是个不知轻重的人。他的确不该再退回来的，除非他已只剩下这一条退路。

小弟叹了口气，喃喃道："明明是个聪明人，为什么偏偏要自讨无趣？"

门外一人冷冷道："因为他已无路可走。"

声音本来还很远，只听院子里的石板地上"笃"的一响，就已到了门外。

接着又是"笃"的一响，门外这个人就已经到了屋子里，左边一只衣袖空空荡荡地束在腰带上，右腿已被齐膝砍断，装着只木脚，左眼上一条刀疤，从额角上斜挂下来，深及白骨，竟是个独臂单眼单足的残废。像这样的残废，样子本来一定很丑陋狞恶，这个人却是例外。他不但修饰整洁，衣着华丽，而且还是个很有魅力的男人，就连脸上的那条刀疤，都仿佛带着种残酷的魅力。他的衣服是纯丝的，半腰的玉带上，还斜斜插着柄短剑。

屋子里有活人，也有死人，可是他却好像全都没有看在眼里，只冷冷的问："谁是这里的主人？"

大老板看着阿吉，又看看竹叶青，勉强笑道："现在好像还是我。"

独臂人眼角上翻，傲然道："有客自远方来，连个坐位都没有，岂非显得主人太无礼？"

第二十五章

舍我其谁

大老板还在迟疑，竹叶青已赔着笑搬张椅子过去："贵客尊姓？"

独臂人根本不理他，却伸出了四根手指。

竹叶青依旧赔笑，道："贵客莫非还有三位朋友要来？"

独臂人道："哼。"

竹叶青立刻又搬过三张椅子，刚摆成一排，已有两个人从半空中轻飘飘落了下来。

一个人不但身法轻如落叶，一张脸也像枯叶般干瘪无肉，腰带上插着根三尺长的枯竹，整个人看来都像是根枯竹。

可是他的衣着更华丽，神情更倨傲，屋子里的人无论是死是活，在他眼里看来都好像是死的。

另外一个人却是个笑口常开的胖子，一只白白胖胖的手上戴着三枚价值连城的汉玉戒指，指甲留得又尖又长，看起来就像是只贵妇人的手。这么样一双手当然不适于用剑，这么样一个人也不像是会轻功的样子。可是他刚才从半空中飘落时，轻功绝不比那枯竹般的老者弱。

看见这三个人，仇二已面如死灰。

门外却还有人在不停地咳嗽着，一面慢慢地走了进来，竟是个衣着破旧、弯腰驼背、满脸病容的老和尚。

看见这老和尚，仇二更面无人色，惨笑道："好得很，想不到连你也来了。"

老和尚叹了口气，道："我不来谁来？我不入地狱谁入地狱？"

他说话也是有气无力，不但像是有病，而且病了很久，病得很重，可是现在无论谁都已看得出他必定极有身份，极有来历。

大老板当然也有这种眼力，他已看出这和尚很可能就是他唯一的救星。不管怎么样，出家人心肠总是不会太硬的。所以大老板居然也恭恭敬敬地站了起来，赔笑道：“幸好这里不是地狱，大师既然到了这里，也就不必再受那十方苦难。”

老和尚又叹了口气，道：“这里不是地狱，哪里是地狱？我不来受苦，谁来受苦？”

大老板勉强笑道：“到了这里，大师还要受什么苦？”

老和尚道：“降魔也苦，杀人也苦。”

大老板道：“大师也杀人？”

老和尚道：“我不杀人谁杀人？不杀人又何必入地狱？”

大老板说不出话了。

独臂人忽然问：“你知道我是谁？”

大老板摇头。

无论谁当了他这样的大老板之后，认得的人都一定不会太多。

独臂人道：“你应该知道我是谁的，像我这样只有单眼、单手、单腿的人，却能用双剑的，只怕还没有几个。”

他并没有自夸，像他这样的人江湖中很可能连第二个都找不出。唯一的一个就是江南十大名剑中排名第二的“燕了双飞”单亦飞。

大老板当然也知道这个人：“是单大侠！”

独臂人傲然道：“不错，我就是单亦飞，我也是来杀人的。”

那干瘦老者立刻接着道：“还有我柳枯竹。”

枯竹剑也是江南的名剑客，江湖十剑中，已有七个人毁在仇二剑下。

单亦飞冷冷道：“我们今天要来杀的是什么人，我不说想必你也知道！”

大老板长长吐出口气，赔笑道：“幸好各位要来杀的不是我。”

单亦飞道：“当然不是你。”这句话还未说完，他的人已跃起，剑已出鞘，剑光一闪，直刺仇二。

仇二也已拾起了他的剑，挥剑还击。

“叮”的一声，双剑交击，两道剑光忽然改变方向，向大老板飞了过去。

大老板脸上的笑容还未消失，两柄剑已洞穿了他的咽喉和心脏。

没有人能想到这变化，也没有人阻拦。

因为就在双剑相击的同一刹那间，竹叶青已被老和尚击倒。也就在这同一刹那间，枯竹剑和那笑口常开的中年胖子已到了小弟身旁。枯竹剑的剑还未及出鞘，一柄剑已横闯小弟左肋。小弟想往前蹿，仇二和单亦飞的剑却迎面向他飞了过来。他只有往右闪，一双贵妇人般的纤纤玉手已在等着他，软绵绵的指甲忽然弹起，十根指尖，就像是十柄短剑，已到了他的咽喉眉间。

他已无路可退，已经死定了。

可是阿吉不能让他死，绝不能。

枯竹中的藏剑刚刚出鞘，眼前突然有人影一闪，手里的剑已到了别人手里，剑光再一闪，剑锋已到了他的咽喉。剑锋并没有刺下去，因为那中年胖子的指甲也没有刺下去。

每个人的动作都已停顿，每个人都在盯着阿吉手里的剑。

阿吉却在盯着那十根如剑般的指甲。这一瞬间的时光过得仿佛比一年还长，老和尚终于长长叹息，道："阁下好快的出手。"

阿吉淡淡道："我也会杀人。"

老和尚道："这件事和阁下有没有关系？"

阿吉道："没有。"

老和尚道："那么阁下何苦多管闲事？"

阿吉道："因为这个人和我有点关系。"

老和尚看看小弟，又看看那双贵妇人的手，叹息着道："阁下若是一定要救他，只怕难得很。"

阿吉道："为什么？"

老和尚道："因为那双手。"

他慢慢地接着道："那就是'点石成金，点活成死'的富贵神仙搜魂手。阁下就算杀了柳枯竹，那位少年施主也必死无疑。"

阿吉道："难道你们不惜以柳枯竹的一条命，换他的一条命？"

老和尚的回答很干脆："是的。"

阿吉脸色变了，道："他只不过还是个孩子，你们为何一定要置他于死地？"

老和尚突然冷笑，道："孩子？他只不过是个孩子？像这样的孩子世上只怕还不多。”

阿吉道：“他今年还不到十五。”

老和尚冷冷道：“那么我们就绝不容他活到十六。”

阿吉道：“为什么？”

老和尚不回答，却反问道：“你知不知道‘天尊’？”

阿吉道：“天尊？”

老和尚又叹了口气，慢慢地念出了八句偈：“天地无情。鬼神无眼。万物无能。壮民无知。生死无常。祸福无门。天地幽冥，唯我独尊。”

阿吉道：“这是谁说的？好大的口气。”

老和尚道：“这就是‘天尊’开宗立派的祝文，连天地鬼神都没有被他们看在眼里，何况是人？他们的所作所为，也就可想而知了。”

仇二道：“他们势力的庞大，已不在昔年的青龙会之下，可惜江湖中偏偏还有我们这几个不信邪的人，偏偏要跟他们拼一拼。”

单亦飞道：“所以江南十剑和仇二之间的一点私仇，已变得算不了什么，只要能消灭他们的恶势力，单某连头颅都可抛却，何况一点私仇而已！”

仇二道：“这地方的恶势力帮会，就是‘天尊’属下的一股支流。”

老和尚道：“我们暂时还不可能铲除他们的根本，就只有先从小处着手！”

仇二道：“你要救的这孩子，就是‘天尊’派到这里来的！”

老和尚道：“天尊的命令，全都由他在暗中指挥操纵，大老板和竹叶青都只不过是他的傀儡而已。”

他慢慢地接着道：“现在你总该已明白我们为何不能放过他。”

阿吉的脸色惨白。以江南十剑的名声地位，当然不会故意伤害一个孩子。他们说的话，他实在不能不信。

老和尚道：“现在你既然已明白了，是不是还想救他？”

阿吉道：“是的。”

老和尚的脸色也变了。

阿吉不等他开口，又问道：“他是不是天尊的首脑？”

老和尚道：“当然不是。”

阿吉道：“天尊的首脑是谁？”

老和尚道：“天尊的首脑，就叫作天尊。”

阿吉道：“若有人用天尊的一条命，来换这孩子的一条命，你们肯不肯？”

老和尚道：“当然肯，只可惜就算我们肯，这交易也是一定做不成的。”

阿吉道：“为什么？”

老和尚道：“因为没有人能杀天尊，没有人是他的对手。”

他的声音忽然停顿，脸上忽然露出种很奇怪的表情，心神此刻像是忽然飘到了远方，过了很久，才慢慢地接着道：“也许还有一个人。”

阿吉道：“谁？”

老和尚道：“三……”

他只说出了一个字，又停住，长长叹息道：“只可惜这个人已不在人世了，说出来也无用！”

阿吉道：“可是你说出来又有何妨？”

老和尚眼神仿佛又到了远方。喃喃道：“天上地下，只有这么样独一无二的一个人，独一无二的一把剑，只有他的剑法，才真是独步千古，天下无双。”

阿吉道：“你说的是……”

老和尚道：“我说的是三少爷。”

阿吉道：“哪一位三少爷？”

老和尚道：“翠云峰，绿水湖，神剑山庄的谢家三少爷谢晓峰。”

阿吉脸上忽然也露出种奇怪的表情，心神也仿佛到了远方，过了很久，才一字字道：“我就是谢晓峰！”

天上地下，只有这么样一个人。

他不但是天下无双的剑客，也是位才子，自从他生下来，他得到的光荣和宠爱，就没有人能比得上。他聪明英俊、健康强壮，就算恨他的人，也不能不佩服他。无论谁都知道谢晓峰就是这么样一个人，可是又有谁能真正了解他？

是不是有人了解他都无妨。有些人生下来本就不是为了要让人了解的，就像是神一样。

就因为没有人能了解神，所以祂才能受到世人的膜拜和尊敬。

在世人心目中，谢晓峰几乎已接近神。

阿吉呢？

阿吉只不过是个落拓江湖的浪子，是个没有用的阿吉。

谢晓峰怎么会变成阿吉这么样一个人，可是现在他却偏偏要说：“我就是谢晓峰！”

他真的是？

老和尚笑了，大笑：“你就是谢家的三少爷谢晓峰？”

阿吉道：“我就是。”

他没有笑。这是他的秘密，也是他的痛苦，他本来宁死也不愿说的，可是现在他说了。因为他不能让小弟死，绝不能。

老和尚的笑声终于停住，冷冷道：“可是江湖中每个人都知道他已死了。”

阿吉道：“他没有。”

他的眼睛里充满了悲伤和痛苦：“也许他的心已死了，可是他的人并没有死。”

老和尚盯着他，道：“就因为他的心已死了，所以才会变成阿吉？”

阿吉慢慢地点了点头，黯然道：“只可惜阿吉的心还没有死，所以谢晓峰也不能不活下去。”

仇二忽然道：“我相信他。”

老和尚道：“为什么相信？”

仇二道：“因为除了谢晓峰之外，没有人能让茅一云屈膝。”

柳枯竹道：“我也相信。”

老和尚道：“为什么？”

柳枯竹道：“因为除了谢晓峰外，我实在想不出还有别人能在一招内夺下我的剑！”

老和尚道：“你呢？”

他问的是富贵神仙手。

神仙手没有开口，可是他那双贵妇人的手已慢慢垂下，利剑般的指甲也软了。

这已是最好的答复。

谢晓峰的手一翻，枯竹剑已入了柳枯竹腰带上插着的剑鞘。

小弟已转过身，面对着他，看着他，眼睛里也带着种无法描述的奇怪表情。

富贵神仙手已用那双贵妇人的手拍了拍他的肩，微笑道：“你是不是忘了做一件事？忘了去谢谢三少爷的救命之恩？”

小弟垂下头，终于慢慢地走过去，慢慢地跪下。

谢晓峰拉住了他的手，疲倦而憔悴的脸上仿佛有了光。

小弟忽又抬起头，问道：“你……你为什么要救我？”

谢晓峰没有回答，只笑了笑，笑得仿佛很愉快，又仿佛很悲伤。

他的笑容还在脸上，他的右手的脉门已被扣住。

被小弟扣住，用“七十二小擒拿手”最厉害的一招扣住。

就在这同一刹那间，单亦飞跃起，一脚向谢晓峰踢了过去，只听“铮”的一声响，他的木脚中突然弹出了一柄剑，他的人刚飞起，剑已刺入谢晓峰的肩头。

这就是他的第二柄剑。

这才真正是他成名的杀手！

谢晓峰没有避开这一剑。

因为这一瞬间，他正在看着小弟，他的眼神中并没有惊惧愤怒，只有悲伤、失望和痛苦。

直到剑峰刺入他的肩，鲜血飞溅而出，他的目光还没有离开。

这时仇二和柳枯竹的剑也刺了过来，还有那双贵妇人般的手，富贵神仙搜魂手。

谢晓峰还是没有动，没有闪避。

他右手的脉门虽然被扣住，可是他还有另外一只手。

他为什么不动？

这位天下无双的剑客，难道真的连一个孩子的擒拿手都解不开？

仇二的剑，比柳枯竹快。他刺的是谢晓峰左膝，左膝并不是人身要害，却可以让人不能行动。他的出手准确而狠毒，如果要伤谢晓峰的要害，绝不会失手。

他们并不想立刻要他的命。

这一剑谢晓峰也没有躲开，剑锋划过，鲜血溅上了小弟的脸。

柳枯竹的剑也跟着刺了过来。

小弟忽然大吼，放开了谢晓峰的手，用力推开了他，却用自己的臂，挡住了枯竹剑，剑锋恰巧嵌入他的骨节。

“你疯了。”

柳枯竹怒喝，拔剑，拔不出。

单亦飞凌空一翻，木脚中的剑合而又分，“燕子双飞”。

仇二长剑斜挂，削谢晓峰的脸。

三把剑，三个方向，都快如闪电、毒如蛇蝎，只听“夺”的一声，仇二的剑忽然被一股力量打斜，钉入了单亦飞的木脚。

单亦飞重心骤失，身子从半空中落下，“咯哎”一声，手臂已被拗断，掌中剑也不见了。

枯竹剑被小弟嵌住，小弟的人也被枯竹剑钉死。

富贵神仙的搜魂手又到了小弟的咽喉眉睫。

忽然间，剑光一闪，这双贵妇人的手尖十指，已被一根根削断，一根接着一根，血淋淋地落在地上。

剑光再一闪，鲜血又溅出，柳枯竹惨呼倒下时，小弟已飞出门外。

没有人追出去，因为门口有人。

谢晓峰夺剑、挥剑、削指、刺人，反手将小弟送出门外，身子已挡住了门。

现在每个人都已知道他就是谢晓峰，他的掌中有剑。

谢家的三少爷掌中有剑时，谁敢轻举妄动！

就算他受了伤，就算他的伤口还在流血，也没有人敢动！

直到他退出去很久，老和尚才长长叹了口气，道：“果然是天下无双的剑法，果然是天下无双的谢晓峰！”

刚才已被击倒，一直僵卧在地上的竹叶青忽然道：“剑法确实是好的，天下无双则未必。”

他居然慢慢地坐了起来，脸上居然又露出了微笑。

老和尚居然也不吃惊，只瞪了他一眼，冷冷道：“叶先生的剑法当然也是好的，刚才为何不拔剑而起，与他一决胜负？”

竹叶青微笑道：“我比不上他。”

老和尚道：“你知道有谁能比得上他？”

竹叶青道：“至少还有一个人！”

老和尚道：“夫人？”

竹叶青微笑不答，却反问道：“你见过夫人出手？”

老和尚道：“没有。”

竹叶青道：“那只因夫人纵然要杀人，也用不着自己出手。”

老和尚道：“有谁能替她出手，将谢晓峰置于死地？”

竹叶青道：“燕十三。”

第二十六章

久别重逢

老和尚沉默了很久，又长长叹了口气，道："不错，燕十三，当然是燕十三。"

竹叶青道："普天之下，除了夫人外，只有他知道谢晓峰剑法中的破绽。"

老和尚道："可是他自从在绿水湖中刻舟沉剑后，江湖中就再也没有人见到过他的行踪，他怎么会替夫人去找谢晓峰？"

竹叶青道："他不会。"

老和尚道："谢晓峰会去找他？"

竹叶青道："也不会。"

他微笑，又道："可是我保证他们一定会在无意中相见。"

老和尚道："真的无意？"

竹叶青拂衣而起，淡淡道："是有情？还是无情？是有意？还是无意？这些事有谁能分得清？"

夜。

院子里黑暗而幽静，谢晓峰却走得很快，用不着一点灯光，他也能找到这里的。

就在这个院子，就在这同样安静的晚上，他也不知有多少次曾经披衣而起，来静静地体味这中宵的风露和寂寞。

今夜星辰非昨夜，今日的谢晓峰，也已不再是昔日那个没有用的阿吉。

世事如棋，变幻无常，又有谁能预测到他明日的遭遇？

现在他唯一关心的，只是他身边的这个人。

小弟慢慢地走在他身边，穿过黑暗的庭院，忽然停下来，道："你走吧！"

谢晓峰道："你不走？"

小弟摇摇头，脸色在黑暗中看来惨白如纸，过了很久，才徐徐道："我们走的本就不是一条路，你走你的，我走我的。"

谢晓峰看看他惨白的脸，心里又是一阵刺痛，也过了很久才轻轻地问："你不能换一条路走？"

小弟握紧双拳，大声道："不能。"

他忽然转身冲出去，可是他身子刚跃起，就从半空中落下。他惨白的脸上，冷汗如雨，再想挣扎着跃起，却已连站都站不稳了。

他本来以为自己可以挨得住柳枯竹那一剑，现在却发觉伤口里的疼痛愈来愈无法忍受。

他已晕了过去。

等他醒来时，斗室中一灯如豆，谢晓峰正在灯下，凝视着一截半寸长的剑尖。

枯竹剑的剑尖。

枯竹剑拔出时，竟留下了这一截剑尖在他的肩胛骨节里。

这种痛苦有谁能忍受？

若不是因为谢晓峰有一双极稳定的手，又怎么能将这截剑尖取出来？

可是直到现在他的衣服还没有干，手心也还有汗。

直到现在，他的手才开始发抖。

小弟看着他，忽然道："这一剑本该是刺在你身上的。"

谢晓峰苦笑，道："我知道。"

小弟道："所以你虽然替我治了伤，我也用不着感谢你。"

谢晓峰道："你用不着……"

小弟道："所以我要走的时候，你也不该留我。"

谢晓峰道："你几时要走？"

小弟道："现在。"

可是他没有走，他还没力气站起来。

谢晓峰慢慢地站起来，走到床头，凝视着他，忽然问：“以前你就见过我？”

小弟道：“虽然人没见过，却有见过别人替你画的一幅像。”

谢晓峰并没有问是谁替他画的像，他知道这个人是谁。

他只问：“你有没有告诉过别人，你已认出了我？”

小弟道：“我只告诉过一个人！”

谢晓峰道：“谁？”

小弟道：“天尊。”

谢晓峰道：“所以她就订下这计划来杀我？”

小弟道：“她知道要杀你并不容易。”

谢晓峰道：“单亦飞、柳枯竹、富贵神仙手和那老和尚都是天尊的人？”

小弟道：“仇二也是。”

谢晓峰沉默了很久，才轻轻地问：“天尊就是你母亲？”

这句话他显然早就想问了，却一直不敢问。

小弟回答得却很快：“不错，天尊就是我母亲，现在我也用不着瞒你。”

谢晓峰黯然道：“你本来就不必瞒我，我们之间，本就不该有秘密。”

小弟盯着他，道：“为什么？”

谢晓峰目中又露出痛苦之色，喃喃道：“为什么？你真的不知道为什么？”

小弟摇头。

谢晓峰道：“那么我问你，既然你母亲要杀我，你为什么要救我？”

小弟还在不停地摇头，脸上也露出痛苦迷惘之色，忽然跳起来，用身上盖着的被蒙住了谢晓峰的头，一脚踢开了斗室的门，冲了出去。

谢晓峰若是要追，就算用一千张、一万张被，也一样拦不住他的。

可是他没有追，因为他掀起这张被时，就看见了慕容秋荻。

冷冷清清的星光，冷冷清清的夜色，冷冷清清的小院里，有一棵已枯萎了的白杨树。她就在树下，清清淡淡的一个人，清清淡淡的一身衣服，眼皮朦胧。没有人知道她是从哪里来的，也没有人知道她是几时来的。她要来的时候就来了，要走的时候，谁也留不住。有人说她是天上的仙子，有人说她是地下的幽灵，不管别人怎么说，她都不在乎。

已经有十五年了。

漫长的十五年，在这四千多个长长短短、冷冷热热、有甜有苦的日子里，有多少人生？多少人死？有多少沧桑？多少变化？

可是她没有变。十五年前，他第一次看见她时，她就是这么样一个人。

可是他已变了多少？

小院中枯树摇曳，斗室里一灯如豆。

她没有走进来，他也没有走出去，只是静静地互相凝视着。

他们之间的关系，也总是像这么样，若即若离，不可捉摸。

没有人能了解他对她的感情，也没有人知道他心里在想什么。

不管他心里想什么，至少他脸上连一点都没有表露。

他久已学会在女人面前隐藏自己的情感，尤其是这个女人。

有风，微风。

她抬起手，轻抚被微风吹乱的头发，忽然笑了笑。她很少笑。

她的笑容也像是她的人，美丽、高雅、飘忽，就像春夜中的微风，没有人能捉得住。

她的声音也像是春风般温柔："已经有很多年了？是十五年？还是十六年？"

他没有回答，因为他知道她一定比他记得更清楚，也许连每一天发生的事都能记住。

她笑得更温柔："看样子你还是没有变，还是不喜欢说话。"

他冷冷地看着她，过了很久，才冷冷地问："我们还有什么话好说？"

她的笑容消失，垂下了头："没有了……没有了……"

是不是真的没有了？什么都没有了？

不是。

她忽又抬起头，盯着他：“我们之间若是真的已无话可说，我为什么要来找你？”

这句话本该是他问她的，她自己却先问了出来。然后她又自己回答：“我来，只因为我要带走那个孩子，你以前既然不要他，现在又何必来惹他，让他痛苦？”

他的瞳孔收缩，就像是忽然有根针刺入他心里。

她的瞳孔也在收缩：“我来，也因为我要告诉你，我一定要你死。”

她的声音冰冷，仿佛忽然变了个人：“而且这一次我要让你死在我自己手里。”

谢晓峰冷冷道：“天尊杀人，又何必自己出手？”

慕容秋荻道：“杀别人我从不自己出手，你却是例外。”

又有一阵风，她的头发更乱。

风还没有吹过去，她的人已扑了过来，就像是发了疯一样扑过来，就像是又变成了另外一个人。

现在她已不再是那清淡高雅、春风般飘忽美丽的少女。

也不再是那冷酷聪明，傲视天下武林的慕容夫人。

现在她只不过是普普通通的女人，被情丝纠缠，爱恨交迸，已完全无法控制自己。

她没有等谢晓峰先出手，也没有等他先露出那一点致命的破绽。她根本连一点武功都没有用出来。因为她爱过这个男人，又恨这个男人，爱得要命，又恨得要命。所以她只想跟他拼了这条命，就算拼不了也要拼。

对这么样一个女人，他怎么能施展出他那天下无情的剑法？

他身经百战，对付过各式各样的武林高手，渡过了无数次致命的危机。可是现在他简直不知道应该怎么办。

桌上的灯被踢翻了。

慕容秋荻已泼妇般冲进来。仿佛想用牙齿咬他的耳朵，咬他的鼻子，把他全身的肉都一块块咬下来，也仿佛想用指甲抓他的头发，抓他的脸。

他一拳就可以把她打出去，因为她全身上下都是破绽。可是他不能出手，也不忍出手。

他毕竟是个男人，她毕竟曾经是他的女人。他只有往后退，斗室中可以退的地方本不多，他已退无可退。

就在这时，她手里忽然有剑光一闪，毒蛇般向他刺了过来！

这一剑已不是泼妇的剑，而是杀人的剑！

精华！

致命的杀手！

这一剑不但迅速、毒辣、准确，而且是在对方最想不到的时候和方向出手，刺的正是对方最想不到的部位。

这一剑不但是剑法中的精粹，也已将兵法中的精义完全发挥。

这本是必杀必中的一剑，可是这一剑没有中。

除了谢晓峰外，世上绝没有第二个人能避开这一剑，因为世上也没有人能比他更了解慕容秋荻。

他能避开这一剑，并不是他算准了这一剑出手的时间和部位，而是因为他算准了慕容秋荻这个人。

他了解她的，也许比她自己还多。

他知道她不是泼妇，也知道她绝不会有无法控制自己的时候。

剑锋从他胁下划过时，他已擒住她的腕脉，他的出手时间也绝对准确。

短剑落下，她的人也软了，整个人都软软地倒在他怀里。她的身子轻盈、温暖而柔软。他的手却冰冷。

长夜已将尽，晨曦正好在这时从窗外照进来，照在她脸上。

她脸上已有泪光。一双蒙蒙眬眬的眼睛，又在痴痴迷迷地看着他。

他看不见。

她忽然问："你还记不记得，我们第一次相见的时候，我也要杀你，你也夺过了我的剑，就像这样抱着我！"

他听不见，可是他忘不了那一天——

是春天。

绿草如茵的山坡上，浓荫如盖的大树下，站着个清清淡淡的大女孩。

他看见了她对他笑了笑，笑容就像春风般美丽飘忽。

他也对她笑了笑。

看见她笑得更甜，他就走过去，采下一朵山茶送给她。她却给了他一剑。

剑锋从他咽喉旁划过时，他就抓住了她的手，她吃惊地看着他，问他："你就是谢家的三少爷？"

"你怎么知道我是？"他反问。

"因为除了谢家的三少爷外，没有人能在一招间夺下我的剑。"

他没有问她是不是已有很多人伤在她剑下，也没有问她为什么要伤人。

因为那天春正浓、花正艳，她的身子又那么轻、那么软。

因为那时他正年少。

现在呢？

十五年漫长艰辛的岁月，已悄悄地从他们身边溜走。

现在他心里是不是还有那时同样的感觉？

她仍在低语："不管你心里怎么样想，我总忘不了那一天，因为就在那一天，我就把我整个人都给了你，迷迷糊糊地给了你，你却一去就没了消息。"

他好像还是听不见。

她又说："等到我们第二次见面的时候，我已定了亲，你是来送贺礼的。

"那时我虽然恨你，怨你，可是一见到你，我就没了主意。

"所以就在我定亲的第二天晚上，我又迷迷糊糊地跟着你走了，想不到你又甩下了我，又一去就没消息。

"现在我心里虽然更恨你，可是……可是……我还是希望你能像以前一样，再骗我一次，再把我带走，就算这次你杀了我，我也不怨你。"

她的声音哀怨柔美如乐曲，他真的能不听？真的听不见？

他真的骗了她两次，她还这么对他。他真的如此薄情，如此无情？

“我知道你以为我已变了！”她已泪流满面，“可是不管我在别人面前变成了个什么样的人，对你，我是永远不会变的。”

谢晓峰忽然推开她，头也不回地走了出去。她还不放弃，还跟着他。

斗室外阳光已照遍大地，远处山坡又是一片绿草如茵。

他忽然回头，冷冷地看着她：“你是不是一定要我杀了你？”

她脸上泪犹未干，却勉强做出笑脸：“只要你高兴，你就杀了我吧。”

他再转身往前走，她还在跟着：“可是你的伤口还在流血，至少也该让我先替你包好。”

他不理。

她又说：“虽然这是我叫人去伤了你的，可是那完全是另外一回事，只要你开口，我随时都可以去替你杀了那些人。”

他的脚步又慢了，终于又忍不住回过头，冷酷的眼睛里已有了感情。

不管那是爱，还是恨，都是种深入骨髓，永难忘怀的感情。

堤防崩溃了，冰山融化了。

纵然明知道堤防一崩，就有灾祸，可是堤防要崩时，又有谁能阻止？她又倒入他怀里。又是一年春季，又是一片绿草如茵。

谢晓峰慢慢地从山坡上坐起来，看着躺在他身旁的这个人。他心里在问自己：“究竟是我负了她？还是她负了我？”

没有人能答复这问题，他自己也不能。

他只知道，无论她是好是坏，无论是谁负了谁，他只有和这个人在一起时，才能忘记那些苦难和悲伤，心里才能安宁。

他自己也不知道这是种什么样的感情，只知道人与人之间，若是有了这种感情，就算是受苦受骗，也是心甘情愿的。

就算死都没关系。

她又抬起头，痴痴迷迷地看着他："我知道你心里在想什么。"

"你知道？"

"你想要我解散天尊，带回那个孩子，安安静静地过几年。"

她的确说中了他的心事。

就算他天生是浪子，就算他血管里流着的都是浪子的血，可是他也有厌倦的时候。

尤其是每当大醉初醒，夜深人静时，又有谁不想身畔能有个知心的人，能叙说自己的痛苦和寂寞？

她轻轻握住了他的手，忽又问道："你知道我心里在想什么？"

他不知道，女人的心事，本就难测，何况是她这样的女人。

她忽然笑了笑，笑得很奇怪："我在想，你真是个呆子。"

"呆子？"

他不懂。

"你知不知道天尊是我花了多少苦心才建立的？我怎么能随随便便就将它毁了？你既然已不要那孩子，我为什么要带来给你？"

谢晓峰的心沉了下去，全身都已冰冷，从足底直冷到心底。

慕容秋荻看着他脸上的表情，笑得更疯狂："你至少也该想想，我现在是什么地位？什么身份？难道还会去替你煮饭洗衣裳？"

第二十七章

聚短离长

她不停地笑："现在你居然要我做这些事，你不是呆子谁是呆子？"

谢晓峰真的是个呆子？

他五岁学剑，六岁解剑谱，七岁时已可将唐诗读得朗朗上口，大多数像他那种年纪的孩子，还在穿开裆裤。可是他在慕容秋荻面前，却好像真的变成了个不折不扣的呆子。

无论谁在某一个人面前都会变成呆子的，就好像上辈子欠这个人的债。

他慢慢地站起，看着她，道："你说完了没有？"

慕容秋荻道："说完了又怎么样？难道你想杀了我？"

她的笑声忽然变成悲哭，大哭道："好，你杀了我吧，你这么对我，反正我也不想活了。"

她哭得伤心极了，脸上却连一点悲伤之色都没有，忽又压低声音，道："喜欢你的女人太多，我知道你渐渐就会忘了我的，所以我每隔几年就要修理你一次，好让你永远忘不了我。"

这句话说完，她哭的声音更大，忽然伸手在自己脸上用力掴了两巴掌，打得脸都紫了，又大叫道："你为什么不索性痛痛快快地杀了我？为什么要这样打我，折磨我？"

她捂着脸，痛哭着奔下山坡，就好像他真在后面追着要痛打她。

谢晓峰连指尖都没有动，山坡下却忽然出现了几个人。

一个满头珠翠的华服贵妇，第一个迎上来，将她搂在怀里。

后面跟着的三个人，一个是白发苍苍的老者，腰肢也还是笔直的，手里提着个长长的黄布袋。

另一个人虽然才过中年，却已显得老态龙钟，满脸都是风尘之色，仿佛刚赶过远路。

走在最后面的，却是个身材纤弱的小姑娘，一面走，一面偷偷地擦眼泪。

谢晓峰几乎忍不住要叫出来。

“娃娃。”

最后走上山坡的这个小姑娘，竟然就是他一直在担心着的娃娃。他没有叫，只因为另外三个人他也认得，而且认识得很久。

那老当益壮的白发人，是他的姑丈华少坤。

二十年前，“游龙剑客”华少坤力战武当的八大弟子，未曾一败，又娶了神剑山庄主人谢王孙的堂房妹妹“飞凤女剑客”谢凤凰，龙凤双剑，珠联璧合，江湖中都认为是最理想的一对璧人。

那时正是华少坤如日中天，平生最得意的时候，想不到就在这时候，他竟败在一个乳臭还未干的十来岁的童子剑下。击败他的那个小孩，就是谢晓峰。

正将慕容秋荻抱在怀里，替她擦眼泪的贵妇人，就是他的姑姑谢凤凰。

那个身材已刚臃肿的中年胖子也姓谢，也是他的远房亲戚，而且还是从小看着他长大的。

他很小的时候，就常常溜到对面湖畔的小酒店去要酒喝。这中年胖子，就是那小酒店的谢掌柜。

他们怎么也到这里来了？怎么会和娃娃在一起？

谢晓峰猜不透，也不想猜，他只想赶快走得远远的，不要让这些人看见他。

只可惜他们都已经看见了他，华少坤正在看着他冷笑，娃娃正在看着他流泪。

谢掌柜已喘息着爬上山坡，弯下腰，赔笑招呼：“三少爷，好久不见了，你好。”

谢晓峰很不好，心情不好，脸色也不好，可是对这个在他八九岁时就偷偷给他酒喝的老好人，他却不能不笑笑，才问：“你怎么会到这里来的？”

谢掌柜不会说谎，只有说老实话："我们都是慕容姑娘请来的。"

谢晓峰道："她请你们来干什么？"

谢掌柜迟疑着，不知道这次是不是还应该说老实话。

谢凤凰已冷笑道："来看你做的好事。"

谢晓峰闭上了嘴。

他知道他这位姑姑非但脾气不好，对他的印象也不好，世上本就没有任何女人会喜欢一个把自己老公打败了的人，不管这个人是不是她的侄子都一样。

可惜姑姑就是姑姑，不管她对你的印象好不好，都一样是你的姑姑。

他虽然闭上了嘴，谢凤凰却不肯放过他："想不到我们谢家竟出了你这样的人才，不但会欺负女人，连自己的孩子都可以不要。"

她指着慕容秋荻脸上的指痕："你已经骗了她两次，她还是全心全意地对你，你为什么还要把她打成这样子。"

慕容秋荻流着泪道："他……他没有……"

谢凤凰怒道："你少开口，刚才你们在那小客栈里说的话，我们全都听得清清楚楚，他自己既然一句都不敢否认，你为什么还要替他洗脱？"

她又问："那些话谢掌柜是不是也全都听得清清楚楚？"

谢掌柜道："是。"

谢掌柜道："你说别的女人，我们管不着，也懒得管。可是姑苏慕容跟我们谢家的关系却不同，就是你不要你的儿子，我们谢家却不能不认这个孩子，更不能不认这个媳妇。"

谢晓峰没有开口，他的嘴唇在发抖。现在他总算已完全明白慕容秋荻的企图。

她故意将这些人找来，安排他们躲在那客栈附近，故意说那些话，让他们听见，好让他以后想辩白也没法子辩白。

现在她已是江南慕容和天尊的主人，可是她还不满足。她还在打神剑山庄的主意。

谢家若是承认了她们母子，她当然就可以顺理成章地接下神剑山庄的霸业。

谢凤凰又在问："你还有什么话说？"

谢晓峰没有说话，这些事他虽然已想到，却连一句都没说出。

谢凤凰道："谢家的家法第一条是什么？"

谢晓峰的脸色还没有变，谢掌柜的脸色已变了。

他也知道谢家的家法，第一条就是戒淫——淫人妻女，斩其双足。

谢凤凰冷笑道："你既已犯了这一戒，就算我大哥护着你，我也容不得你！"

她的手一招，山坡下立刻就有个重髻童子送上了一柄剑。

剑一出鞘，寒气就已扎人肌肤。

谢凤凰厉声道："现在我就要替我们谢家清理门户，你还不跪下来听命受刑！"

谢晓峰没有跪下。

谢凤凰冷笑道："人证物证俱在，难道你还不肯认错，难道你敢不服家法？"

她知道没有人敢不服家法。

谁不服家法，谁就必将受天下英雄的唾弃，现在她手里不仅有一把剑，还有条绳子，用江湖千百年来传下的规矩编成的绳子，这条绳子已将谢晓峰紧紧捆住。

谁知谢晓峰就偏偏不服。

谢凤凰脸色变了。她是个很幸运的女人，不但有很好的家世，也有个很好的丈夫，江湖中敢正眼看看她的人却不多。所以她傲慢、骄纵，一向是大小姐的脾气，从来也没有将别人看在眼里。她想到的事立刻就要做。

长剑一抖，已经准备出手。

可是她想不到那位走两步路就要喘气的谢掌柜，动作忽然变得快了，忽然间就已挡在她面前，赔笑道："华夫人，请息怒！"

谢凤凰道："你想干什么？"

谢掌柜道："我想三少爷心里也许还有些不足为外人道的苦衷，就算华夫人要用家法处治他，也不妨先回去见了老太爷再说。"

谢凤凰冷笑道："你口口声声的叫我华夫人，是不是想提醒我，我已不是谢家的人？"

谢掌柜心里虽然就是这意思，嘴里却不肯承认，立刻摇头道："小人不敢。"

谢凤凰道："就算我已不是谢家的人，这把剑却还是谢家的剑。"

她长剑一展，厉声道："这把剑就是家法。"

谢掌柜道："华夫人说得有理，只不过小人还有一点不明白。"

谢凤凰道："哪一点？"

谢掌柜还是满脸赔笑，道："我不懂谢家的家法，怎么会到了华家人的手里？"

谢凤凰脸色又变了，怒道："你好大的胆子，竟敢对姑奶奶无理。"

谢掌柜道："小人不敢。"

这四个字出口，他左手一领，右手一撞、一托，谢凤凰掌中的剑，忽然间就已到了他手里。

他的人已退出三丈。

这一招用得简单、干净、迅速、准确，其中的变化巧妙，更难以形容。

谢晓峰出手夺柳枯竹的剑，用的正是这一招。

谢凤凰整个人都已僵住，脸色已气得发青，厉声道："你是从哪里学会这一招的？"

谢掌柜赔笑道："华夫人既然也认出了这一招，那就最好了。"

他慢慢地接着道："这是老爷子的亲传，他老人家再三嘱咐我，学会了这一招后，千万不可乱用，可是只要看见谢家的剑在外姓人的手里，就一定要用这一招去夺回来。"

他又笑了笑："老爷子说出来的话，我当然不敢不听。"

谢凤凰气得连话都说不出了，满头珠翠环佩，却在不停地响。

她也知道这一招的确是谢家的独门绝技，而且一向传子不传婿，传媳不传女。

刚才她的剑在一瞬间就已被人夺走，就因为她也不懂这一招中的奥秘。

华少坤忽然道："阁下是谢家的什么人？"

他的人看来虽然高大威猛，说话的声音却是细声细气，斯文得很。他本来不是这样子，自从败在三少爷的剑下之后，这些年来想必在求精养神，已经将涵养功夫练得很到家了，所以刚才一直都很沉得住气。

谢掌柜道：“算起来，小人只不过是老太爷的一个远房堂侄而已。”

华少坤道：“你知道这把剑是什么剑？”

谢掌柜道：“这就是谢家的祖宗传下来的四把宝剑之一。”

剑光一闪，剑气就已逼人眉睫。

华少坤长长叹了口气，道：“好剑！”

谢掌柜道：“的确是好剑！”

华少坤道：“阁下配不配用这把剑？”

谢掌柜道：“不配。”

华少坤道：“那么阁下为何还不将这把剑送还给三少爷？”

谢掌柜道：“小人正有此意。”

他说的是老实话，他本来的确早就有这意思了，却不懂华少坤这是什么意思。

可是他看得出谢凤凰懂。他们是经过患难的夫妻，他们已共同生活了二十年，现在她的丈夫要人将这柄本来属于她的剑送给别人，她居然没有一点懊恼愤怒，反而露出种说不出的温柔和关切。因为只有她懂得他的意思，他也知道她懂。

剑已在谢晓峰手里。可是他们两个人谁都没有再去看一眼，只是互相默默地凝视着。

也不知过了多久，华少坤忽然道：“再过几天，就是十一月十五了。”

谢凤凰道：“好像还要再过八天。”

华少坤道：“到了那一天，你嫁给我就已有整整二十年。”

谢凤凰道：“我记得。”

华少坤道：“我从小就有个誓愿，一定要到成名后再成亲。”

谢凤凰道：“我知道。”

华少坤道：“我成名时已四十出头，我娶你的时候，比你就整整大了二十岁。”

谢凤凰笑了笑，道：“现在你还是比我大二十岁。”

这地方不止他们两个人，他们却忽然说起他们两个人之间的私事来。

他们的声音都很温柔，表情却都很奇怪，甚至连笑都笑得很奇怪。

华少坤道："这二十年来，只有你知道我过的是什么样的日子。"

谢凤凰道："我知道，你……你一直觉得对不起我。"

华少坤道："因为我败了，我已不是娶你时那个华少坤，无论到了什么地方，都已没法子再出人头地，可是你……"

他走过来，握住了他妻子的手："你从来也没有埋怨过，一直都在忍受着我的古怪脾气，没有你，我说不定早已死在阴沟里。"

谢凤凰道："我为什么要埋怨你？这二十年，每天早上一醒来，就能看见你在我的身边，对一个女人来说，还有什么事能比得上这种福气？"

华少坤道："可是现在我已经老了，说不定哪天早上，你醒来时就会发现我已离你而去。"

谢凤凰道："可是……"

华少坤不让她开口，又道："每个人都迟早会有那么样一天的，这种事我一向看得很淡，可是我绝不能让别人说，谢家的姑奶奶，嫁的是个没出息的丈夫，我总要为你争口气！"

谢凤凰道："我明白。"

华少坤握紧她的手，道："你真的明白？"

谢凤凰点了点头，眼泪已流下面颊。

华少坤长长吐出口气，道："谢谢你。"

谢谢你。

这是多么俗的三个字，可是这三个字此刻从他嘴里说出来，其中不知藏着有多少柔情，多少感激，浓得连化都化不开。

娃娃的眼泪已湿透衣袖。现在连她都已明白他的意思，连她都忍不住要为他们感动悲哀。

华少坤已坐下来，坐在草地上。草色早已枯黄——虽然在少年情侣的眼里，这里还是绿草如茵的山坡，那也只不过因为在情人心里，每一天都是春天，每一季都是春季。

他们都已是多年的夫妻，他们的爱情久已升华。

他坐下来，将手里提着的黄布包摆在膝盖上，慢慢地抬起头，面对着谢晓峰。

谢晓峰已明白他的意思，只不过还在等着他自己说出来。

华少坤终于道："现在我用的已不是剑。"

谢晓峰道："哦？"

华少坤道："自从败在你剑下后，我已发誓终生不再用剑。"

他看着膝上的包袱，道："这二十年来，我又练成了另外一种兵刃，我日日夜夜都在盼望着，能够再与你一战。"

谢晓峰道："我明白。"

华少坤道："可是我已败在你剑下，败军之将，已不足言勇，所以你若不屑再与我这老人交手，我也不怪你。"

谢晓峰凝视着他，目光中忽然露出尊敬之意，脸上却全无表情，只淡淡地说了个字："请。"

用黄布做成的包袱，针脚缝得很密，外面还缠着长长的布带，打着密密的结。一种很难解得开的结。要解开这种结，最快的方法就是一把拉断，一刀斩断。可是华少坤并没有这么样做，这二十年来，他久已学会忍耐。他情愿多费些事，将这些结一个个解开。

这是不是因为他知道聚短离长，想再跟他的妻子多厮守片刻？谢凤凰看着他，忽然擦干了眼泪，蹲在他身边，道："我来帮你的忙。"

布带是她结成的，她当然解得快。她明知她丈夫此去这一战，生死荣辱，都很难预测。

她明知她的丈夫这一去就未必能回得来，为什么不愿再拖延片刻？因为她不愿这片刻时光，消磨了他的勇气和信心。

因为她希望他这一战能够制胜。他了解他妻子的心意，她也知道他了解。这种了解是多么困难，又是多么幸福！多么珍贵！

每个人都已被他们这种情感所感动，只有慕容秋荻连看都没有看他们一眼，却一直在看着那黄色包袱。

她心里在想："这包袱里藏着的究竟是种什么样的兵器？是不是能击败谢晓峰？"

华少坤壮年时就已是天下公认的高手，被谢晓峰击败后，体力也许会逐渐衰退，再难和他的颠峰时代相比。

可是一个人有了一次失败的经验后，做事必定更谨慎，思虑必定更周密，绝不会再像少年时那么任性冲动，也绝不会再做没有把握的事。何况，谢晓峰剑法的可怕，他已深深体会，要选择一种武器来对付三少爷的剑，并不是件容易事。

看他对这包袱的珍惜，就可以想象到他选择的这种武器，必定是江湖中很少见的，而且必定是极犀利、极霸道的一种。他蓄精养神，苦练了二十年，如今竟不惜冒生命之险，甚至不惜和他患难与共的妻子离别，要再来与谢晓峰一战，可见他对这一战必定已有了相当把握。

慕容秋荻轻轻吐出口气，对自己的分析也很有把握。现在若有人要跟她打赌，她很可能会赌华少坤胜。比数大概是七比三，最低也应该是六比四。她相信自己这判断绝不会太错。

包袱终于解开，里面包着的兵器，竟只不过是根木棍！

一根普通的木棍，本质虽然很坚硬，却绝对不能与百炼精钢的宝剑相比。

这就是他苦练二十年的武器？就凭这根木棍，就能对付三少爷的剑？

慕容秋荻看着这根木棍，心里也不知是惊讶，还是失望？

也许每个人都会觉得很吃惊、很失望，谢晓峰却是例外。

只有他了解华少坤选择这种兵器的苦心，只有他认为华少坤这种选择绝对正确。

木棍本就是人类最原始的一种武器，自从远古，人类要猎兽为食，保护自己时，就有了这种武器。就因为它是最原始的一种武器，而且每个人都会用它来打人赶狗，所以都难免对它轻视，却忘了世上所有的兵器，都是由它演变而来的。木棍本身的招式也许很简单，但是在一位高手掌中，就可以把它当作枪，当作剑，当作判官笔……

所有武器的变化，都可以用这一根木棍施展出来。

华少坤要将这么一根普通的木棍包藏得如此仔细，也并不是在故弄玄虚，而是一种心战，对自己的心战。

他一定要先使自己对这木棍珍惜尊敬，然后才会对它生出信心。

"信心"本身就是种武器，而且是最犀利、最有效的一种。

第二十八章

身经百战

慕容秋荻也是个聪明绝顶的人，也很快就想通了这道理。可是她还有一点不懂。

她不懂华少坤为什么不用金棍、银棍、铁棍，却偏偏要选择一削就断的木棍？

太阳升起，剑锋在太阳下闪着光，看来甚至比阳光还亮。

华少坤已站起来，只看了他妻子最后一眼，就大步走向谢晓峰。

谢晓峰一直静静地站在那里，等着他，脸上完全没有表情，对刚才所有的事都完全无动于衷。要成为一个优秀的剑客，第一个条件就是要冷酷、无情。

尤其是在决战之前，更不能让任何事影响到自己的情绪。

——就算你老婆就在你身旁和别的男人睡觉，你也要装作没看见。

这是句在剑客们之间流传很广的名言，谁也不知道是什么人说出来的，可是大家都承认它很有道理，能够做到这一点的人，才能活得比别人长些。

谢晓峰仿佛已做到了这一点。华少坤看着他，目中流露出尊敬之色。

谢晓峰却在看着他手里的木棍，忽然道："这是件好武器。"

华少坤道："是的。"

谢晓峰道："请。"

华少坤点点头，手里的木棍已挥出，刹那间就已攻出三招。

这三招连环，变化迅速而巧妙，却没有用一招剑招。

慕容秋荻在心里叹了口气，她看得出谢晓峰只要用一招就可将木棍削断。

想不到他却没有用她想象中的那一招，只用剑脊去招华少坤的手。

慕容秋荻眼睛亮了，直到现在，她才知道华少坤为什么要用木棍。

因为他知道谢晓峰绝不会用剑去削他的木棍，谢家的三少爷绝不会在兵刃上占这种便宜。

既然不肯用剑去削他的木棍，出手间就反而会受到牵制。

所以华少坤选择木棍做武器，实在远比任何人想象中都聪明。

慕容秋荻忍不住微笑，走过去拉住谢凤凰冰冷的手，轻轻地道："你放心，这一次华先生绝不会败的。"

高手相争，胜负往往在一招间就可决定，只不过这决定胜负的一招，并不一定是第一招，很可能是第几十招，几百招。

现在他们已交手五十招，华少坤攻出三十七招，谢晓峰只还了十三招。

因为他的剑锋随时都要避开华少坤的木棍。

——作为一个剑客，最大的目的就是求胜，不惜用任何手段，都要达到这目的。

谢晓峰没有做到这一点，因为他太骄傲。"骄者必败。"想到这句话，慕容秋荻心里更愉快，就在这时，只听"啪"的一声响，木棍一打剑脊，谢晓峰的剑竟被震得长虹般冲天飞起。

谢晓峰后退半步，竟说出了他这一生从未说过的三个字："我败了！"说完了这三个字，他就转过身，头也不回地走上山坡。华少坤既没有阻拦，也没有追击，追上去的是谢掌柜。

娃娃也想追上去，慕容秋荻却拉住了她，柔声道："你跟我回去，莫忘了我那里还有个人等着你去照顾他。"

这时飞起的长剑已落下，就落在谢凤凰身旁，剑锋插入了土地，剑柄朝上，她只要一伸手就可以将剑拔起来，就好像是有人特地送回来的一样。

谢晓峰的人已去远，华少坤却还是动也不动地站在那里。

他一战击败了天下无双的谢晓峰，吐出了一口已压积二十年的怨气，可是他脸上并没有胜利的光采，反而显得说不出的颓丧。

过了很久，他才慢慢地走回来，脚步沉重得就好像拖着条看不见的铁链。

谢凤凰既没有为他欢呼，也没有去拔地上的剑，只是默默地走过去，握住他的手。

她了解她的丈夫，也明白为什么他在战胜后反而会如此颓丧。

华少坤忽然问："你不要那柄剑了？"

谢凤凰道："那是谢家人的，我却已不是谢家的人。"

华少坤看着她，目中充满了柔情与感激，又过了很久，忽然转过身向慕容秋荻长长一揖，道："我想求夫人一件事。"

慕容秋荻道："但请吩咐。"

华少坤道："不知道夫人能不能为我在这柄剑旁立个石碑。"

慕容秋荻道："石碑？什么样的石碑？"

华少坤道："石碑上就说这是三少爷的剑，若有人敢拔出留为己用，华少坤一定要去追回来，不但追回这柄，还要追他颈上的头颅，就算要走遍天涯海角，也在所不惜。"

他为什么要为他的仇敌做这种事？

慕容秋荻既没有问，也不觉得奇怪，立刻就答应："我这就叫人去刻石碑，用不着半天就可以办妥了，只不过……"

华少坤道："怎么样？"

慕容秋荻道："如果有些顽童村夫从这里经过，将这柄剑拔走了呢？他们既不认得三少爷，也不认得华先生，甚至连字都不认得，那怎么办？"

她知道华少坤没有想到这一点，所以就说出自己的方法："我可以在这里造个剑亭，再叫人在这里日夜轮流看守，不知华先生认为是否妥当？"

这本是最周密完善的方法，华少坤除了感激外，还能说什么？

慕容秋荻却又幽幽地叹了口气，道："有时我真想不通，不管他对别人怎么样，别人却都对他很不错。"

华少坤沉思着，缓缓道："那也许只因为他是谢晓峰。"

山坡后是一片枫林，枫叶红如火。

谢晓峰找了块石头坐下，谢掌柜也到了，既没有流汗，也没有喘气。在酒店里做了几十年掌柜后，无论谁都会变得很会做戏的，只不过无论谁也都有忘记做戏的时候。

直到现在，谢晓峰才发现自己从来都没有真正了解过这个人。

他忍不住在心里问自己——我真正了解过什么人？

慕容秋荻？

华少坤？

谢掌柜已叹息着道："我是从小看着你长大的，可是直到现在我才发现我根本就不知道你是个什么样的人，你做的每件事，我都完全弄不懂。"

谢晓峰并没有告诉他这本是自己心里想说的话，只淡淡地问道："什么事你不懂？"

谢掌柜盯着他，反问道："你真的败了？"

谢晓峰道："败就是败，真假都一样。"

谢掌柜道："姑姑就是姑姑，不管她嫁给了什么人都一样。"

谢晓峰道："你明白就好！"

谢掌柜叹了口气，苦笑道："明白了也不好，做人还是糊涂些好！"

谢晓峰显然不愿再继续讨论这件事，立刻改变话题，问道："你究竟是怎么会到这里来的？"

谢掌柜道："我听说你在这里，就马不停蹄地赶来，还没有找到你，慕容姑娘就已经找到了我。"

谢晓峰道："然后呢？"

谢掌柜道："然后她就把我带到山坡下那间小客栈去，她去见你的时候，就叫我们在外面等着，我们当然也不敢随便闯进去。"

谢晓峰冷冷道："是不是不敢进去打扰我们的好事？"

谢掌柜苦笑，道："不管怎么样，你们的关系总比别人特别些。"

谢晓峰冷笑，忽然站起来，道："现在你已见到我，已经可以回去了。"

谢掌柜道："你不回去？"

谢晓峰道："我就是真要回去，也用不着你带路。"

谢掌柜凝视着他，道：“你为什么不回去？你心里究竟有什么不可以告诉别人的苦衷？”

谢晓峰已准备要走。

谢掌柜道：“你想到哪里去？是不是还想像前些日子那样，到处去流浪，去折磨自己？”

谢晓峰根本不理他。

谢掌柜忽然跳起来，大声道：“我并不想管你的事，可是有件事你却绝不能不管。”

谢晓峰终于看了他一眼，问道：“什么事？”

谢掌柜道：“你总不能让你的儿子娶一个妓女。”

谢晓峰的瞳孔收缩：“妓女？”

谢掌柜道：“我知道那个苗子兄妹是你的朋友，也知道他们都是好人，但是……”

谢晓峰打断了他的话：“你怎么知道这些事？”

谢掌柜还没有开口，枫林外已有个人道：“是我告诉他的。”

人在枫林外，声音还很远，谢晓峰已箭一般蹿出去，扣住了这个人的手。

冰冷的手，就像是毒蛇——竹叶青是不是毒蛇中最毒的一种？

谢晓峰冷笑道：“你还没有死？”

竹叶青微笑，道：“好人才不长命，我不是好人。”

谢晓峰道：“你想死？”

竹叶青道：“不想。”

谢晓峰道：“那么你就最好赶快走得远远的，永远莫要再让我看见你。”

竹叶青道：“我本来就要走了，有份礼我却非得赶快去送不可！”

谢晓峰的瞳孔又在收缩：“什么礼？”

竹叶青道：“当然是那位苗子姑娘和小弟的婚礼，既然有慕容夫人做主婚，游龙剑客夫妇为媒证，我这份礼当然是不可不送的。”

他微笑着，又问道：“三少爷是不是也有意思送一份礼去？”

谢晓峰的手也已变得冰冷。

竹叶青道："夫人怜惜那位苗子姑娘的身世孤苦，又知道她也是三少爷欣赏怜惜的人，所以才做主将她许配给小弟。"

谢晓峰的手突然握紧，竹叶青脸上立刻沁出冷汗，立刻改口道："可是我却知道三少爷一定不会同意这件婚事。"

他压低声音："只不过小弟也是天生的拗脾气，若有人一定不许他做一件事，他也许反而偏偏非去做不可，所以三少爷如果想解决这问题，最好的法子就是釜底抽薪。"

有种人好像天生就会替人解决难题，竹叶青无疑正是这种人。

没有薪火，釜中无论煮的是什么都不会熟，没有新娘子，当然也就不会有婚事。

握紧的手已放松，谢晓峰已在问："他们的人在哪里？"

竹叶青吐出口气，道："大家虽然都知道城里有大老板这么样一个人，可是见过他的人并不多，知道他住在哪里的更少。"

谢晓峰道："你知道？"

竹叶青又露出微笑，道："幸好我知道。"

谢晓峰道："他们就在那里？"

竹叶青道："仇二、单亦飞，和游龙剑客夫妇也在，他们都很赞成这件婚事，是不会让人把新娘子带走的。"

他微笑，又道："幸好他们都很累了，今天晚上一定睡得很早，到了晚上，若是有我这么样一个人带路，三少爷无论想带谁走都方便得很。"

谢晓峰盯着他，冷冷道："你为什么要对这件事如此热心？"

竹叶青叹了口气，道："那位苗子姑娘对我的印象一定不太好，小弟又是夫人的独生子，这件婚事若是成了，以后我只怕就没有什么好日子过了。"

他看着谢晓峰的伤口："可是我现在过的日子还算不错，这城里什么地方有好大夫，什么地方有好酒，我全知道。"

夜。

华少坤悄悄地从床上披衣而起，悄悄地推开门走出去。谢凤凰并没有睡着，也没有叫住他，问他要去哪里。她了解他的心情，她知道他一定想单独到外面走走。近年来他们虽然已很少像今天一样睡在一起，可是每一次他都能让她觉得满足快乐，尤其是今天，他对她的温柔就像是新婚。

他的确是个好丈夫，尽到了丈夫的责任，对一个六十多岁的老人来说，这已经很不容易。

看着他高大强壮的背影走出去，她心里充满了柔情，只希望自己也能尽到做妻子的责任，让他再多活几年，过几年快乐平静的日子，忘记江湖中的恩怨，忘记谢晓峰，忘记山坡上的那一战。

她希望他回来时就已能够忘记，她自己也不愿想得太多。

然后她就在蒙眬中睡着，睡着了很久，华少坤还没有回来。

广大的庭园，安静而黑暗。华少坤一个人坐在九曲桥外的六角亭里，已坐了很久。经过了一次无限欢愉恩爱缠绵后，他还是睡不着。他不能忘记山坡上的那一战，他心里充满了悔恨和痛苦。

夜渐深，就在他想回房去的时候，他看见一条人影从山石后掠过，肩上仿佛还背负着一个人，等他追过去时，已看不见了。

但是他却听见假山里有人在低语，仿佛是竹叶青的声音。

“现在你是不是已经相信了，他带走的那个人，就是娃娃。”

竹叶青的声音里充满挑拨：“他在你母亲定亲的那天晚上，带走你的母亲，又在你定亲的晚上，带走你的妻子。连我都不明白，他为什么要做这种事。”

另一个年轻的声音突然怒喝：“住口！”

这年轻人当然就是小弟。

竹叶青却不肯住口，又道：“我想他们现在一定又回到娃娃的老家去了，那地方虽然破旧，却很清静，又没有人会到那里去找他们，你最好也不要去，因为……”

他的话还没有说完，假山里已有条人影箭一般蹿出。

幸好这时华少坤已跃上假山，伏在山顶上，他认得出这个人正是小弟，也认得出后面走出来的一个人是竹叶青。

但是他暂时还不想露面，因为他已决心要将这件阴谋连根挖出来。

他决心要为谢晓峰做一点事。

竹叶青背负着双手，施施然漫步而行，很快就看见他卧房窗里的灯光。

他就住在离假山不远的一个单独院子里，外面有几百竿修竹，几畦菊花。

卧房里既然有灯光，紫铃一定还在等着他，今天每件事都进行得很顺利，他有权好好享受一个晚上，也许还要先喝一点酒。

门没有锁。住在这里的人用不着锁门，锁也没有用。

他可以想象得到紫铃一定已经赤裸着躺在被里等着他，却想不到房里还有另外一个人。仇二居然也在等着他。

灯前有酒，酒已将尽，仇二显然已喝了不少，等了很久。坐在他旁边斟酒的是紫铃。

她并不是完全赤裸着的，她穿着衣服，甚至还穿了两件。

可是两件加起来还是薄得像一层雾。

竹叶青笑了："想不到仇二先生也很懂得享受。"

仇二放下酒杯："只可惜这是你的酒，你的女人，现在你已回来，随时都可以收回去。"

竹叶青道："不必。"

仇二道："不必？"

竹叶青微笑道："现在酒已是你的，女人也是你的，你不妨留下来慢慢享受。"

仇二道："你呢？"

竹叶青道："我走！"

他居然真的说走就走。

仇二看着他，眼睛里充满惊讶与怀疑，等他快走出门，忽然大声道："等一等。"

竹叶青停下来，道："你还想要什么？"

仇二道："还想问你一句。"

竹叶青转过身，面对着他，等着他问。

仇二叹了口气，道："有些话我本该不问的，可是我实在很想知道你究竟是个什么样的人？心里究竟在打什么主意？"

竹叶青又笑了："我只不过是个很喜欢交朋友的人，很想交你这个朋友。”

仇二也笑了。

他的脸在笑，瞳孔却在收缩，又问道：“你的朋友还有几个没有被你出卖的？”

竹叶青淡淡道：“你在说什么？我一句都听不懂。”

仇二冷冷道：“你应该懂得的，因为你几乎已经把我卖了一次。”

他不让竹叶青开口，又道：“黑杀本来也是你的朋友，你却借茅一云的手杀了他们，单亦飞、柳枯竹、富贵神仙手和那老和尚，若是按照原定的计划及时赶来接应，茅一云就不至于死，可是你却故意迟迟不发讯号，因为你还要借谢晓峰的手，杀茅一云。”

竹叶青既不反驳，也不争辩，索性搬了张椅子，坐下来听。

仇二道：“小弟本来也是你的朋友，你却将他带给了谢晓峰，就算谢晓峰不忍杀他，他自己只怕也要一头撞死，看见自己的女人被人抢走，这种气除了你之外，只怕再也没有人能受得了。”

他的手已在桌下握住剑柄：“所以我才要特地来问问你，你准备几时出卖我？把我卖给谁？”

竹叶青又笑了，微笑着站起来，面对窗户：“外面风寒露冷，华先生既然已来了，为什么不请进来喝杯酒？”

窗子没有动，门却已无风自开，又过了很久，华少坤才慢慢地走进来。

四十岁之前，他就已身经百战，也不知被人暗算过多少次。

直到现在他还能活着，只因为他一向是个很谨慎小心的人。

他冷冷地看着竹叶青，道：“我本不该来的，现在却已来了，那些话我本不该听的，现在却已听见，所以我也想问问你，你究竟是个什么样的人？心里究竟在打什么主意？”

竹叶青微笑道：“我就知道华先生今天晚上一定睡不着的，一定还在想着今晨的那一战，所以早就准备送些美酒去，为华先生消愁解闷。”

他答非所问，好像根本没听见华少坤在说什么，轻描淡写地几句话就将一个滚烫的热山芋抛了回去。

第二十九章

患难相共

华少坤脸色果然变了，厉声道："我为什么睡不着？为什么要消愁解闷？"

竹叶青道："因为华先生是个君子。"

他的笑忽然变得充满讥诮："只可惜又不是真正的君子。"

华少坤的手已抖，显然在强忍着怒气。

竹叶青道："今晨那一战，是谁胜谁负，你知道得当然比谁都清楚。"

华少坤的手抖得更厉害，忽然拿起了桌上的半樽酒，一口气喝了下去。

竹叶青道："你若是真正的君子，就该当着你妻子的面，承认你自己输了。"

他冷笑："可是你不敢。"

华少坤用力握紧双拳，道："说下去。"

竹叶青道："你若也像我一样，也是个不折不扣的小人，就不会将这种事放在心上了，只可惜你又不是真正的小人，所以你心里才会觉得羞愧痛苦，觉得自己对不起谢晓峰。"

他冷冷地接着道："所以现在若有人问你，究竟是个什么样的人，你就不妨告诉他，你不但是个伪君子，还是个懦夫。"

华少坤盯着他，一步步走过去："不错，我是个懦夫，但是我一样可以杀人……"

他的声音忽然变得含糊嘶哑，收缩的瞳孔忽然扩散。

然后他就倒了下去。

仇二吃惊地看着他，想动，却没有动。

竹叶青道："你想不通他为什么会倒下？"

仇二道："他醉了？"

竹叶青道："他已是个老人，体力已衰弱，又喝得太快，可是酒里若没有迷药，还是醉不倒他的。"

仇二变色道："迷药？"

竹叶青淡淡道："这里的迷药虽然又浓又苦，但若混在陈年的竹叶青里，就不太容易分辨得出，我也是试验了很多次才成功。"

仇二忽然怒吼，想扑过来，却撞翻了桌子。

竹叶青微笑道："其实你早该想到的，像我这样的小人，怎么会将这样的好酒留给别人享受！"

仇二倒在地上，想扶着桌子站起来，刚起来又倒下。

竹叶青道："其实我还得感谢你，华少坤本是个很谨慎的人，若不是看见你喝过那樽酒，他也不会喝的，却不知你只不过因为喝得太慢，所以药才迟迟没有发作。"

仇二只觉得他的声音渐渐遥远，人也渐渐遥远，然后就什么都听不见，什么都看不见了。

紫铃忽然叹了口气，苦笑道："我本来以为你的野心只不过是想拼倒大老板，取而代之，现在……现在连我也不知道你究竟是什么样的人，心里究竟在打什么主意。"

竹叶青笑了笑，道："你永远不会知道的。"

谢凤凰从噩梦中醒来，连被单都已被她的冷汗湿透了。她梦见她的丈夫回来了，血淋淋站在她床头，血淋淋地压在她身上，压得她气都透不出，醒来时眼前却只有一片黑暗。

她丈夫为她点起的灯已灭了。

屋子里没有燃灯，谢晓峰一个人静静地坐在黑暗里，坐在他们吃饭时总要特地为公主留下的位子上。

她一生下来就应该是个公主，你若看见她，也一定会喜欢她的，我们都以她为荣。

炊火早已熄灭，连灰都已冷透。狭小的厨房里，已永远不会再有昔日的温暖，那种可以让人一直暖入心底的肉汤香气，也永远不会再嗅得到了。

但是他的确在这里得到过他从来未曾得到过的满足和安慰。

——我叫阿吉，没有用的阿吉。

——今天我们的公主回家吃饭，我们大家都有肉吃，每个人都可以分到一块，好大好大的一块。

肉捧上来时，每个人眼睛里都发出了光，比剑光还亮。

剑光闪动，剑气纵横，鲜血飞溅，仇人倒下。

——我就是谢家的三少爷，我就是谢晓峰。

——天下无双的谢晓峰。

究竟是谁比较快乐？

是阿吉？

还是谢晓峰？

门悄悄地被推开，一个纤弱而苗条的人影，悄悄地走了进来。

这是她的家，这里的每样东西她都很熟悉，就算看不见，也能感觉得到。

现在她又回来了。

带她回来的，是个胖胖的陌生人，却有一身比燕子还轻灵的功夫，伏在他身上，就像是在腾云驾雾。

她不认得这个人。

她跟他来，只因为他说有人在这里等她，只因为等她的这个人就是谢晓峰。

阿吉慢慢地站起来，轻轻道："坐。"

这是他们为她留的位子，她回来，就应该还给她。

他还记得他第一次看见她坐在这张椅子上，她乌黑柔软的头发长长披下来，态度温柔而高贵，就像是一位真的公主。那时他就希望自己以前从未看过她，就希望她是一位真的公主。

——你总不能让谢家的后代娶一个妓女做妻子。

——妓女，婊子。

他又想起他第一次看见她时，想起了他的手按在她小腹上时感觉到的那种热力，想起了她倒在地上，腰肢扭动时的那种表情。

——我才十五，只不过看起来比别人要大些。

小弟还是个孩子。

——没有人愿意做那种事的，可是每个人都要生活，都要吃饭。

——她是她母亲和哥哥心目中的唯一希望，她要让他们有肉吃。

但是小弟才十五岁，小弟是谢家的骨肉。

娃娃已坐下来，像一位真的公主般坐下来，明亮的眼睛在黑暗中发着光。

谢晓峰迟疑着，终于道："我见过你大哥。"

娃娃道："我知道。"

谢晓峰道："他受的伤已没事了，现在也绝不会有人再去找他。"

娃娃道："我知道。"

谢晓峰道："我怕你不方便，所以请那位谢掌柜去接你。"

娃娃道："我知道。"

她忽然笑了笑："我也知道你为什么要我来！"

谢晓峰道："你知道？"

娃娃道："你要我来，只因为你不要我嫁给小弟。"

她还在笑。

她的笑容在黑暗中看来，真是说不出的悲伤，说不出的凄凉。

她慢慢地接着道："因为你觉得我配不上他，你对我好，照顾我，只不过是同情我，可怜我，但是你心里还是看不起我的。"

谢晓峰道："我……"

娃娃打断了他的话，道："你用不着解释，我心里也很明白，你真正喜欢的，还是那位慕容夫人，因为她天生就是做夫人的命，因为她用不着出卖自己去养她的家，用不着做婊子。"

她的泪已流下，忽然放声大哭："可是你有没有想到，婊子也是人，也希望能有个好的归宿，也希望有人真正地爱她。"

谢晓峰的心在刺痛，她说的每句话，都像是尖针般刺入了他的心。

他忍不住走过去，轻抚她的柔发，想说几句安慰她的话，却又不知道该怎么说。

她已痛苦地扑倒在他怀里。

对她说来，能够被他抱在怀里，就已经是她最大的安慰。

他也知道，他怎么忍心将她推开？

忽然间，“砰”的一声响，门被用力撞开，一个脸色惨白的少年，忽然出现在门外，眼睛里充满了悲伤和痛苦，充满了恨。

谁知道仇恨有多大的力量，可以让人做出多么可怕的事来？谁知道真正的悲伤是什么滋味？

也许小弟已知道。也许谢凤凰也知道。

华少坤的尸体，是一个时辰前在六角亭里被人发现的。他的咽喉已被割断，衣服上、手上、苍白的须发上都是血。他身旁还有把血刀。

没有人能形容出谢凤凰看到她丈夫尸身时的悲伤、痛苦和愤怒。

在那一瞬间，她就像是忽然变成了只疯狂的野兽，得把自己整个人都撕裂，裂成片片，再用火烧，再用刀切，烧成粉末，切成浓血。七八只有力的手按住了她，直到一个时辰后，她才总算渐渐平静。

可是她还在不停地流泪。

二十年患难相共的夫妻，二十年休戚相关、深入骨髓的感情。

——现在他已是个老人，你们为什么还要他死？

死得这么惨！她的悲伤忽然变作仇恨，忽然冷冷道：“你们放开我，让我坐起来。”

天虽然已快亮了，桌上还燃着灯，灯光照在慕容秋荻脸上，她的脸色也是惨白的。

谢凤凰已在她对面坐下，泪已干了，眼睛里只剩下仇恨。

真正的悲伤可以令人疯狂，真正的仇恨却能令人冷静。

她冷冷地看着跳跃的灯火，忽然道：“我错了，你也错了！”

慕容秋荻道：“你为什么错了？”

谢凤凰道：“因为我们都已看出，今晨那一战，败的并不是谢晓峰，而是华少坤，可是我们都没有说出来。”

慕容秋荻不能否认。

谢晓峰的那柄剑，若是真正被震飞的，又怎么会恰巧落在谢凤凰手里?

他借别人的一震之力，还能将那柄剑送到谢凤凰手里，这种力量和技巧用得多么巧妙?

谢凤凰道：“谢晓峰本来不但可以击败他，还可以杀了他，可是谢晓峰没有这么做，所以现在杀他的人，也绝不会是谢晓峰。”

慕容秋荻也不能否认。

谢凤凰盯着她，道：“所以我想问你，除了谢晓峰外，这里还有什么人能一剑割断他的咽喉？”

慕容秋荻沉思着，过了很久很久才回答：“只有一个人。”

谢凤凰道：“谁？”

慕容秋荻道：“就是他，他自己。”

谢凤凰用力握住自己的手，指甲刺入掌心：“难道你说他……他是自杀的？”

慕容秋荻道：“嗯。”

谢凤凰忽又用力摇头，大声道：“不会，绝不会，为了我他绝不会这么做。”

慕容秋荻叹了口气，道：“他这么做，也许就是为了你。”

她接着又道：“因为他看得出你也知道真正败的是他，你不忍说出来，他自己也没有勇气说出来，这种羞辱和痛苦，一直在折磨着他，像他那么刚烈的人，怎么能忍受？”

谢凤凰垂下头，黯然道：“可是……”

慕容秋荻道：“可是如果没有谢晓峰，他就不会死！”

她自己是女人，当然很了解女人。女人们在自己悲伤愤怒无处发泄时，往往会迁怒到别人头上。

谢凤凰果然立刻又抬起头，道：“谢晓峰也知道他的脾气，也许早就算准了他会走上这条路，所以才故意那样做。”

慕容秋荻轻轻地叹了口气，道：“那倒也不是完全不可能！”

谢凤凰又盯着跳跃的火焰看了很久，忽然道：“我听说只有你知道谢晓峰剑法中的破绽。”

慕容秋荻苦笑道：“我的确知道，可是知道了又有什么用？”

谢凤凰道：“为什么没有用？”

慕容秋荻道：“因为我的力量不够，出手也不够快，虽然明明知道他的破绽在哪里，等我一招发出时，已来不及了。”

她叹息着，又道：“这就像我虽然明明看见有只麻雀在树上，等我去捉时，麻雀已飞走。”

谢凤凰道：“可是你至少已知道捉麻雀的法子。”

慕容秋荻道：“嗯。”

谢凤凰道：“你有没有告诉过别人？”

慕容秋荻道：“只告诉过一个人，因为只有他那柄剑，或许能对付谢晓峰。”

谢凤凰道：“这个人是谁？”

慕容秋荻道：“燕十三。”

小弟已转身冲了出去，连一个字都没有说，就转身冲了出去。他已亲眼看见他们拥抱在一起，还有什么话好说？

——就算亲眼看见的事，也未必就是真的。

他还不了解这句话，也不想听人解释，只想一个人走得远远的，愈远愈好。

因为他自觉受了欺骗，受了伤害，纵然他对娃娃并没有感情，但是她也不该背叛他，谢晓峰更不该。

谢晓峰了解这种感觉。他也曾受过欺骗，受过伤害，也曾是个倔强而冲动的热血少年。

他立刻追了出去。他知道谢掌柜一定会照顾娃娃的，他自己一定要照顾小弟。

只有他能从这少年倔强冷酷的外表下，看出他内心深处那一份脆弱的情感。

他一定要保护他，不让他再受到任何伤害。

小弟明知他跟在身后，却没有回头。

他不想再见这个人，可是他也知道，谢晓峰若是决心想跟住一个人，无论谁都休想甩脱。

谢晓峰没有开口。

因为他也知道，这少年若是决心不想听人解释，无论他说什么都没有用。

天已经亮了，日色渐高。

他们从陋巷走入闹市，从闹市而走入荒郊，已从荒郊走上大道。

道上的过客大都行色匆匆。

现在秋收已过，正是人们结算这一年盈亏利息的时候。有些人正急着要将他们的收获带回去和家人分享。有些人带回去的，却只有满心疲劳和一身债务。谢晓峰忍不住在心里问自己——这一年我是否已努力耕耘过？有什么收获？——这一年是我亏负了别人，还是别人亏负了我？有些人的账，本就是谁都没法子算得清的。

正午。

他们又走进了另一个城市，走上了热闹的花街。

不同的城市，同样的人，同样在为着名利和生活奔波。同样要被恩怨情仇所苦。

谢晓峰在心里叹了口气，抬起头，才发现小弟已停下来，冷冷地看着他。

他走过去，还没有开口，小弟忽然问："你一再跟着我，是不是因为你已决心准备要好好照顾我？"

谢晓峰承认。他忽然发现小弟了解他，就正如他了解小弟一样。

小弟道："我已走得累了，而且饿得要命。"

谢晓峰道："那么我们吃饭去。"

小弟道："好极了。"

他停下来的地方，就在"状元楼"的金字招牌下，一转身就可以看见里面那和气生财的胖掌柜，正在对着他们鞠躬微笑。

"八热炒四荤四素，先来八个小碟子下酒，再来六品大菜，虾子乌参，燕窝鱼翅，全鸡全鸭，一样都不能少。"

这就是小弟点的菜。

胖掌柜微笑鞠躬："不是小人夸口，这地方除了小号外，别家还真没法子在仓促间办得出这么样一桌菜来。"

小弟道："只要菜做得好，上得快，赏钱绝不会少。"

胖掌柜道："却不知还有几位客人？几时才能到？"

小弟道："没有别的客人了。"

胖掌柜道："只有你们两位，能用得了这么多的菜？"

小弟道："只要我高兴，吃不了我就算倒在阴沟里去，也跟你没关系。"

第三十章

千红剑客

胖掌柜不敢再开口，鞠躬而退。别的桌上却有人在冷笑：“这小子也不知是暴发户，还是饿疯了！”

小弟好像根本没听见，喃喃道：“这些菜都是我喜欢吃的，只可惜平时很难吃得到！”

谢晓峰道：“只要你高兴，能吃多少，就吃多少。”

没有人能吃得下这么样一桌菜，小弟每样只吃了一口，就放下筷子：“我饱了。”

谢晓峰道．“你吃得不多？”

小弟道：“若是吃一口就已尝出滋味，又何必吃得太多？”

他长长吐出口气，拍了拍桌子，道：“看账来。”

像他这样的客人并不多，胖掌柜早就在旁边等着，赔笑道：“这是八两银子一桌的菜，外加酒水，一共是十两四钱。”

小弟道：“不贵。”

胖掌柜道：“小号做生意一向规矩。连半分钱都不会多算客官的。”

小弟看了看谢晓峰，道：“加上小账赏钱。我们就给他十二两怎么样？”

谢晓峰道：“不多。”

小弟道：“你要照顾我，我吃饭当然该你付钱。”

谢晓峰道：“不错。”

小弟道：“你为什么还不付！”

谢晓峰道：“因为我连一两银子都没有。”

小弟笑了，大笑，忽然站起来，向刚才有人冷笑的桌子走过去。

这一桌的客人有四位，除了一个酒喝最少，话也说得最少，看起来好像有点笨头笨脑的布衣少年外，其余三个人，都是气概轩昂、意气风发的英俊男儿，年纪也都在二十左右。

桌上摆着三柄剑，形式都很古雅，纵未出鞘，也看得出都是利器。

刚才在冷笑的一个人，衣着最华丽，神情最骄傲，看见小弟走过来，他又在冷笑。

小弟却看着摆在他手边的那柄剑，忽然长长叹了口气，道："好剑。"

这人冷笑道："你也懂剑？"

小弟道："据说昔年有位徐鲁子徐大师，铸剑之术，天下无双，据说他曾应武当第七代掌门之邀，以西方精铁之英，用武当解剑池的水，铸成了七柄利剑，由掌门人传给门下剑术最高的七大弟子，人在剑在，死后才交回掌门收执。"

他微笑问道："却不知这柄剑是否其中之一？"

冷笑的少年还在冷笑，身旁却已有个紫衣人道："好眼力。"

小弟道："贵姓？"

紫衣人道："我姓袁，他姓曹。"

小弟道："莫非就是武当七大弟子中，最年轻英俊的曹寒玉？"

紫衣人又说了句："好眼力。"

小弟道："那么阁下想必就是金陵紫衣老家的大公子了。"

紫衣人道："我是老二，我叫袁次云，他才是我的大哥。"袁飞云就坐在他身旁，唇上已有了微髭。

小弟道："这位呢？"

他问的是那看来最老实的布衣少年："彩凤不与寒鸦同飞，这位想必也是名门世家的少爷公子。"

布衣少年只说了三个字："我不是。"

小弟道："很好。"

这两个字下面显然还有下文，布衣少年就等着他说下去。老实人通常都不多说，也不多问。

小弟果然已接着说道："这里总算有个人是跟他无冤无仇的了。"

袁次云道："他是谁？"

小弟道："就是那个本来该付账，身上却连一两银子都没有的人。"

袁次云道："我们都跟他有冤仇？"

小弟道："好像有一点。"

袁次云道："有什么冤？什么仇？"

小弟道："贤昆仲是不是有位叔父，江湖人称千红剑客？"

袁次云道："是。"

小弟道："这位曹公子是不是有位兄长，单名一个'冰'字？"

袁次云道："是。"

小弟道："他们两位是不是死在神剑山庄的？"

袁次云脸色已变了，道："难道你说的那个人就是……"

小弟道："他就是翠云峰，绿水湖，神剑山庄的三少爷谢晓峰。"

"锵啷"一声，曹寒玉的剑已出鞘，袁家兄弟的手也已握住剑柄。

"你就是谢晓峰？"

"我就是。"

剑光闪动间，三柄剑已将谢晓峰围住。

谢晓峰的脸色没有变，胖掌柜的脸却已被吓得发青，小弟突然走过去，拉了拉他衣角，悄悄问："你知不知道吃白食的，最好的法子是什么？"

胖掌柜摇头。

小弟道："就是先找几个人混战一场，自己再悄悄溜走。"

小弟已经溜了。他说溜就溜，溜得真快，等到胖掌柜回过头，他早已人影不见。

胖掌柜只有苦笑。他并不是不知道这法子，以前就有人在这里用过，以后一定还有人会用。

因为用这法子来吃白食，实在很有效。

正午，长街。

小弟沿着屋檐下的阴影往前走。能够摆脱掉谢晓峰，本是件很令人得意高兴的事，可是他却连一点这种感觉都没有。

他只想一个人奔走入原野，放声呐喊，又想远远地奔上高山之巅去痛哭一场。

也许只有他自己知道自己为什么会这么想，也许连他自己都不知道。

——谢晓峰是不是能对付那三个眼睛长在头顶上的小杂种？

——他们谁胜谁负，跟我有什么狗屁关系？

就算他们全部都死了，也有他们的老子和娘来为他们悲伤痛哭，我死了有谁会为我掉一滴眼泪？

小弟忽然笑了，大笑。街上的人全都扭过头，吃惊地看着他，都把他看成个疯子。可是他一点都不在乎，别人随便把他看成什么东西，他都不在乎。

一辆大车从前面的街角转过来，用两匹马拉着的大车，崭新的黑漆车厢，擦得比镜子还亮，窗口还斜插着一面小红旗。

身上系着条红腰带的车把式，手挥长鞭，扬眉吐气，神气得要命。

小弟忽然冲过去，挡在马头前，健马惊嘶，人立而起。

赶车的大吼大骂，一鞭子抽了下来。

“你想死？”

小弟还不想死，也不想挨鞭子，左手带住了鞭梢，右手拉住了缰绳，赶车的就一头栽在地上，车马却已停下。

车窗里一个人探出头来，光洁的发髻，营养充足的脸，却配着双凶横的眼。

小弟走过去，深深吸了口气，道：“好漂亮的头发，好香。”

这人狠狠地瞪着他，厉声道：“你想干什么？”

小弟道：“我想死。”

这人冷笑，道：“那容易得很。”

小弟微笑，道：“我就知道我找对了地方，也找对了人。”

他看着这人扶在车窗上的一双手，粗短的手指，手背上青筋凸起。

只有经过长期艰苦奋斗，而且练过外家掌力的人，才会有这么一双手，做别的事也许都不适宜，要扭断一个人的脖子却绝非难事。

小弟就伸长了脖子，拉开车门，微笑道：“请。”

这人反而变得有些犹疑了，无缘无故就来找死的人毕竟不太多。

车厢里还有个猫一样蜷伏着的女人，正眯着双新月般的睡眼在打量着小弟，忽然吃吃地笑道："他既然这么想死，你为什么不索性成全了他？胡大爷几时变得连人都不敢杀了？"

她的声音就像她的人一样娇弱而柔媚，话中却带着猫爪般的刺。

胡大爷眼睛里立刻又露出凶光，冷冷道："你几时见过我胡非杀过这样的无名小辈？"

猫一样的少女又吃吃地笑道："你怎么知道他是个无名的小辈？他年纪虽轻，可是年轻人里名气大过你的也有不少，说不定他就是武当派的曹寒玉，也说不定他就是江南紫衣袁家的大少爷，你心里一定就在顾忌着他们，所以才不敢出手。"

胡非的一张脸立刻涨得血红，这少女软言温柔，可是每句话都说中了他的心病。

他知道曹寒玉和袁家兄弟都到了这里，这少年若是没有点来历，怎敢在他面前无礼？

小弟忽然道："这位胡大爷莫非就是红旗镖局的铁掌胡非？"

胡非立刻又挺起了胸膛，大声道："想不到你居然还有点见识。"

江湖豪杰听见别人知道自己的名头，心里总难免有些得意，如果自己的名头能将对方骇走，那当然更是再好也没有。

小弟却叹了口气，道："我也想不到。"

胡非道："想不到什么？"

小弟道："想不到红旗镖局居然有这么大的威风，这么大的气派，连镖局一个小小的镖师，都能摆得出这么大的排场来。"

这样的鲜衣怒马、香车美人，本来就不是一个普通镖师能养得起的。

红旗镖局的声誉虽隆，总镖头"飞骑快剑"铁中奇的追风七十二式和二十八支穿云箭虽然是名震江湖的绝技，可是镖局里的一个镖头，月俸最多也只不过有几十两银子。

胡非的脸涨得更红，怒道："我的排场大小，跟你有什么关系？"

小弟道："一点关系都没有。"

胡非道："你姓什么？叫什么？是什么来历？"

小弟道："我既没有姓名，也没有来历，我……我……"

这本是他心里的隐痛，他说的话虽不伤人，却刺伤了他自己。像曹寒玉那样的名门子弟，提起自己的身世时，当然不会有他这样悲苦的表情。

胡非心里立刻松了口气，厉声道："我虽不杀无名小辈，今日却不妨破例一次。"

他的人已箭一般蹿出车厢，铁掌交错，猛切小弟的咽喉。

小弟道："你虽然肯破例了，我却又改变了主意，又不想死了。"

这几句话说完，他已避开了胡非的二十招，身子忽然一轻，"哧"的一声，中指弹出，指尖已点中了胡非的腰。胡非只觉得半边身子发麻，腰下又酸又软，一条腿已跪了下去。

那猫一样的女人，道："胡大镖头为什么忽然变得如此多礼？"

胡非咬着牙，恨恨道："你……你这个吃里爬外的贱人……"

那猫一样的女人道："我吃里爬外？我吃了你什么？凭你一个小小的镖师，就能养得起我？"

她看着小弟，又道："小弟弟，你刚才只有一样事看错了。"

小弟道："哦？"

猫一样的女人道："一直都是我在养他，不是他在养我。"

胡非怒吼，想扑过去，又跌倒。

猫一样的女人道："最近你吃得太多，应该少坐车，多走路。"

她用那双新月般的眼睛看小弟："可是我一个人坐在车里又害怕，你说该怎么办呢？"

小弟道："你想不想找个人陪你？"

猫一样的女人道："我当然想，想得要命，可是，我在这里人地生疏，又能找得到谁呢？"

小弟道："我。"

胡非一条腿跪在地上，看着小弟上了车，看着马车绝尘而去，却没有看见后面已有人无声无息地走过来，已到了他身后。

车厢里充满了醉人的香气。小弟跷起了脚，坐在柔软的位子上，看着对面那猫一样蜷伏在角落里的女人。这女人要甩掉一个男人，简直比甩掉一把鼻涕还容易。

这女人也在看着他，忽然道："后面究竟有什么人在追你，能让你怕得这么厉害？"

小弟故意不懂："谁说后面有人在追我？"

猫一样的女人笑道："你虽然不是好人，可是也不会无缘无故要抢人马车的，你故意要找胡非的麻烦，就因为你看上了车上的红旗，躲在红旗镖局的车子里，总比躲在别的地方好些。"

她的眼睛也像猫一样利，一眼就看出了别人在打什么主意。

小弟笑了："你怎么知道我是看中了车上的红旗，不是看中了你？"

猫一样的女人也笑了："好可爱的孩子，好甜的嘴。"

她眨着眼，眼波流动如春水："你既然看中了我，为什么不过来抱抱我？"

小弟道："我怕。"

猫一样的女人道："怕什么？"

小弟道："怕你以后也像甩鼻涕一样甩了我。"

猫一样的女人嫣然道："我只甩那种本来就像鼻涕的男人，你像不像鼻涕？"

小弟道："不像。"

他忽然间就已坐了过去，一下子就已抱住了她，而且抱得很紧。

他的身世孤苦离奇，心里充满了悲愤不平，做出来的事，本来就不是可以用常理揣测的。

他的手也很不老实。

猫一样的女人忽然沉下了脸，冷冷道："你好大的胆子。"

小弟道："我的胆子一向不小。"

猫一样的女人道："你知道我是什么人？"

小弟道："你是个女人，很漂亮的女人。"

猫一样的女人道："漂亮的女人，都有男人的，你知道我是谁的女人？"

小弟道："不管你以前是谁的，现在总是我的。"

猫一样的女人道："可是……可是我连你的名字都不知道。"

小弟道："我没有名字，我……我是个没爹没娘的小杂种。"

一提起这件事，他心里就有一股悲伤恨气直冲上来，只觉得世上从来也没有一个人对得起他，他又何必要对得起别人？

猫一样的女人看着他脸上的表情，脸已红了，好像又害羞，又害怕，颤声道：“你心里在想什么？是不是想强奸我！”

小弟道：“是。”

他的头已伸过去，去找她的嘴。

突听车窗“咯”的一响，仿佛有风吹过，等他抬起头，对面的位子上已坐着一个人，苍白的脸上，带着种说不出的悲伤。

小弟长长叹了口气，道：“你又来了。”

谢晓峰道：“我又来了。”

车厢很阔大，本来至少可以坐六个人的，可是现在三个人就似已觉得很挤。

小弟道：“我知道你从小就是个风流公子，你的女人多得连数都数不清。”

谢晓峰没有否认。

小弟忽然跳起来，大声道：“那么你为什么不让我也有个女人，难道你要我做一辈子和尚？”

谢晓峰脸上的表情很奇怪，过了很久，才强笑道：“你不必做和尚，可是这个女人不行。”

小弟道：“为什么？”

猫一样的女人忽然叹了口气，道：“因为我是他的。”

小弟的脸色惨白。

猫一样的女人已坐过去，轻摸着他的脸，柔声道：“几年不见，你又瘦了，是不是因为女人太多？还是因为想我想瘦的？”

谢晓峰没有动，没有开口。

小弟握紧双拳，看着他们，他不开口，也不动。

猫一样的女人道：“你为什么不告诉我，这位小弟弟是什么人，跟你有什么关系？”

小弟忽然笑了，大笑。

猫一样的女人道：“你笑什么？”

小弟道："我笑你，我早就知道你是什么人了，又何必别人来告诉我？"

猫一样的女人道："你真的知道我是什么人？"

小弟道："你是个婊子。"

他狂笑着撞开车门，跳了出去。

他狂笑，狂奔。

至于谢晓峰是不是还会跟着他？路上的人是不是又要把他当作疯子？他都不管了。

第三十一章

存心送死

他又奔回刚才那城市，“状元楼”的金字牌仍旧闪闪发光。

他冲进去，冲上楼。

楼上没有血，没有死人，也没有战后的痕迹，只有那胖掌柜还站在楼头，吃惊地看着他。

曹寒玉和袁家兄弟刚才是根本没有出手？还是已被打跑了？

小弟也不问，只咧开嘴对那胖掌柜一笑，道：“吃白食的又来了，把刚才那样的酒席，再给我照样开一桌来，错一样我就抄了这状元楼。”

酒席又摆上。

八热炒四荤四素，先来八个小碟子下酒，还有六品大菜，虾子乌参，燕窝鱼翅，全鸡全鸭，一样都没有少。

可是小弟这次连一口都没有吃。他在喝酒。

二十斤一坛的竹叶青，他一口气就几乎喝下了半坛子。他几乎已醉了。

谢晓峰呢？谢晓峰为什么没有来？是不是在陪那婊子？有了那么样一个女人陪着，他为什么还要来？

小弟又笑了，大笑。

楼外忽然响起一阵“隆隆”的车声，一行镖车正从街上走过。

有镖车，就有镖旗。

镖旗是走镖的护符，也是镖局的荣誉，这行镖车上插的是红旗。

比鲜血还红的红旗。

第一辆镖车上的红旗迎风招展，正面绣着一个斗大的“铁”字。

反面绣着一把银光闪闪的利剑和二十八支穿云箭。

这就是红旗镖局总镖头的令旗，有这面旗在，就表示这趟镖是威镇江湖的“铁骑快剑”亲自出马押送的。

有这面旗在，大江南北的绿林豪杰，纵使不望风远遁，也没有人敢伸手来动这趟镖的。有这面旗在，才有遍布大江南北一十八地的红旗镖局。所以这已不仅是一个人的荣誉，也是十八家镖局中大小两千余人的身家生命所系。无论谁侮辱了这面镖旗，红旗镖局中上上下下两千余人都不惜跟他拼命的。

小弟又笑了，大笑，就好像忽然想到了一件极有趣的事。

大笑声中，他已跃下高楼，冲入镖车的行列，一拳将前面护旗的镖师打下马去，身子凌空一翻，摘下了车上的镖旗，双手一拗，竟将这面威震大江南北的银剑红旗一下子拗成两段。

车轮声，马蹄声，趟子手的吆喝声，一下子忽然全都停顿。

一片乌云掩住了白日，乌云里电光一闪，一个霹雳从半空中打下，震得人耳鼓嗡嗡作响。

可是大家竟似已连这震耳的霹雳声都听不见，一个个全都两眼发直，瞪着车顶上的这个年轻人和他手里的两截断旗。

没有人能想得到真的会有这种事发生，没有人能想得到世上真有这种不要命的疯子，敢来做这种事。

被一拳打下马鞍的护旗镖师，已挣扎着从地上爬起，这人姓张名实，走镖已有二十年，做事最是老练稳重，二十年来刀头舐血，出生入死，大风大浪也不知经历过多少，同行们公送了他一个外号，叫“实心木头人”。

那并不是说他糊涂呆板，而是说他无论遇上什么事，都能保持镇定，沉着应变。可是现在连这实心木头人也已面如死灰，全身上下抖个不停。

这件事实在是意外，太惊人，发生时大家全都措手不及，事发时每个人都乱了方寸，否则小弟就算有天大的本事，也未必能一连得手，就算能侥幸得手，现在也已被乱刀分尸，剁成了肉泥。

看见这些人的脸色神情，小弟也笑不出来，只觉一阵寒意自足底升起，全身都已冰冷僵硬。

又是一声霹雳连下。震耳的霹雳声中，仿佛听见有人说了个“杀”字，接着就是“锵”的一响，数十把刀剑同时出鞘，这一声响实在比刚才的霹雳还可怕。

刀光一起，前后左右，四面八方都有人飞奔而来，脚步虽急促，次序却是丝毫不乱，霎时间已将这辆镖车围住。

就凭这种临危不乱的章法，已可想见红旗镖局的盛名，得来并不是侥幸。

张实也渐渐恢复镇定，护镖的四十三名镖师趟子手，都在等着他，只要他一声令出，就要乱刀齐下，血溅当地。

小弟反而笑了。他并不怕死。他本就是找死来的，刚才虽然还有些紧张恐惧，现在心里反而觉得说不出的轻松解脱。

——世上所有的荣辱烦恼，恩怨情仇，现在都已将成过去。

——我是个疯子也好，是个没有爹的小杂种也好，也都已没关系了。

他索性在车顶上坐了下来，大笑道：“你们的刀已出鞘，为什么还不过来杀了我？”

这也是大家都想问张实的，在镖局中，他的资格最老，经历最丰，总镖头不在时，镖师们都以他马首是瞻。

张实却还在犹疑，缓缓道：“要杀你并不难，我们举手间就可令你化作肉泥，只不过……”

他身旁一个手执丧门剑的镖师抢着问道：“只不过怎么样？”

张实沉吟着道：“我看这个人竟像是存心要来送死的。”

丧门剑道：“那又怎么样？”

张实道：“存心送死的人，必有隐情，不可不问清楚，何况他背后说不定还另有主使的人。”

丧门剑冷笑道：“那么我们就先废了他的双手双腿再说。”

他的长剑一展，第一个冲了上去，剑光闪动，直刺小弟的环跳穴。

小弟并不怕死，可是临死前却不能受人凌辱，忽然飞起一脚，踢飞了他的丧门剑。这一脚突然而发，来得无影无踪，正是江南慕容七大绝技中的“飞踢流星脚”，连流星都可踢，其快可知。

可是除了这柄丧门剑，还有二十七把快刀，十五柄利器在等着他。

丧门剑斜斜飞出时，已有三把刀、两柄剑直刺过来，刺的都是他关节要害。

刀光飞舞，剑光如匹练，突听"叮"的一响，三把刀、两柄剑，突然全都断成两截，刀头剑尖凭空掉了下来，两颗圆圆的东西从车顶上弹起，滴溜溜地滚在地上，竟是两颗珍珠。

车顶上已忽然多了一个人，脸色苍白，手里还拈着朵妇人鬓边插的珠花，眼尖的人已看出上面的珍珠少了五颗。

五件兵刃被击断，声音却只有一响，这人竟能用小小的五颗珍珠，在一刹那间同时击断五件精钢刀剑。在镖局里混饭吃的，都是见多识广的老江湖了，可是像这样的功夫，大家非但未闻未见，简直连想都不敢想象。

又是一声惊震，大雨倾盆而落。

这个人却动也不动地站在那里，脸上也仿佛全无表情。

小弟冷冷地看着他："你又来了。"

这人道："我又来了。"

大雨滂沱，密珠般的雨点一粒粒打在他们头上，沿着面颊流下，他们脸上的表情是悲是喜？是怒是恨？谁也看不出。

大家只看出这个人一定是武功深不可测的绝顶高手，一定和这个折断镖旗的少年有密切的关系。

张实先压住了他的同伴，就连满心怨气的丧门剑也不敢轻举妄动，只问："朋友尊姓？"

"我姓谢。"

张实的脸色变了，姓谢的高手只有一家："阁下莫非是从翠云峰，绿水湖，神剑山庄来的？"

这人道："是的。"

张实的声音已颤抖："阁下莫非就是谢家的三少爷？"

这人道："我就是谢晓峰。"

谢晓峰！这三个字就像是某种神奇的符咒，听见了这三个字没有人敢再动一动。

忽然间，一个人自大雨中飞奔而来，大叫道："总镖头到了，总镖头到……"

二十年前，连山十八寨的盗贼群起，气焰最盛时，忽然出现了一个人，一人一骑，独闯连山，以一柄银剑、二十八支穿云箭，扫平了连山十八寨，身负的轻重伤痕，大小竟有一十九之多。

可是他还没有死，居然还有余力追杀连山群盗中最凶悍的巴天豹，一日一夜马不停蹄，刺巴天豹的首级于八百里外。这个人就是红旗镖局的总镖头，"铁骑快剑"铁中奇。

听见他们的总镖头到了，四十多位镖头和趟子手同时松了口气。他们都相信他们的总镖头一定能解决这件事。

谢晓峰心里在叹息。他知道这件事是小弟做错了，可是他不能说，他不愿管这件事，可是不能不管。他绝不能眼见着这个孩子死在别人手里，因为他在这世上唯一对不起的一个人，就是这孩子。

雨珠如帘。

四个人撑着油布伞，从大雨中慢步走来，最前面的一个人，白布袜，黑布鞋，方方正正的一张脸，竟是在状元楼上和曹寒玉同桌的那老实少年。

铁中奇为什么不来？他为什么要来？

看见了这年轻人，红旗镖局旗下的镖师和趟子手竟全都弯身行礼，每个人的神色都很恭谨，每个人都对他十分尊敬。

每个人都在恭恭敬敬地招呼他："总镖头。"

难道红旗镖局，竟换了这看来有点笨笨的老实人？

红旗镖局上下两千多人，其中多的是昔日也曾纵横江湖的好手，也曾有过响当当的名声，就凭这么样一个老老实实的年轻人，怎么能服得住那些慓悍不驯的江湖好汉？

这当然有理。

镖旗被毁，镖师受辱，就算张实这样的老江湖，遇上这种事都难免惊惶失措。

可是这少年居然还能从从容容地慢步而来，一张方方正正的脸上，居然连一点惊惶愤怒的神色都没有，这种喜怒不形于色的修养和镇定，本不是一个二十左右的年轻人所能做到的。

大雨如注，泥水满街。

这少年慢慢地走过来，一双白底黑布鞋上，居然只有鞋尖沾了点泥水，若没有绝顶高明的轻功，深不可测的城府，怎么能做得到？

谢晓峰的心沉了下去。他已发现这少年可能比铁中奇难对付，要解决这件事很不容易。

这少年却连看都没有看他一眼。他明知镖旗被毁，明知折旗的人就在眼前，竟好像完全不知道，完全看不见，手撑着油布伞慢慢地走过来，只淡淡地问道："今天护旗的镖师是哪一位？"张实立刻越众而出，躬身道："是我。"

这少年道："你今年已有多大年纪？"

张实道："我是属牛的，今年整整五十。"

这少年道："你在镖局中已做了多少年？"

张实道："自从老镖头创立这镖局时，我就已在了。"

这少年道："那已有二十六年。"

张实道："是，是二十六年。"

这少年叹了口气，道："先父脾气刚烈，你能跟他二十六年，也算很不容易。"

张实垂下头，脸上露出悲伤之色，久久说不出话来。

听到这里，小弟也已听出他们说的那位老镖师，无疑就是创立红旗镖局的"铁骑快剑"铁中奇，这少年称他为"先父"，当然就是他的儿子。

父死子继，所以这少年年纪虽轻，就已接掌了红旗镖局，铁老镖头的余威仍在，大家也不能对他不服。奇怪的是，此时此刻，他们怎么会忽然叙起家常来，对镖旗被毁、镖师受辱的事，反而一字不提。

谢晓峰却已听出这少年问的这几句家常话里，实在别有深意。

张实的悲伤，看来并不是为了追悼铁老镖头的厚爱，而是在为自己的失职悔恨愧疚。

这少年叹息着，忽又问道：“你是不是在三十九岁那年娶亲的？”

张实道：“是。”

这少年道：“听说你的妻子温柔贤惠，还会烧一手好菜。”

张实道：“几样普通家常菜，她倒还能烧得可口。”

这少年道：“她为你生了几个孩子？”

张实道：“三个孩子，两男一女。”

这少年道：“有这样一位贤妻良母管教，你的孩子日后想必都会安守本分的。”

张实道：“但愿如此。”

这少年道：“先父去世时，家母总觉得身边缺少一个得力的人陪伴，你若不反对，不妨叫你的妻子到内宅去陪伴她老人家。”

张实忽然跪下去，“砰、砰、砰”磕了三个响头，对这少年的安排仿佛感激已极。

这少年也不拦阻，等他磕完了头，才问道：“你还有什么心愿？”

张实道：“没有了。”

这少年看着他，又叹了口气，挥手道：“你去吧。”

张实道：“是。”

这个字说出口，忽然有一片血沫飞溅而出，张实的人已倒下，手里的一柄剑，已割断了他自己的咽喉。

小弟的手足冰冷。直到此刻，他才明白这少年为什么要问张实那些家常话。

红旗镖局的纪律之严，天下皆知，张实护旗失职，本当严惩。

可是这少年轻描淡写几句话，就能要一个已在镖局中辛苦了二十六年的老人立刻横剑自刎，而且还心甘情愿，满怀感激。

这少年心计之深沉，手段之高明，作风之冷酷，实在令人难以想象。

地上的鲜血，转眼间就已被大雨冲净，镖师脸上那种畏惧之色，却是无论多大的雨都冲不掉的。对他们这位年轻的总镖头，每个人心里都显然畏惧已极。

这少年脸上居然还是全无表情，又淡淡地说道：“胡镖头在哪里？”

他身后一个人始终低垂着头，用油布伞挡住脸，听见了这句话，立刻跪下来，五体投地，伏在血水中，道："胡非。"

这少年也不回头看他一眼，又问道："你在镖局已做了多久？"

胡非道："还不到十年。"

这少年道："你的月俸是多少两银子？"

胡非道："按规矩应该是二十四两，承蒙总镖头恩赏，每个月又加了六两。"

这少年道："你身上穿的这套衣服加上腰带靴帽，一共值多少？"

胡非道："十……十二两。"

这少年道："你在西城后面那栋宅子，每个月要多少开销？"

胡非的脸已扭曲，雨水和冷汗同时滚落，连声音都已嘶哑。

这少年道："我知道你是个很讲究饮食的人，连家里用的厨子，都是天价从状元楼抢去的，一个月没有二三百两银子，只怕很难过得去。"

胡非道："那……那都是别人拿出来的，我连一两都不必负担。"

这少年笑了笑，道："看来你的本事倒不小，居然能让人每个月拿几百两银子出来，让你享受，只不过……"

他的笑容渐渐消失："江湖中的朋友们，又怎么会知道你有这么大的本事，看见红旗镖局里的一个镖师，就有这么大的排场，心里一定会奇怪，红旗镖局为什么如此阔气，是不是在暗中与绿林豪杰们有些勾结，赚了些不明不白的银子。"

胡非已听得全身发抖，以头顿地，道："以后绝不会再有这种事了。"

这少年道："为什么？是不是因为替你出钱的那个人，已给别人夺走？"

胡非满面流血，既不敢承认，又不敢否认，这少年道："有人替你出钱，让你享受，本是件好事，镖局也管不了你，可是你居然眼睁睁地看着你的人被夺走，连仇都不敢报，那岂非长了他人的威风，灭了我们镖局的志气？"

胡非眼睛亮了，立刻大声道："那小子也就是毁了我们镖旗的人。"

这少年道："那你为什么还不过去杀了他！"

胡非道："是。"

他早就想出这口气了，现在有总镖头替他撑腰，他还怕什么，反手拔出了腰刀，身子跃起。

忽然间，剑光一闪，一柄剑斜斜刺来，好像并不太快。可是等到他闪避时，这柄剑已从他左胁刺入，咽喉穿出，鲜血飞溅，化作了满天血雨。

他甚至没看见这一剑是谁刺出来的。

可是别人都看见了。胡非的人刚跃起，这少年忽然反手抽出了身后一个人的佩剑，随随便便一剑刺出，连头都没有回过去看一眼。

这一剑时间算得分毫不差，出手的部位更是巧妙绝伦。但是真正可怕的，并不是这一剑，而是他出手的冷酷无情。

小弟忽又笑了，大笑道："你杀你自己属下的人，难道还能教我害怕不成？就算你将红旗镖局上上下下两千多人全都杀得干干净净，也跟我没有半点关系。"

这少年根本不理他，直到现在都没有看过他一眼，就好像根本不知道镖旗是被他折毁的，又问道："谢晓峰谢大侠是不是也来了？"

一直站在他身后，为他撑着油布伞的镖师立刻回答："是。"

这少年道："哪一位是谢大侠？"

镖师道："就是站在车顶上的那一位。"

这少年道："不对。"

镖师道："不对？"

这少年道："以谢大侠的身份地位，若是到了这里，遇见了这种事，早该仗义执言，评定是非，怎么一直不声不响地站在那里？谢大侠岂又是这种幸灾乐祸，隔岸观火的人？"

谢晓峰忽然笑了笑，道："骂得好。"

镖车远在四丈外，中间还隔着十七八个人，可是等他说完了这三个字，他的人忽然就已到了这少年眼前，只要一伸手，就可以拍上他的肩。

这少年脸色虽然变了变，但立刻就恢复镇定，脚下居然没有后退半步。

谢晓峰道："总镖头也姓铁？"

这少年道："在下铁开诚。"

谢晓峰道："我就是谢晓峰。"

镖师们虽然明知这个人武功深不可测，虽然明知谢晓峰也到了这里，可是听他亲口说出这三个字来，还是不禁悚然动容。

第三十二章

胸有成竹

铁开诚躬身道："先父在世时，晚辈就常听他老人家说起，谢大侠一剑纵横，天下无敌。"

谢晓峰道："你的剑法也不错。"

铁开诚道："不敢。"

谢晓峰道："能杀人的剑法，就是好剑法。"

铁开诚道："可是晚辈杀人，并不是要以杀人立威，更不是以杀人为快。"

谢晓峰道："你杀人通常都是为了什么？"

铁开诚道："为了先父开创镖局时，就教我们人人都一定要记住的六个字。"

谢晓峰道："六个字？"

铁开诚道："责任、纪律、荣誉。"

谢晓峰道："好，果然是光明磊落，堂堂正正，难怪红旗镖局的威名，二十六年来始终不坠。"

铁开诚躬身谢过，才肃容道："先父常教训我们，要以镖局为业，就得要时刻将这六个字牢记在心，否则又与盗贼何异？"

他的神情更严肃："所以无论谁犯了这六个字，杀无赦！"

谢晓峰道："好一个杀无赦！"

铁开诚道："张实疏忽大意，护旗失责，胡非自甘堕落，操守失律，所以他们虽是先父的旧人，晚辈也不能枉法徇私。"

他目光灼灼，逼视着谢晓峰："神剑山庄威重天下，当然也有它的家法。"

谢晓峰不能否认。

铁开诚道："神剑山庄的门人子弟，如是犯了家法，是否也有罪？"

谢晓峰更不能否认。

铁开诚道："无论哪一家的门规家法，是否都不容弟子忽视江湖道义，破坏武林规矩？"

他的目光如刀，比刀锋更利："闹市纵酒，无故寻事，不但伤了人，还折毁了镖局中誉鉴复命所系的镖旗，这算不算破坏了江湖规矩？"

谢晓峰的回答简单而直接："算的。"

铁开诚目中第二次露出惊讶之色，他手里已有了个打好了的绳圈，正准备套上小弟的脖子，谢晓峰应该明白他的意思，为什么不将小弟的脖子挡住？不管怎么样，这机会都绝不能错过，他立刻追问："不顾江湖道义，无故破坏江湖规矩，这种人犯的是什么罪？"

谢晓峰的回答更干脆："死罪。"

铁开诚闭上了嘴。

现在绳圈已套上小弟脖子，他也已明白谢晓峰的意思。

小弟的生命虽重，神剑山庄的威信更重，若是两者只能选择其一，他只有牺牲小弟。

现在张实和胡非都已伏罪而死，小弟当然也必死无赦。

红旗镖局的镖师们，无一不是目光如炬的老江湖，当然也都看出这一点，每个人的手又都握紧刀柄，准备扑上去。

铁开诚却又挥了挥手，道："退下去，全都退下去。"

没有人明白他为什么要这样做，可是也没有人敢违抗他的命令。

铁开诚淡淡道："罪名是谢大侠自己定下来的，有谢大侠在，还用得着你们出手？"

小弟忽然大声道："谁都用不着出手！"

他盯着谢晓峰，忽又大笑，道："谢晓峰果然不愧是谢晓峰，果然把我照顾得很好，我心里实在感激得很。"

他大笑着跃下车顶，冲入人群，只听"喀吒"一响，一名镖师的手臂已被拗断，当中的剑已到了他手里，他连看也不再去看谢晓峰一眼，剑锋一转，就往自己咽喉抹了过去。

谢晓峰苍白的脸上全无表情，全身上下好像连一点动静都没有，大家只听见"哧"的一声，"咯"的一响，小弟手里已只剩下个剑柄，三尺的剑锋，已凭空折断，一样东西随着剑锋落下，赫然又是一粒明珠。

谢晓峰手里珠花上的明珠又少了一颗。

小弟的手虽然握住了剑柄，整个人却被震退了两步。

他身后的三名镖手对望一眼，两柄刀、一柄剑，同时闪电般击出。

这三人与那手臂折断的镖师交情最好，本就同仇敌忾，现在谢晓峰既然又出了手，也就不算违抗总镖头的命令了。

三人一起击出，自然都是致命的杀手。

只听谢晓峰指尖又是“哧”的一响，接着“咯”的一声，两柄刀、一柄剑，立刻又同时折断，三个人竟同时被震退五步，连刀柄都握不住。

铁开诚沉下了脸，冷冷道：“好强的力道，好俊的功夫！”

谢晓峰沉默。

铁开诚冷笑道：“谢大侠武功之高，原是江湖中人人都知道的，谢大侠的言而无信，江湖中只怕没有几个人知道了。”

谢晓峰道：“我言而无信？”

铁开诚道：“刚才是谁定的罪？”

谢晓峰道：“是我。”

铁开诚道．“定的是什么罪？”

谢晓峰道：“死罪。”

铁开诚道：“既然定了他的死罪，为什么又出手救他？”

谢晓峰道：“我只定了一个人的罪，有罪的却不是他。”

铁开诚道：“不是他是谁？”

谢晓峰道：“是我。”

铁开诚目中第三次露出惊讶之色，问道：“为什么是你？”

谢晓峰道：“因为那些不顾江湖道义，破坏江湖规矩的事，都是我教他做的。”

他眼睛又露出了那种说不出的痛苦和悲伤，慢慢地接着道：“若不是我，他绝不会做出这种事，我服罪当诛，却绝不能让他为我而死。”

铁开诚看着他，瞳孔渐渐收缩，忽然仰面长叹，道：“状元楼头，你以一根牙筷，破了曹寒玉的武当剑法，你的剑法之高，实在是当世无双。”

直到现在，小弟才知道状元楼上那一战是谁胜谁负。

他虽然还是连看都不看他一眼，心里却忽然在后悔了，只恨自己当时没有留下来，看一看谢家三少爷以牙筷破剑的威风。

铁开诚又道：“当时袁家兄弟就看出了，就算他们双剑合璧，也绝不是你的对手，所以才知难而退。在下两眼不瞎，当然也看得出来，若非逼不得已，实在不愿与你交手。”

谢晓峰道：“很好。”

铁开诚道：“可是现在你既然这么说，想必已准备在剑法上一较生死胜负。”

他冷笑，接着道：“江湖中的道理，本来就是要在刀头剑锋上才能讲得清楚的，否则大家又何必苦练武功？武功高明的人，无理也变成了有理，那本就算不得什么。”

谢晓峰凝视着他，过了很久，忽然长叹，道：“你错了。”

铁开诚道：“错在哪里？”

谢晓峰道：“我既已服罪，当然就用不着你来出手。”

铁开诚虽然一向自负，能喜怒不形于色，此刻脸上也不禁露出惊讶之色。江湖中替人受过，为朋友两肋插刀的事，他也不是没有见过，可是以谢晓峰的身份武功，又何苦如此轻贱自己的性命？

谢晓峰已走过去，拍了拍小弟的肩，道：“这里已没有你的事了，你走吧。”

小弟没有动，没有回头。

谢晓峰道：“我一直没有好好照顾你，你小时一定受尽别人侮辱耻笑，我只希望你能好好做人，酒色两字，最好……”

他下面在说什么，小弟已听不见。

想到自己童年时的遭遇，想到娃娃拥抱着他的情景，小弟只觉得一股怒气直冲上来，忽然大声道：“好，我走，这是你要跟着我的，我本就不欠你什么！”

他说走就走，也不回头。没有人阻拦他，每个人的眼睛都在盯着谢晓峰。

大雨如注，沿着他湿透了的头发滚滚流落，流过他的眼睛，就再也分不清那究竟是雨水？还是泪水？

他动也不动地站在那里，就好像天地间已只剩下他一个人。也不知过了多久，他才转身，面对铁开诚。

铁开诚没有开口，也不必再开口。有谢家的三少爷抵罪，红旗镖局上上下下，还有谁能说什么？

谢晓峰却忽然问了句很奇怪的话："据说铁老镖头近年一直很少在江湖走动，为的就是要自己教导你。"

铁开诚慢慢地点了点头，黯然道："不幸他老人家已在两个月前去世了。"

谢晓峰道："但是你毕竟已经成器。"

铁开诚道："那只因为他老人家的教训，晚辈时刻不敢忘记。"

谢晓峰也慢慢地点了点头，喃喃道："很好，很好，很好……"

他将这两个字也不知说了多少遍，声音愈说愈低，头也愈垂愈低。

他的手却已握紧。

长街上挤满了人，有的是红旗镖局属下，也有的不是，每个人都看得出这位天下无双的名侠，心里充满了内疚和愧恨，已准备用自己的鲜血来洗清。

就在这时，人丛中忽然有人大喊："谢晓峰，你错了，该死的是铁开诚，不是你，因为……"

说到这里，声音突然停顿，就像是突然被快刀刃割断。一个人从人丛中冲出来，双睛凸出，瞪着铁开诚仿佛想说什么。他连一个字都没有再说出来，人已倒下，后背赫然插着柄尖刀，已直没至柄。

可是另一边的人丛中却有人替他说了下去："因红旗镖局的令旗，早就已被他玷污了，早已变得不值一文，他……"

说到这里，声音又被割断，又有一个人血淋淋地冲出来倒地而死。

可是世上居然真有不怕死的人，死并没有吓住他们。

西面又有人嘶声大喊："他外表忠厚，内藏奸诈，非但铁老镖头死得不明不白，而且……"

这人一面大喊，一面已奔出人丛，忽然间，刀光一闪，穿入他的咽喉。

北面立刻又有人替他接着说了下去："而且西城后那藏娇的金屋，也是他买下的，只因老镖头新丧，他不能不避些嫌疑，最近很少去那里，才被胡非乘虚而入。"

这次说话的人显然武功较高，已避开了两次暗算，蹿上了屋脊，又接着道："刚才胡非生怕被他杀了灭口，所以才不敢说，想不到他不说也难逃一死！"

他一面说，一面向后退，说到"死"时，屋脊后突然有一道剑光飞出，从他的后颈刺人，咽喉穿出，鲜血飞溅出，这人骨碌碌从屋顶上滚了下来，落在街心。

长街一片死寂。

片刻间就已有四个人血溅长街，已令人心惊胆裂，何况他们死得又如此悲壮，如此惨烈。

铁开诚却还是神色不变，冷冷道："铁义。"

一个健壮高大的镖师越众而出，躬身道："在。"

铁开诚道："去查一查这四个人是谁主使的，竟敢到这里来颠倒黑白，血口喷人。"

铁义道："是。"

谢晓峰道："他们若真是血口喷人，你何必杀人灭口？"

铁开诚冷笑道："你看见了杀人的是谁？"

谢晓峰忽然跃起，蹿入人丛，只见他身形四起四落，就有四个人从人丛中飞出来，"砰"的一声，重重落在街心，穿着打扮，正是红旗镖局的镖师。

铁开诚居然还是神色不变，道："铁义。"

铁义道："在。"

铁开诚道："你再去查一查，这四人是什么来历，身上穿的衣服是从哪里来的。"

他们穿的这种紧身衣，并不是什么稀奇珍贵之物，红旗镖局的镖头穿得，别人也一样穿得。

铁义口中道："是。"却连动都不动。

铁开诚道："你为什么还不去？"

铁义脸上忽然露出很奇怪的表情，忽然咬了咬牙，大声道："我用不着去查，因为这些衣服都是我买的，谢大侠手里的这朵珠花，也是我买的。"

铁开诚的脸色骤然变了，他当然知道谢晓峰手上这朵珠花是从哪里来的。

谢晓峰当然也知道。

他从那猫一样的女人头上，摘下了这朵珠花，当作伤人的暗器。

铁义大声道：“总镖头给了我三百两银票，叫我到天宝号去买了这朵珠花和一双镯子，剩下的二十多两还给了我。”

“铁开诚买的珠花，怎么会到了那猫一样女人的头上？”

谢晓峰忽然一把提起铁义，就好像提着个纸人一样，斜飞四丈，掠上屋顶。

只听急风骤响，十余道寒光堪堪从他们足底擦过，谢晓峰出手若是慢了一步，铁义也已被杀了灭口。

但是这屋上也不安全，他的脚还未站稳，屋脊后又有一道剑光飞出。

直刺谢晓峰咽喉。

剑光如惊虹，如匹练，刺出这一剑的，无疑是位高手，使用的必定是把好剑。

现在他们想杀的人，已不是铁义，而是谢晓峰。

谢晓峰左手挟住一个人，右手拈着珠花，眼看这一剑已将刺入他咽喉。

他的右手忽然抬起，以珠花的柄，托起了剑锋，只听“啵”的一声，一颗珍珠弹起，飞起两尺，接着又是一颗珍珠弹起，去势更快，两粒珍珠凌空一撞，第一粒珍珠斜飞向左，直打使剑的黑衣人右腮。

这人一偏头就闪了过去，却想不到第二颗珍珠竟是下坠之势，已打在他持剑的手臂曲池穴上，长剑落下时，谢晓峰的人已去远了。

雨丝如重帘，眨眼间连他的人影都已看不见。

铁开诚站在油布伞下，非但完全不动神色，身子也纹风不动。

一直站在他身后，为他撑着伞的镖师，忽然压低声音道：“追不追？”

铁开诚冷冷道：“追不上又何必去追？”

这镖师道：“可是这件事不解释清楚，只怕再难服众。”

铁开诚冷笑，道：“若有人不服，杀无赦！”

雨势不停，天色渐暗。

小小的土地庙里阴森而潮湿，铁义伏在地上不停地喘息呕吐。

等他能开口说话时，就立刻说出了他所知道之事。

“被暗算死的那四个人，全都是老镖头的旧部，最后在屋顶上被刺杀的是镖师，其余的三个都是老镖头贴身的人。

“两个月以前，有一天雷电交作，雨下得比今天更大。

“那天晚上，老镖头仿佛有些心事，吃饭时多喝了两杯酒，很早就去睡了，第二天早上，我就听到了他老人家暴毙的消息。

“老年人酒后病发，本不是什么奇怪的事，可是当天晚上在后院里当值班的人，却听见了老镖头房里有人在争吵，其中一个竟是铁开诚的声音。

“铁开诚虽是老镖头收养的义子，可是老镖头对他一向比嫡亲的儿子还好，他平时倒也还能克尽孝道，那天他居然敢逆离犯上，和老镖头争吵起来，已经是怪事。

“何况，老镖头的死因，若真是酒后病发，临死前哪里还有与人争吵的力气？

“更奇怪的是，从那一天晚上一直到发丧时，铁开诚都不准别人接近老镖头的尸体，连尸衣都是铁开诚自己动手替他老人家穿上的。

“所以大家都认为其中必定另有隐情，只不过谁也不敢说出来。”

听到这里，谢晓峰才问：“当天晚上在后院当值的，就是那四个人？”

铁义道：“就是他们。”

谢晓峰道：“老镖头的夫人呢？”

铁义道：“他们多年前就已分房而眠了。”

谢晓峰道：“别的人都没有听见他们争吵的声音？”

铁义道：“那天晚上雷雨太大，除了当值的那四个人责任在身，不敢疏忽外，其余的人都喝了点酒，而且睡得很早。”

谢晓峰道：“出事之后，镖局里既然有那么多闲话，铁开诚当然也会听到一些，当然也知道这些话是哪里传出来的。”

铁义道：“当然。”

谢晓峰道：“他对那四个人，难道一直都没有什么举动？”

铁义道：“这件事本无证据，他若忽然对他们有所举动，岂非反而更惹人疑心，他年纪虽不大，城府却极深，当然不会轻举妄动，可是大殓后还不到三天，他就另外找了个理由，将他们四个人逐出了镖局。”

谢晓峰道：“他找的是什么理由？”

铁义道：“服丧期中，酒醉滋事。”

谢晓峰道：“是不是真有其事？”

铁义道：“他们身受老镖头的大恩，心里又有冤屈难诉，多喝了点酒，也是难免的。”

谢晓峰道：“他为什么不借这个缘故，索性将他们杀了灭口？”

铁义道：“因为他不愿自己动手，等他们一出镖局，他就找了个人在暗中去追杀他们。”

谢晓峰道：“他找的人是谁？”

铁义道：“是我。”

谢晓峰道：“但是你却不忍下手？”

铁义黯然道：“我实在不忍，只拿了他们四件血衣回去交差。”

谢晓峰道：“他叫你去买珠花，送给他的外室，又叫你去替他杀人灭口，当然已把你当作他的心腹亲信。”

铁义道：“我本是他的书童，从小就跟他一起长大的，可是……”

他的脸在扭曲：“可是老镖头一生侠义，待我也不薄，我……我实在不忍眼见着他冤沉海底，本来我也不敢背叛铁开诚的，可是我眼看着他们四个人，死得那么悲壮惨烈，我……我实在……”

他哽咽着声音，忽然跪下去，“咚、咚、咚”磕了三个响头：“他们今天敢挺身而出，直揭铁开诚的罪状，就因为他们看见了谢大侠，知道谢大侠绝不会让他们就这么不明不白地含冤而死，只要谢大侠肯仗义出手，我……我一死也不足惜。”

他以头撞地，满面流血，忽然从靴筒里拔出把尖刀，反手刺自己的心口。

可是这刀忽然间就已到了谢晓峰手里。

谢晓峰凝视着他，道：“不管我是不是答应你，你都不必死的。”

铁义道：“我……我只怕谢大侠还信不过我的话，只有以一死来表明心迹。”

谢晓峰道：“我相信你。”

第三十三章

血洗红旗

阴森的庙宇，沉默的神祇，无论听见多悲惨的事，都不会开口的。

可是冥冥中却自然有双眼睛，在冷冷地观察着人世间的悲伤和罪恶、真诚和虚假，他自己虽然不开口，也不出手，却自然会借一个人的手，来执行他的力量和法律。这个人，当然是个公正而聪明的人，这双手当然是双强而有力的手。

铁义忽然又道："可是谢大侠也一定要特别小心，铁开诚绝不是个容易对付的人，他的剑远比老镖头昔年全盛时更快、更可怕。"

谢晓峰道："他的武功，难道不是铁老镖头传授的？"

铁义道："大部分都是，只不过他的剑法，又比老镖头多出了十三招。"

他目中露出恐惧之色："据说这十三招剑法之毒辣锋利，世上至今还没有人能招架抵挡。"

谢晓峰道："你知道这十三招剑法是什么人传授给他的？"

铁义道："我知道。"

谢晓峰道："是谁？"

铁义道："燕十三。"

黄昏，雨停。

夕阳下现出一弯彩虹，在暴雨之后，看来更是说不出的宁静美丽。

故老相传，彩虹出现时，总会为人间带来幸福和平。可是夕阳为什么仍然红如血？

镖旗也依旧红如血。

十三面镖旗，十三辆车，车已停下，停在一家客栈的后院里。

铁开诚站在淌水的屋檐下，看着车上的镖旗，忽然道："折下来。"

镖师们迟疑着，没有人敢动手。

铁开诚道："有人毁了我们一面镖旗，就等于将我们千千万万面镖旗全都毁了，此仇不报，此辱不洗，江湖中就再也看不见我们的镖旗。"

他的脸还是全无表情，声音里却充满决心。他说的话，仍然是命令。

十三个人走过去，十三双手同时去拔镖旗，镖旗还没有拔下，十三双手忽然在半空中停顿，十三双眼睛，同时看见了一个人。

一个特立独行，与众不同的人，你不让他走时，他偏要走，你想不到他会来的时候，他却偏偏来了。

这个人的发髻早已乱了，被大雨淋湿的衣裳还没有干，看来显得狼狈而疲倦。可是没有人注意到他的头发和衣服，也没有人觉得他狼狈疲倦，因为这个人就是谢晓峰。

铁义是个魁伟健壮的年轻人，浓眉大眼，英气勃发，可是站在这个人身后，就像是皓月下的秋萤、阳光下的烛火。因为这个人就是谢晓峰。

铁开诚看着他走进来，看着他走到面前："你又来了。"

谢晓峰道："你应该知道我一定会来的。"

铁开诚道："因为你一定听了很多话。"

谢晓峰道："是。"

铁开诚道："是非曲直，你当然一定已分得很清楚。"

谢晓峰道："是。"

铁开诚道："你掌中无剑？"

谢晓峰道："是。"

铁开诚道："剑在你心里？"

谢晓峰道："心中是不是有剑，至少你总该看得出。"

铁开诚盯着他，缓缓道："心中若有剑，杀气在眉睫。"

谢晓峰道："是。"

铁开诚道："你的掌中无剑，心中亦无剑，你的剑在哪里？"

谢晓峰道：“在你手里。”

铁开诚道：“我的剑就是你的剑？”

谢晓峰道：“是。”

铁开诚忽然拔剑。

他自己没有佩剑，新遭父丧的孝子，身上绝不能有凶器。可是经常随从在他身后的人，却都有佩剑，剑的形状真朴实，有经验的人却一眼就可以看出每柄剑都是利器。

这一剑并没有刺向谢晓峰。每个人都看见剑光一闪，仿佛已脱手而出，可是剑仍在铁开诚手里，只不过剑锋已倒转，对着他自己。

他用两根手指捏着剑尖，慢慢地将剑柄送了过去，送向谢晓峰。

每个人的心都提了起来，掌心都捏了把冷汗。他这么做简直是在自杀。只要谢晓峰的手握住剑柄向前一送，有谁能闪避，有谁能挡得住？

谢晓峰盯着他，终于慢慢地伸出手柄剑。铁开诚的手指放松，手垂落。

两个人互相凝视着，眼睛里都带着很奇怪的表情。

忽然间，剑光又一闪，轻云如春风吹过大地，迅急如闪，凌空下击。没有人能避开这一剑，铁开诚也没有闪避。可是这一剑并没有刺向他，剑光一闪，忽然已到了铁义的咽喉。铁义的脸色变了，每个人的脸色都变了。

只有铁开诚仍然声色不动，这惊人的变化竟似早就在他意料之中。

铁义的喉结上下滚动，过了很久，才能发得出声音。

声音嘶哑而颤抖：“谢大侠，你……你这是什么意思？”

谢晓峰道：“你不懂？”

铁义道：“我不懂。”

谢晓峰道：“那么你就未免太糊涂了些。”

铁义道：“我本来就是个糊涂人。”

谢晓峰道：“糊涂人为什么偏偏要说谎？”

铁义道：“谁……谁说了谎？”

谢晓峰道：“你编了个很好的故事，也演了很动人的一出戏，戏里的每个角色都配合得很好，情节也很紧凑，只可惜其中还有一两点漏洞。”

铁义道：“漏洞？什么漏洞？”

谢晓峰道："铁老镖头发丧三天之后，铁开诚就将那四个人逐出了镖局？再命你去暗中追杀？"

铁义道："不错。"

谢晓峰道："可是你不忍下手，只拿了四件血衣回去交差？"

铁义道："不错。"

谢晓峰道："铁开诚就相信了你？"

铁义道："他一向相信我。"

谢晓峰道："可是被你杀了的那四个人，今天却忽然复活了，铁开诚亲眼看见了他们，居然还同样相信你，还叫你去追查他们的来历，难道他是个呆子？可是他看来为什么又偏偏不像？"

铁义说不出话了，满头汗落如雨。

谢晓峰叹了口气："你若想要我替你除去铁开诚，若想要我们鹬蚌相争，让你渔翁得利，你就该编个更好一点的故事，至少也该弄清楚，那么样一朵珠花，绝不是三百两银子能买得到的。"

他忽然倒转剑锋，用两根手指夹住剑尖，将这柄剑交给了铁义。

然后他就转身，面对铁开诚，淡淡道："现在这个人已是你的。"

他再也不看铁义一眼，铁义却在盯着他，盯着他的后脑和脖子，眼睛里忽然露出杀机，忽然一剑向他刺了过去。

谢晓峰既没有回头，也没有闪避，只见眼前剑光一闪，从他的脖子旁飞过，刺入了铁义的咽喉，余力犹未尽，竟将他的人又带出七八尺，活生生地钉在一辆镖车上。

车上的红旗犹在迎风招展。

这时夕阳却已渐渐暗淡，那一弯彩虹也已消失。

院子有人挑起了灯，红灯。灯光将铁开诚苍白的脸都照红了。

谢晓峰看着他，道："你早就知道我一定会再来的。"

铁开诚承认。

谢晓峰道："因为我听了很多话，你相信我一定可以听出其中的破绽。"

铁开诚道："因为你是谢晓峰。"

他脸上还是全无表情，可是说到"谢晓峰"这三个字时，声音里充满了尊敬。

谢晓峰眼中露出笑意，道："你是不是准备请我喝两杯？"

铁开诚道："我一向滴酒不沾。"

谢晓峰叹了口气，道："独饮无趣，看来我只好走了。"

铁开诚道："现在你还不能走。"

谢晓峰道："为什么？"

铁开诚道："你还得留下两样东西。"

谢晓峰道："你要我留下什么？"

铁开诚道："留下那朵珠花。"

谢晓峰道："珠花？"

铁开诚道："那是我用三百两银子买来送给别人的，不能送给你。"

谢晓峰的瞳孔收缩，道："真是你买的？真是你叫铁义去买的？"

铁开诚道："丝毫不假。"

谢晓峰道："可是那么样一朵珠花，价值最少已在八百两以上，三百两怎能买得到？"

铁开诚道："天宝号的掌柜，本是红旗镖局的账房，所以价钱算得特别便宜，何况珠宝一业，利润最厚，他以这价钱卖给我，也没有亏本！"

谢晓峰的心沉了下去，却有一股寒气自足底升起。

——难道我错怪了铁义？

——铁开诚要他去追查那四人的来历，难道也是个圈套？

他忽然发现自己的判断实在缺少强而有力的证据，冷汗已湿透了背脊。

铁开诚道："除了珠花外，你还得留下你的血，来洗我的镖旗。"

他一字字接道："镖旗被毁，这耻辱只有用血才能洗得清，不是你的血，就是我的！"

冷风肃杀，天地间忽然充满杀机。

谢晓峰终于长长叹了口气，道："你是个聪明人，实在很聪明。"

铁开诚道："聪明人一文钱可以买一堆。"

谢晓峰道："我本不想杀你。"

铁开诚道："我却非杀你不可。"

谢晓峰盯着他，道：“有件事我也非问清楚不可。”

铁开诚道：“什么事？”

谢晓峰道：“铁中奇老镖头，是不是你的亲生父亲？”

铁开诚道：“不是。”

谢晓峰道：“他究竟是怎么死的！”

铁开诚坚若磐石般的脸忽然扭曲，厉声道：“不管他老人家是怎么死的，都跟你全无干系！”

他忽又拔剑，拔出了两柄剑，反手插在地上，剑锋入土，直没剑柄。

用黑绸缠住的剑柄，古拙而朴实。

铁开诚道：“这两柄虽然是在同一炉中炼出来的，却有轻重之分。”

谢晓峰道：“你惯用的是哪一柄！”

铁开诚道：“这一炉炼出的剑有七柄，七柄剑我都用得很乘手，这一点我已占了便宜。”

谢晓峰道：“无妨。”

铁开诚道：“我的剑法虽然以快得胜，可是高手相争，还是以重为强。”

谢晓峰道：“我明白。”

他当然明白。以他们的功力，再重的剑到了他们手里，也同样可以挥洒自如。可是两柄大小长短同样的剑，若有一柄较重，这柄剑的剑质当然就比较好些。

剑质若是重了一分，就助长了一分功力，高手相争，却是半分都差错不得的。

铁开诚道：“我既不愿将较重的一柄剑给你，也不愿再占你这个便宜，只有大家各凭自己的运气。”

谢晓峰看着他，心里又在问自己。

——这少年究竟是个什么样的人？在天下无敌谢晓峰面前，他都不肯占半分便宜，像这样骄傲的人，怎么会做出那种奸险恶毒的事？

铁开诚道：“请，请先选一柄。”

剑柄是完全一样的。剑锋已完全没入土里。究竟是哪一柄剑质较佳较重？谁也看不出来。看不出来又何妨？

有剑又何妨？无剑又何妨？

谢晓峰慢慢地俯下身，握住了一把剑的剑柄，却没有拔出来。

他在等铁开诚。剑锋虽然还在地下，可是他的手一握住剑柄，剑气就似已将破土而出。虽然弯着腰，弓着身，但是他的姿势，却是生动而优美的，完全无懈可击。

铁开诚看着他，眼睛前仿佛又出现了另一个人的影子，一个同样值得尊敬的人。

荒山寂寂，有时月明如镜，有时凄风苦雨，这个人将自己追魂夺命的剑法传授给了他，也时常对他说起谢晓峰的故事。这个人虽然连谢晓峰的面都未见过，可是他对谢晓峰的了解，却可能比世上任何人都深。因为他这一生最大的目标，就是要击败谢晓峰。

他说的话，铁开诚从未忘记。

——只有诚心正意、心无旁骛的人，才能练成天下无双的剑法。

——谢晓峰就是这种人。

——他从不轻视他的对手，所以出手时必尽全力。

——只凭这一点，天下学剑的人，就都该以他为榜样。

铁开诚的手虽然冰冷，血却是滚烫的。能够与谢晓峰交手，已是他这一生中最值得兴奋骄傲的事。他希望能一战而胜，扬名天下，用谢晓峰的血，洗清红旗镖局的羞辱。可是在他内心深处，为什么又偏偏对这个人如此尊敬？

“请。”这个字说出口。铁开诚的剑已拔出，匹练般刺了出去。他当然更不敢轻视他的对手，一出手就已尽了全力。

铁骑快剑，名满天下，一百三十二式连环快剑，一剑比一剑狠。他一出手间，就已刺出三七二十一剑，正是铁环快剑中的第一环“乱弦式”。因为他使出这二十一剑时，对方必定要以剑相格。

双剑相击，声如乱弦，所以这一环快剑，也就叫作“乱弦式”。

可是现在他这二十一剑刺出，却完全没有声音。因为对方手里根本没有剑，只有一条闪闪发亮的黑色缎带。

本来缠在剑柄上的黑色缎带。

谢晓峰并没有拔出那柄剑，只解下了那柄剑上的缎带。

第三十四章

铁骑快剑

是缎带也好，是剑也好，到了谢晓峰手里，都自有威力。

箭已离弦，决战已开始，铁开诚已完全没有选择的余地。

缎带上竟似有种奇异的力量，带动了他的剑。他已根本无法住手。

又是三七二十一剑刺出，用的竟是铁骑快剑中最后一环“断弦式”。这正是铁骑快剑中的精粹，剑光闪动间，隐隐有铁马金戈声、战阵杀伐声。

铁中奇壮年时杀戮甚重，身经百战，连环快剑一百三十二式，通常只要用出八九十招，对方就已毙命在他的剑下。若是用到这最后一环，对手一定太强，所以这一环剑法，招招都是不惜与敌同归于尽的杀手。

所以每一剑刺出，都丝毫不留余地，也绝不留余力。

因为这二十一剑刺出后，就已弦断声绝，人剑俱亡。

剑气纵横，转眼间已刺出二十一剑，每一剑刺出，都像是勇士杀敌，勇无反顾，其悲壮惨烈，绝没有任何一种剑法能比得上。

可是这二十一招刺出后，又像是石沉大海，没有了消息。等到这时，人纵然还没有死，剑式却已断绝，未死的人也已非死不可。曾经跟随过铁中奇的旧部，眼看着他使出最后一招时，都不禁发出惊呼叹息声。

谁知铁开诚这一招发出后，剑式忽然一变，轻飘飘一剑刺了出去。

刚才的剑气和杀气俱重，就像是满天乌云密布，这一剑刺出，忽然间就已将满天乌云都拨开了，现出了阳光。

并不是那种温暖煦和的阳光，而是流金铄石的烈日，其红如血的夕阳。

刚才铁开诚施展出那种悲壮惨烈的剑法，谢晓峰竟似完全没有看在眼里。

可是这一剑挥出，他居然失声而呼，道："好，好剑法。"

这四个字说出口，铁开诚又刺出四剑，每一剑都仿佛有无穷变化，却又完全没有变化，仿佛飘忽，其实沉厚，仿佛轻灵，其实毒辣。

谢晓峰没有还击，没有招架。

他只在看。

就像是个第一次看见裸女的年轻人，他已看得有点痴了。

可是这四剑并没有伤及他的毫发。铁开诚很奇怪。明明这一剑已对准刺入他的胸膛，却偏偏只是贴着他的胸膛擦过，明明这一剑已将洞穿他的咽喉，却偏偏刺了个空。

每一剑刺出的方式和变化，仿佛都已在他的意料之中。

铁开诚的剑势忽然慢了，很慢。一剑挥出，不着边际，不成章法。可是这一剑，却像是道子画龙的睛，虽然空，却是所有转变的枢纽。无论对方怎么动，只要动一动，下面的一剑就可以制他的死命。

谢晓峰没有动。他所有的动作，竟在这一刹那间全都停顿，只见这笨拙而迟钝的一剑慢慢地刺过来忽然化作了一片花雨。

满天的剑花，满天的剑雨，忽然又化作一道匹练般的飞虹。

七色飞虹，七剑，多彩多姿，千变万化，却忽然被乌云掩住。

黑色的缎带。

乌云如带。

铁开诚的动作忽然停顿，满头冷汗，雨点般落了下来。

谢晓峰的动作也停顿，一字字问道："这就是燕十三的夺命十三剑？"

铁开诚沉默。沉默就是承认。

谢晓峰道："好，好剑法。"

他忽又长长叹息："可惜可惜。"

铁开诚忍不住问："可惜？"

谢晓峰道："可惜的是只有十三剑，若还有第十四剑，我已败了。"

铁开诚道："还能有第十四剑？"

谢晓峰道："一定有。"

他在沉思，过了很久，才慢慢地接着道："第十四剑，才是这剑法中的精粹。"

剑的精粹，人的灵魂，同样是虚无缥缈的，虽然看不见，却没有人能否认它的存在。

谢晓峰道："夺命十三剑中所有的变化和威力，只有在第十四剑中，才能完全发挥，若能再变化出第十五剑，就必将天下无敌。"

他的手一抖，黑色的缎带忽然挺得笔直，就像是一柄剑。

剑挥出，如夕阳，又如烈日，如彩虹，又如乌云，如动又静，如虚又实，如在左，又在右，如在前，又在后，如快又慢，如空又实。

虽然只不过是一条缎带，可是在这一瞬间，却已胜过世上所有杀人的利器。

就在这一瞬间，铁开诚的冷汗已湿透衣裳。他已完全不能破解，不能招架，不能迎接，不能闪避。

谢晓峰道："这就是第十四剑。"

铁开诚不能开口。

谢晓峰道："你若使出这一剑，就可以将我所有的退路全都封死。"

铁开诚在悔恨，恨自己为什么一直都没有想出这一招变化。

谢晓峰道："现在你已看清楚这一剑？"

铁开诚已看清楚。他从小就练剑，苦练。在这方面本就是绝顶的天才，而且还流过汗，流过血。

谢晓峰道："你再看一遍。"

他将这一剑的招式和变化又重复一次："现在你是否已能记住？"

铁开诚点点头。

谢晓峰道："那么你试试。"

铁开诚看着他，还没有完全明白他的意思。

谢晓峰道："我要你用这一剑来对付我，看是否能破得了我的剑。"

铁开诚眼睛里发出了光，却又立刻消失："我不能这么做。"

谢晓峰道："我一定要你这么做。"

铁开诚道："为什么？"

谢晓峰道："因为我也想试试，是否能破得了这一剑。"

因为这一剑虽然是他创出的，可是其中的精粹变化，却来自夺命十三剑。

这一剑的灵魂，也是属于燕十三的。

铁开诚已明白他的意思，眼中又露出尊敬之色："你是个骄傲的人。"

谢晓峰道："我是的。"

铁开诚道："可是你实在值得自傲。"

谢晓峰道："我是的。"

一剑挥出，森寒的剑气立刻逼人而来，连灯都失去了颜色。谢晓峰在往后退。

这一剑已将他所有的攻势全都封死，他只有向后退。他虽然在退，却没有败势。他的身子已被这一剑的力量压得向后弯曲弯如弓。可是弓弦也已抵紧，随时都可能反弹出去，压力愈大，反击之力也愈强。

等到那一刻到来，立刻就可以决定他们的胜负生死。

谁知就在他的力已引满，将发未发时，镖车后、廊柱旁、人丛间，忽然有四道剑光飞出。

他已全神贯注在铁开诚手里的剑上，所有的力量，都在准备迎击这一剑。已完全没有余力再去照顾别的事。

剑光一闪间，三柄剑已同时刺入了他的肩胛、左股、后背。

他所有的力量立刻全都崩溃。

铁开诚的一剑也已迎面飞来，剑尖就在他的咽喉要害间。

他知道自己绝不能再招架闪避，他终于领略到死的滋味。

——那是种什么样的滋味？

——一个人在临死前的一瞬间，是不是真的能回忆起一生中所有的往事？

——他这一生中，究竟有多少欢乐？多少痛苦？

究竟是别人负了他，还是他负了别人？

这些问题，除了他自己外，谁也无法回答。

他自己也无法回答。冰冷的剑尖，已刺入了他的咽喉。他能感觉得到那种刺骨的寒冷，冷得发抖。

谢晓峰终于倒了下去，倒在铁开诚的剑下，倒在他自己的血泊中。

他甚至没有看见在背后突袭他的那四个人是谁。

铁开诚看见了除了曹寒玉和袁家兄弟外，还有一个长身玉立，衣着华丽的陌生人，看来却又显得说不出的悲伤、憔悴、疲倦。

袁次云在微笑，道："恭喜总镖头，一击得手，这一剑之威，必将名扬天下。"

铁开诚脸上居然还是一点表情都没有，掌中的剑已垂落。

袁次云道："这一次我们虽也略尽绵薄，真正一击奏功的，却还是总镖头。"

铁开诚道："你们四剑齐发，都没有伤及他的要害，就是为了要我亲手杀他？"

袁次云并不否认。

铁开诚看着那衣着华丽的陌生人，道："这位朋友是……"

袁次云道："这位就是夏侯世家的长公子，夏侯星。"

铁开诚长长叹了口气，喃喃道："谢谢你们，谢谢你们……"

他的声音愈说愈低，仿佛也很疲倦，一种胜利后必有的疲倦。

袁次云道："现在他的血还未冷，总镖头为何还不用他的血来为贵局的红旗增几分颜色？"

铁开诚道："我正准备这么做。"

最后一个字说出口，他低垂的剑忽又挥起，向袁次云刺了过去。

袁次云一惊，挥剑迎击，双剑相交，声如乱弦。

铁开诚大声道："这件事不是我安排的，铁开诚绝不是这种无耻的小人，这耻辱也只有用血才能洗清，不是他们的血，就是我的。"

这些话好像是说给谢晓峰听的，可是死人又怎么能听见他的话？

夏侯星一直在盯着地上的谢晓峰，目中充满悲愤怨毒，忽又一剑刺出，刺向他的小腹。

谁知谢晓峰忽然从血泊中跃起，蹿了出去。

夏侯星大呼："他没有死，他没有死……"

声音激动得几乎已接近疯狂，剑法也因激动而变得接近疯狂，疯狂般在后面追杀谢晓峰，每一剑刺的都是要害。

谢晓峰却已拔出了插在地上的那柄剑，反手一剑撩出。

他没有回头，但是夏侯星剑法中每一处空门破绽，他都已算准了，随手一剑挥出，夏侯星剑法中三处破绽都已在他攻击下，无论夏侯星招式如何变化，都势必要被击破。可是他旧创未愈，又受了新伤，他反手一挥，肩胛处就传来一阵撕裂般的痛苦。

这一剑的剑虽已胜，力却败了。

“叮”的一声，双剑相击，他的剑又被震得脱手飞出。

剑光如流星，飞出墙外。

看着自己的剑飞出，谢晓峰只觉得胃部忽然收缩，就像是忽然发现自己的情人已离他远去，又像是忽然一脚踏空，坠下了万丈高楼。他从未有过这种经验，这本是绝无可能发生的事。

冰冷的剑锋，已贴住了脖子，几乎已割入他颈后的大血管里。

夏侯星的手却停顿，一字字问道：“你知道我是谁？”

谢晓峰道：“你的内力又仿佛精进了，可是你本来从不会在背后伤人的。”

夏侯星身子一转，已到了他面前，剑锋围着他脖了划过，留下了一条血痕，就像是小女孩脖子上系着的红线。

刚才被铁开诚刺伤的地方，血已凝结，就像是红线系着一粒珊瑚。

谢晓峰连眉头都没有皱一皱，淡淡道：“想不到夏侯家也有这么利的剑。”

夏侯星冷笑道：“这世上令人想不到的事本就有很多。”

谢晓峰叹道：“的确有很多。”

夏侯星忽然压低声音，道：“她的人在哪里？”

谢晓峰道：“她是什么人？”

夏侯星道：“你应该知道我问的是谁。”

谢晓峰道：“为什么我一定应该知道？”

夏侯星咬紧了牙，恨恨道：“自从她嫁给我那一天，我就全心全意地待她，只希望能跟她终生相守，寸步不离，可是她……她……”

说到这里，他的声音突然颤抖，过了半晌，才能接下去道：“她只要一有机会，就千方百计地要从我身边逃走，去赌钱，去喝酒，甚至去做婊子，好像只要能离开我，随便叫她去干什么她都愿意。”

谢晓峰看着他，已有同情之意，道：“那一定是因为你做错了事。”

夏侯星嘶声道：“我没有错，错的是她，错的是你！”

谢晓峰道：“是我？”

夏侯星道：“直到现在我才明白她为什么会做这种事。”

谢晓峰道：“为什么？”

夏侯星道：“因为……因为……”

他咬了咬牙，身子忽又围着谢晓峰一转，剑锋又在谢晓峰脖子上留下道血痕，看来更美，却又显得那么凄艳，那么可怖。

夏侯星道：“这是柄利剑。”

谢晓峰道：“我知道。”

夏侯星道：“只要我再围着你脖子转三次，你的头颅就要落下来。”

谢晓峰道：“我知道。”

夏侯星道：“那么你就该知道她为的是什么。”

谢晓峰道：“我不知道。”

夏侯星大吼，道：“她为的是你。”

他的声音抖得更厉害，连手都在抖：“她虽然嫁给了我，可是她心里只有你，你知不知道你这一生中，毁了多少个女人？拆散了多少对夫妻？”

谢晓峰的脸忽然也开始扭曲，因痛苦而扭曲。

——一个男人，若是被女人爱上了，这是不是他的错？

——一个女人，若是爱上了一个值得她爱的男人，是不是错？

——他们若没有错，错的是谁？

他无法回答，也无法解释。

袁氏兄弟双剑连手，逼住了铁开诚。

紫衣袁氏传家十余代，声名始终不坠，他们家传的剑法，当然已经过千锤百炼，无论谁要想破他们的连璧双剑，都很不容易。

铁开诚却有几次都几乎已得手了。他的夺命十三剑，仿佛正是这种剑法的克星，只要再使出“第十四剑”来，袁氏兄弟的双剑，就必破无疑。可是他始终没有用出这一剑。

他太骄傲。这一招毕竟是谢晓峰创出来的，他和谢晓峰之间还有笔账没有算清。他虽然不能眼看着谢晓峰因为被这一招所逼而遭人暗算，却也不能用这一招去伤人。

他一向是个有原则的人。

只可惜夺命十三剑，缺少了这一剑，就像是画龙尚未点睛，纵然生动逼真，却还是不能破壁飞去。他和谢晓峰决战时，已使出全力，现在气力已刚刚不支，出手已倒，剑被袁氏兄弟封死。

曹寒玉冷笑着，看着他们，已不屑再出手，奇怪的是红旗镖局的镖师，也都在袖手旁观，没有一个人来助他们的总镖头一臂之力。

剑光闪动，谢晓峰头上又多了条血痕，这次剑锋割得更深，鲜血一丝丝沁出，染红了他的衣领。

夏侯星盯着他，道：“你说不说？”

谢晓峰道：“说什么！”

夏侯星道：“只要你说出她在哪里，我就饶你一命。”

谢晓峰目光注视着远方，仿佛根本没有看见眼前的这个人、这柄剑，过了很久，才缓缓道：“她心里既然没有你，你又何必再找她？找到了又有什么用？”

夏侯星额上青筋一根根凸起，冷汗一粒粒落下。

谢晓峰道：“何况，我也不想要你饶我，要杀我，你还不配。”

夏侯星怒吼，忽然一剑刺向他的咽喉。

可是这柄剑刚一动，就听见“啪”的一响，剑锋已被谢晓峰双掌夹住。

夏侯星想拔剑，拔不出。他也知道自己内力和剑法都有进步，自从败在燕十三剑下之后，他的确曾经刻苦用功，只可惜他还是比不上谢晓峰，连受伤的谢晓峰都比不上。

他已发现自己永远都比不上谢晓峰，无论哪一点都比不上。

要一个人承认自己的失败，并不是件容易事，到了不能不承认的时候，那种感觉已不仅是羞辱，而且悲伤，一种充满了痛苦和绝望的悲伤。他脸上已不仅有汗，也有泪。

他身旁还有个人在叹息。

曹寒玉已缓缓走过，叹息声中充满了同情和惋惜："若没有这个薄情的浪子，嫂夫人想必能安守妇道，夏侯兄也就不会因为心中气恼而荒废了武功，以夏侯兄的聪明和家传剑法，也未必就比不上神剑山庄的谢晓峰。"

他说的是实话。一个男人娶的妻子是否贤惠，通常就是决定他一生命运的大关键。

夏侯星咬紧牙，这些话正说中了他心中的隐痛。

曹寒玉又笑了笑，道："幸好这位无情的浪子也跟别人一样，也只有两只手。"

他掌中也有剑。

他微笑着，用剑尖逼住了谢晓峰的咽喉，道："三少爷，你还有什么话说？"

谢晓峰还能说什么？

曹寒玉道："那么你为什么还不松开你的手？"

谢晓峰知道自己的手只要一放松，夏侯星的剑就必将刺入咽喉。

可是他不放手又如何？一个人到了应该放手的时候还不肯放手，就是自讨无趣了。

只有最愚蠢的人才会做这种事。谢晓峰绝不是个愚蠢的人，现在已到了他应该放手的时候。

到了这时候，他还不能忘怀的是什么人？

是他的父母双亲？

是慕容秋荻？

还是小弟？

忽然间，铁开诚掌中的剑光暴芒，袁氏兄弟立刻被逼退。

他终于使出了那一剑！

夺命十三剑的第十四剑。

剑光如飞虹，森寒的剑气，冷得深入骨髓。

第三十五章

一朵珠花

忽然已到了曹寒玉和夏侯星的眉睫间。

没有人能招架这一剑。他们也只有向后退，退得很快，退得很远，夏侯星掌中的剑也已撒手。

铁开诚眼睛盯着他们，嘴里却在问谢晓峰，你还能出手?

谢晓峰道："我还没有死。"

铁开诚道："刚才那一剑，是你创的剑法，我使出那一剑，只因为要救你。"

谢晓峰明白他的意思。若不是为了要救谢晓峰，他宁死也不会使出这一剑的。

铁开诚道："所以你也不必谢我，救你的是你的剑法，不是我。"

曹寒玉忽然冷笑，道："现在你救了他，等一下谁来救你?"

铁开诚转脸去看他的镖师。那其中有很多都是曾经和他共过生死患难的伙伴，有很多都是身经百战的好手。可是现在他的目光从他们脸上看过去时，每一张脸都全无表情，每个人都好像变成了个木头人。

铁开诚的心沉了下去，心里忽然充满了愤怒与恐惧。他终于明白了一件事，他旗下所有的镖师都已被人收买了。

他的红旗镖局早已名存实亡。

看到他脸上的表情，曹寒玉大笑，挥剑，用剑尖指着他："杀！"

"谁杀了他们都重重有赏。"

"铁开诚的头颅值五千两，谢晓峰的一万。"

镖师们立刻拔刀。红灯映着刀光，刀光如血。

谢晓峰、铁开诚，并肩而立，冷冷地看着刀光向他们挥舞过来。如果在平时，他们根本就不会将这些人看在眼里，可是现在他们一个身负重伤，一个力气将尽，就算他这些叛徒全都刺尽杀绝，也绝对无法再对付曹寒玉和袁氏兄弟的三柄剑了。

——一个人到了自知必死时，心里会想些什么？

谢晓峰忽然问："你在想什么？"

铁开诚道："我不服气，你的头颅，为什么要比我贵一倍。"

谢晓峰大笑。

大笑声中，墙外忽然有个人凌空飞坠，冲入了刀光间，两根拇指竖起一指朝天，一指向地，大声道："天地幽冥，唯我独尊！"

"天地幽冥，唯我独尊！"这八个字就像是某种神秘的符咒，在一瞬就令挥舞的刀光全都停顿。

这个人是谁？

几十个人，几十双眼睛，都在吃惊地看着他。

他的脸也像谢晓峰一样，苍白、疲惫憔悴，却又带着种钢铁般的意志和决心。

"是你！"

谢晓峰、铁开诚、曹寒玉、袁氏兄弟，五个人同时说出这两个字，可是音却不同。

铁开诚的声音里充满惊奇。

曹寒玉和袁氏兄弟不仅惊奇，而且愤怒。

谢晓峰呢？

谁也无法形容他说出这两个字时心里是什么滋味。

什么感觉。

因为这个人竟是小弟。

又有谁知道小弟心里是什么滋味？什么感觉？

曹寒玉已经在大声问："你来干什么？"

小弟道："来要你们放人。"

曹寒玉道："放谁？是铁开诚？还是谢晓峰？"

小弟道："是他们两个人。"

曹寒玉冷笑，道："你凭什么要我们放人？你知道这是谁的命令？"

小弟也在冷笑，忽然从怀中拿出根五色的丝绦，丝绦上结着块翠绿的玉牌。

曹寒玉的脸色立刻变了。

小弟道："你认得这是什么？"

曹寒玉当然认得，只要看他脸上的表情，就知道他一定认得。别人脸上的表情也跟他一样，惊奇中带着畏惧。

小弟再也不看他一眼，慢慢地后退，退到谢晓峰身旁："我们走。"

谢晓峰转过脸，看着铁开诚："你也走？"

铁开诚沉默着，终于点了点头。

他只有走。

要在一瞬间断然放弃自己多年奋斗得来的结果，承认自己彻底失败，那不但困难，而且痛苦。

可是他知道自己也没有选择的余地。

要人眼看着一条已经被钓上钩的大鱼再从自己手里脱走，也是件很痛苦的事。

可是没有人敢阻拦他们，没有人敢动。

那块结在五色丝绦的玉牌，本身虽然没有追魂夺命的力量，却代表着一种至高无上、生杀予夺的权力。

门外有车。

快马、新车。那当然是小弟早已准备好的，他决心要做一件事的时候，事先一定准备得极仔细周密。

车马急行，车厢里却还是很稳。

谢晓峰斜倚在角落里，苍白的脸已因失血过多而显得更疲倦、更憔悴。可是他眼睛里却在发着光。

他兴奋，并不是因为他能活下来，而是因为他对人忽然又有了信心。

对一个他最关心的人，他已将自己的全身希望寄托在这个人身上。

小弟却盯着铁开诚，忽然道："我本不是救你的，也并不想救你！”

铁开诚道：“我知道。”

小弟道：“我救了你，只因为我知道他绝不肯让你一个人留在那里，因为你们不但曾经并肩作战，而且你也曾救过他！”

铁开诚道：“我说过救他的并不是我。”

小弟道：“不管怎么样，那都是你们的事，跟我全无关系！”

铁开诚道：“我明白！”

小弟道：“所以你现在还是随时都可以找我算账。”

铁开诚道：“算什么账？”

小弟道：“镖旗……”

铁开诚打断了他的话，道：“红旗镖局早已被毁了，哪里还有镖旗？”

他笑了笑，笑容中充满了悲痛和感伤：“镖旗早已没有了，哪里还有什么账？”

谢晓峰道：“还有一点账。”

铁开诚道：“什么账？”

谢晓峰道：“一朵珠花。”

他也在盯着铁开诚：“那朵珠花真是你叫人去买的？”

铁开诚毫不考虑就回答：“是。”

谢晓峰道：“我不信！”

铁开诚道：“我从不说谎。”

谢晓峰道：“铁义呢？他有没有说谎？”

铁开诚闭上了嘴。

谢晓峰又问道：“难道那个女人真是你的女人？难道铁义说的全是真话？”

铁开诚还是拒绝回答。

小弟忽然插嘴，道：“我又看见了那个女人。”

谢晓峰道：“哦！”

小弟道：“她找到我，给了我一封信，要我交给你，而且一定要我亲手交给你，因为信上说的，是件很大的秘密。”

他一字字接着道：“红旗镖局的秘密。”

谢晓峰道："信呢？"

小弟道："就在这里。"

信是密封着的，显见得信上说的那件秘密一定很惊人。可是谢晓峰并没有看到这封信，因为小弟一拿出来，铁开诚就已闪电般出手，一把夺了去，双掌一揉，一封信立刻就变成了千百碎片，被风吹出了窗外，化作了满天蝴蝶。

谢晓峰沉下脸，道："这不是君子应该做的事。"

铁开诚道："我本来就不是君子。"

小弟道："我也不是。"

铁开诚道："你……"

小弟道："君子绝不会抢别人的信，也不会偷看别人的信，你不是君子，幸好我也不是。"

铁开诚变色："那封信你看过？"

小弟笑了笑，道："不但看过，而且每个字都记得清清楚楚。"

铁开诚的脸扭曲，就像是忽然被人一拳重重地打在小腹上，打得他整个人都已崩溃。

信上说的究竟是什么秘密，为什么能让铁开诚如此畏惧？

我不是铁开诚的女人。

我本来是想勾引他的，可惜他太强，我根本找不到一点机会。

幸好铁中奇已老了，已没有年轻时的壮志和雄心，已开始对奢侈的享受和漂亮的女人发生兴趣。

我一向很漂亮，所以我就变成了他的女人。只要能躲开夏侯星，比他再老再丑的男人我都肯。

天下最让我恶心的男人就是夏侯星。

有红旗镖局的总镖头照顾我，夏侯星当然永远都找不到我，何况，铁中奇虽然老了，对我却很不错，从来没有追问过我的来历。

铁开诚不但是条好汉，也是个孝子，只要能让他父亲高兴，什么事都肯做，在我生日的那天，他甚至还送了我一朵珠花和两只镯子。只可惜这种好日子并不长，夏侯星虽然没有找到我，慕容秋荻却找到了我。

她知道我的秘密，就以此来要挟我，要我替她做事。我不能不答应，也不敢不答应。

我替她在暗中收买红旗镖局的镖师，替她刺探镖局的消息，她还嫌不够，还要我挑拨他们父子，替她除掉铁开诚。

铁中奇对我虽然千依百顺，只有这件事，不管我怎么说，他都听不进去。

所以慕容秋荻就要我在酒中下毒。

那天晚上风雨很大，我看着铁中奇喝下了我的毒酒，心里多少也有点难受，可是我知道这秘密一定不会被人发觉的，因为那天晚上在后院当值的人，也都已被天尊收买了。

铁开诚事后纵然怀疑，已连一点证据都抓不到。为了保全他父亲的一世英名，他当然更不会将这种事说出来的。

可是现在我却说了出来。因为我一定要让你知道，天尊的毒辣和可怕，我虽然不是个好女人，可是为了你，我什么都肯做。只要你能永远记住这一点，别的事我全不在乎。

这是封很长的信，小弟却一字不漏地念了出来。

他的记忆力一向很好。听完了这封信，铁开诚固然已满面痛泪，谢晓峰和小弟的心里又何尝不难受？

也不知过了多久，谢晓峰才轻轻地问道：“她人呢？”

小弟道：“走了。”

谢晓峰道：“你有没有问她要去哪里？”

小弟道：“没有。”

铁开诚忽然道：“我也要走了，你也不必问我要去哪里，因为你就是问我要去哪里，我也绝不会说。”

他当然要走的。他还有很多事要做，不能不去做的事。

谢晓峰了解他的处境，也了解他的心情，所以什么话都没有说。

铁开诚却又问了他很让他意外的话：“你想不想喝酒？”

谢晓峰笑了。

是勉强在笑，却又很愉快：“你也喝酒？”

铁开诚道：“我能不能喝酒？”

谢晓峰道："能。"

铁开诚道："那么我们为什么不去喝两杯？"

谢晓峰道："这时候还能买得到酒？"

铁开诚道："买不到我们能不能去偷？"

谢晓峰道："能！"

铁开诚也笑了。

谁也不知道那是种什么样的笑："君子绝不会偷别人的酒喝，也不会喝偷来的酒，幸好我不是君子，你也不是。"

夜深，人静，至少大多数人都已静。

在人静夜深的晚上，最不安静的通常只有两种人——赌得变成赌鬼的人，喝得变成了酒鬼的人。

可是就连这两种人常去的宵夜摊子，现在都已经静了。

所以他们要喝酒只有去偷。真的去偷。

"你有没有偷过酒？"

"我什么都没有偷过。"

"我偷过。"

谢晓峰好像很得意："我不到十岁的时候就去偷过酒喝。"

"偷谁的？"

"偷我老子的。"

谢晓峰在笑："我们家那位老爷子虽然不常喝酒，藏的却都是好酒，很可能比我们家藏的剑还好。"

"你们家为什么不叫神酒山庄？"

铁开诚居然也在笑。

"因为我们家除了我之外都是君子，不是酒鬼。"

"幸好你不是。"

"幸好你也不是。"

夜深人静的晚上，夜深人静的道路，两个人却还未静。

因为他们的心都不静。

车马已在远处停下，他们已走了很远。

“我们家的藏酒虽好，只可惜我只偷了两次就被捉住了。”谢晓峰还在笑，就好像某些人在吹嘘他们自己的光荣历史，“所以后来我只好去偷别人的。”

“偷谁的？”

“绿水湖对岸有家酒铺，掌柜的也姓谢，我早就知道他是个好人。”

“所以你就去偷他的？”

“偷风不偷月，偷雨不偷雪，偷好人不偷坏人。”谢晓峰说话的表情就好像老师在教学生，“这是偷王和偷祖宗传留下来的教训，要做小偷的人，就千万不可不记在心里。”

“因为就算被好人抓住了也没什么了不得，被坏人抓住可就有点不得了。”

“不是有点不得了，是大大的不得了。”

“可是好人也会抓小偷的。”

“所以我又被抓住了。”

谢晓峰在叹息：“虽然没什么了不起，却也让我得到个教训。”

“什么教训？”

“要偷酒喝，最好让别人去偷，自己最多只能在外面望风！”

“好，这次我去偷，你望风！”

铁开诚真的没有偷过酒，什么都没有偷过，可是不管要他去偷什么，都不会太困难。

他的轻功也许不能算是最好的，可是如果你有两百坛酒藏在床底下，他就算把你全偷光了，你也绝不会知道。

第三十六章

欣逢知己

很少有人会把酒藏在床底下。

只有大户人家，才藏着好酒，大户人家通常有酒窖。要偷酒窖里的酒，当然比偷床底下的酒容易。

铁开诚偷酒的本事虽并不比谢晓峰差多少，酒量却差得不少。所以先醉的当然是他。

不管是真醉，还是假醉，是烂醉，还是半醉，话总是说得要比平时多些，而且说的通常都是平时想说却没有说的话。

铁开诚忽然问："那个小弟，真的就叫作小弟？"

谢晓峰不能回答，也不愿回答。

小弟真的应该姓什么？叫什么？你让他应该怎么说？

铁开诚道："不管他是不是叫小弟，他都绝不是个小弟。"

谢晓峰道："不是！"

铁开诚道："他已是个男子汉。"

谢晓峰道："你认为他是？"

铁开诚道："我只知道，如果我是他，很可能就不会把那封信说出来！"

谢晓峰道："为什么？"

铁开诚道："因为我也知道他是天尊的人，他的母亲就是慕容秋荻。"

谢晓峰沉默着，终于长声叹息："他的确已是个男子汉。"

铁开诚道："我还知道一件事！"

谢晓峰道："什么事？"

铁开诚道："他来救你，你很高兴，并不是因为他救了你的命，而是因为他来了！"

谢晓峰喝酒，苦笑。

酒虽是冷的，笑虽然有苦，心里却又偏偏充满了温暖和感激。感激一个人的知己。

铁开诚道："还有件事你可以放心，我绝不会再去找薛可人。"薛可人就是那个猫一样的女人。

铁开诚道："因为她虽然做错了，却是被逼的，而且她已经赎了罪。"

谢晓峰道："可是……"

铁开诚道："可是你一定要去找她。"

他又强调："虽然我不去找她，你却一定要去找她。"

谢晓峰明白他的意思，铁开诚虽然放过了她，慕容秋荻却绝不会放过她的。

连曹寒玉、袁家兄弟、红旗镖局，现在都已在天尊的控制之下，还有什么事是他们做不到的？

谢晓峰道："我一定会去找她。"

铁开诚道："另外有个人，你却一定不能去找！"

谢晓峰道："谁？"

"燕十三。"

夜色如墨，正是黎明前最黑暗的时候。

谢晓峰边说边注视着远方，燕十三就仿佛站在远方的黑暗中。仿佛已与这寂寞的寒夜融为一体。他从未见过燕十三，但是他却能够想象出燕十三是个什么样的人。

一个寂寞而冷酷的人。一种已深入骨髓的冷漠与疲倦。

他疲倦，只因为他已杀过太多人，有些甚至是不该杀的人。

他杀人，只因为他从无选择的余地。

谢晓峰从心底深处发出一声叹息。他了解这种心情，只有他了解得最深。

因为他也杀人，也同样疲倦，他的剑和他的名声，就像是个永远甩不掉的包袱，重重地压在他肩上，压得他连气都透不过来。

——杀人者通常会有什么样的结果？

是不是必将死于人手？

他忽然又想起刚才在自知必死时，那一瞬间心里的感觉。在那一瞬间，他心里究竟在想什么？

燕十三。

说出了这三个字，本已将醉的铁开诚酒意似又忽然清醒。

他的目光也在遥视着远方，过了很久，才缓缓道："你这一生中，见到过的最可怕的一个人是谁？"

谢晓峰道："是个我从未见过的陌生人。"

铁开诚道："陌生人并不可怕。"

——因为陌生人既不了解你的感情，也不知道你的弱点。

——只有你最亲密的朋友，才知道这些，等他们出卖你时，才能一击致命。

这些话他并没有说出来，他知道谢晓峰一定会了解。

谢晓峰道："但是这个陌生人却和别的人不同。"

铁开诚道："有什么不同？"

谢晓峰说不出。就因为他说不出，所以才可怕。

铁开诚又问："你是在哪里见到他的？"

谢晓峰道："在一个陌生的地方。"

就在那陌生的地方，他看见那可怕的陌生人，和一个他最亲近的人在一起，在论剑。

论他的剑。

——他最亲近的那个人，是不是慕容秋荻？

铁开诚道："你想那个陌生人会不会是燕十三？"

谢晓峰道："很可能。"

铁开诚忽然叹了口气，道："我这一生中，见到过的最可怕的一个人也是他，不是你。"

谢晓峰道："不是我？"

铁开诚道："因为你毕竟还是个人。"

——那也许只因为现在我已改变了。

这句话谢晓峰并没有说出来，因为连他自己都不知道自己是为何会改变的。

铁开诚道："燕十三却不是。"

谢晓峰道："他不是人？"

铁开诚道："绝不是。"

他沉思着，慢慢地接着道："他没有朋友，没有亲人，他虽然对我很好，传授我剑法，可是却从来不让我亲近他，也从来不让我知道他从哪里来，要往哪里去。"

——因为他生怕自己会跟一个人有了感情。

——因为要做杀人的剑客，就必要无情。

这些话铁开诚也没有说出来，他相信谢晓峰也一定会了解。

他们沉默了很久，铁开诚忽然又道："夺命十三剑中的第十四种变化，并不是你创出来的。"

谢晓峰道："是他！"

铁开诚点点头，道："他早已知道这十四剑，而且也早已知道你剑中有一处破绽。"

谢晓峰道："可是他没有传授给你？"

铁开诚道："他没有。"

谢晓峰道："你认为他是在藏私？"

铁开诚道："我知道他不是。"

谢晓峰道："你也知道他是为了什么？"

铁开诚道："因为他生怕我学会这一剑后，会去找你。"

谢晓峰道："因为他自己对这一剑也没有把握。"

铁开诚道："可是你也同样没有把握能破他的这一剑。"

谢晓峰没有反应。

铁开诚盯着他，道："我知道你没有把握，因为刚才我使出那一剑时，你若有把握，早已出手，也就不会遭人的暗算。"

谢晓峰还是没有反应。

铁开诚道："我劝你不要去找他，就因为你们全都没有把握，我不想看着你们自相残杀，两败俱伤。"

谢晓峰又沉默了很久，忽然问道："一个人在临死前的那一瞬间，想的是什么事？"

铁开诚道："是不是会想起他这一生中所有的亲人和往事？"

谢晓峰道："不是。"

他又补充着道："本来我也认为应该是的，可是我自知必死的那一瞬间，想到的却不是这些事。"

铁开诚道："你想的是什么？"

谢晓峰道："是那一剑，第十四剑。"

铁开诚沉默着，终于长长叹息，在那一瞬间，他想的也是这一剑。

一个人若已让自己的一生全都为剑而牺牲，临死前他怎么会去想别的事！

谢晓峰道："本来我的确没把握能破那一剑，可是在那一瞬间，我心里却好像忽然有道闪电击过，那一剑本来的确是无坚不摧无懈可击，可是被这道闪电一击，立刻就变了！"

铁开诚道："变得怎么样？"

谢晓峰道："变得很可笑。"

本来很可怕的剑法，忽然变得很可笑，这种变化才真的可怕。铁开诚什么都不再说，又开始喝酒。

谢晓峰喝得更多、更快。

铁开诚道："好酒。"

谢晓峰道："偷来的酒，通常都是好酒。"

铁开诚道："今日一别，不知要等到何时才能再醉。"

谢晓峰道："只要你真的想醉，何时不能再醉！"

铁开诚忽然大笑，大笑着站起来，一句话都不再说就走了。

谢晓峰也没有再说什么，只是看着他大笑，看着他走。

——铁中奇虽然不是他亲生的父亲，可是为了保全铁中奇的一世英名，他宁可死，宁愿承担一切罪过，因为他们已有了父子的感情。

谢晓峰没有笑。想到这一点，他怎么能笑得出？他已喝完了最后的酒，却已辨不出酒的滋味是甘？是苦？

无论是甘是苦，总是酒，既不是水，也不是血，绝没有人能反驳。

那岂非也正像是父子间的感情一样？

天亮了。

车马仍在，小弟也在。

谢晓峰走回去的时候，虽然已将醉了，身上的血腥却比酒味更重。

小弟看着他上车，看着他倒下，什么话都没有说。

谢晓峰忽然道："可惜你没有跟我们一起去喝酒，那真是好酒。"

小弟道："偷来的酒，通常都是好酒。"

这正是谢晓峰刚说过的话。

谢晓峰大笑。

小弟道："只可惜不管多好的酒，也治不了你的伤。"

不管是身上的伤，还是心里的伤，都一样治不了。

谢晓峰却还在笑："幸好有些伤是根本就不必去治的。"

小弟道："什么伤？"

谢晓峰道："根本就治不好的伤。"

小弟看着他，过了很久，才缓缓道："你醉了。"

谢晓峰道："你也醉了。"

小弟道："哦？"

谢晓峰道："你应该知道，天下最容易摆脱的是哪种人？"

小弟道："当然是死人。"

谢晓峰道："你若没有醉，那么你一心要摆脱我，为什么偏偏又要来救我？"

小弟又闭上了嘴，却忽然出手，点了他身上十一处穴道。

他最后看见的，是小弟的一双眼睛，眼睛里充满了一种谁都无法了解的表情。

这时阳光正从窗外照进来，照着他的眼睛。

谢晓峰醒来时，最先看见的也是眼睛，却不是小弟的眼睛。

有十几双眼睛。

这是间很大的屋子，气派也好像很大，他正躺在一张很大的床上。

十几个人正围着床，看着他，有的高瘦，有的肥胖，有的老了，有的年轻，服饰都很考究，脸色都很红润，显出一种生活优裕，营养充足的样子。

十几双眼睛有大有小，目光都很锐利，每个人的眼睛都带着种很奇怪的表情，就好像一群屠夫正在打量着他们正要宰割的牛羊，却又拿不定主意，应该从什么地方下手。

谢晓峰的心在往下沉。他忽然发现自己的力量已完全消失，连站都站不起来。

就算能站起来，这十几个人只要每个人伸出一根手指轻轻一推，他就又要躺下去。

他们究竟是些什么人？为什么要用这种眼光来看他？

十几个人忽然全都散开了，远远地退到一个角落里去，又聚到一起，交头接耳，窃窃私议。

谢晓峰虽然听不见他们在说什么，却看得出他们一定是在商议一件很重要的事，这件事一定跟他有很密切的关系。

因为他们一面说，一面还不时转过头来，用眼角偷偷地打量他。他们是不是在商量，要用什么法子来对付他？折磨他？

小弟呢？

小弟终于出现了。前些日子来，他一直显得很疲倦憔悴，落魄潦倒。

可是现在他却已换上一身鲜明华丽的衣服，连发髻都梳得很光洁整齐。简直就像换了一个人。

——是什么事让他忽然奋发振作起来的？

——是不是因为他终于想通了其中的利害，终于将谢晓峰出卖给天尊，立了大功？

看见他走近，十几个人立刻全都围了上去，显得巴结而阴沉。

小弟的神情却很严肃，冷冷地问："怎么样？"

"不行。"

十几个人同时回答。

"没有法子？"

"没有。"

小弟的脸沉了下去，眼中现出怒火，忽然出手，抓住了其中一个人的衣襟。

这人年纪最大，气派不小，手里拿着的一个鼻烟壶，至少就已价值千金。

可是在小弟面前，他看来简直就像是只被猫捉住的耗子。

小弟道："你就是简复生？"

这人道："是。"

小弟道："听说别人都叫你'起死复生'简大先生？"

简复生道："那是别人胡乱吹嘘，老朽实在不敢当。"

小弟上上下下打量着他，忽又笑了笑，道："你这鼻烟壶很不错呀！"

简复生虽然还是很害怕，眼睛里却已不禁露出得意之色。

这鼻烟壶是整块碧玉雕成的，他时时刻刻都带在身边，就连睡着了的时候，都压在枕头下面。他听见有人称赞这鼻烟壶，简直比听见别人称赞他的医术还要得意。

小弟微笑道："这好像还是用整块汉玉雕出来的，只怕最少也值得上千两银子。"

简复生忍不住笑道："想不到大少爷也是识货的人。"

小弟道："你哪里来的这么多银子！"

简复生道："都是病人送的诊金！"

小弟道："看来你收的诊金可真不少呀！"

简复生已渐渐听出话风不太对了，已渐渐笑不出来。

小弟道："你能不能借给我看看？"

简复生虽然满怀不情愿，却又不敢不送过去。

小弟手里拿着鼻烟壶，好像真的在欣赏的样子，喃喃道："好，真是好东西，只可惜像你这样的人，还不配用这样的好东西。"

这句话刚说完，"吧"的一响，这价值连城的鼻烟壶竟已被摔在地上，摔得粉碎。

简复生的脸色立刻变了，变得比刚死了亲娘的孝子还难看，几乎就要哭了出来。

小弟冷笑道："你既称名医，收的诊金比谁都高，却连这么样一点轻伤都治不好，你究竟是他妈的什么东西？"

简复生全身发抖，满身冷汗，嘴里结结巴巴地不知在说什么。

第三十七章

看破生死

他旁边却有个华服少年挺身而出，抗声道："这绝不是一点轻伤，那位先生伤势之重，学生至今还没有看见过。"

小弟瞪着他，道："你是什么东西？"

少年道："学生不是东西，学生是人，叫简传学。"

小弟道："你就是简复生的儿子？"

简传学道："是的。"

小弟道："你既叫简传学，想必已传了他的医学，学问想必也不小。"

简传学道："学生虽然才疏学浅，有关刀圭金创这方面的医理，倒也还知道一点。"

他指着后面的人，又道："这些叔叔伯伯，也都是个中的斵轮好手，我等治不好的伤，别人想必也治不好。"

小弟怒道："你怎么知道别人也治不好？"

简传学道："那位先生身上的伤，一共有五处，两处是旧创，三处是这两天才被人用利剑刺伤的，虽然不在要害上，可是每一剑都刺得很深，已伤及关节处的筋骨。"

他歇了口气，又接着道："病人受了伤之后，若是立刻求医疗养，也许还有救，可惜他受伤后又劳动过度，而且还喝了酒，喝得又太多，伤口已经开始溃烂。"

他说的话确实句句都切中要处，小弟也只有在旁听着。

简传学道："可是严重的，还是那两处旧创，就算我们能把新伤治好，他也只能再活七天。"

小弟脸色变了："七天？"

简传学道："最多七天。"

小弟道："可是那两处旧创看起来岂非早已收了口？"

简传学道："就因为创痕已经收了口，所以最多只能再活七天。"

小弟道："我不懂！"

简传学道："你当然不会懂，懂得这种事的人本就不多，不幸他却偏偏认得一个，而且恰巧是他的朋友。"

小弟更不懂："是他的朋友？"

简传学道："他受伤之后，就恰巧遇见了这位朋友，这位朋友身上，恰巧带着最好的金创药，又恰巧带着最毒的化骨散。"

他叹了口气："金创药生肌，化骨散蚀骨，剑痕收口时，创毒已入骨，七天之内，他的全身一百卅七根骨骼，都必将化为脓血。"

小弟一把握住他的手，握得很紧："没有药可以解这种毒？"

简传学道："没有！"

小弟道："也没有人可以解这种毒？"

简传学道："没有。"

他的回答简单、明确、肯定，令人不能怀疑，更不能不信。

但是一定要小弟相信这种事，又是多么痛苦，多么残酷。

只有他知道简传学说的这位朋友是谁，就因为他知道，所以痛苦更深。

只有痛苦，没有别的。因为他甚至连恨都不能去恨。

应该爱的不能去爱，应该恨的不能去恨，对一个血还没有冷的年轻人来说，这种痛苦如何能忍受？

他忽然听见谢晓峰在问："最多七天，最少几天？"

他不敢回头面对谢晓峰，也不想听简传学的答复。

但是他已听见！

"三天。"

简传学的回答虽然还是同样明确肯定，声音却也有了种无可奈何的悲哀："最少可能只有三天。"

一个人忽然发现自己的生命只剩下短短的三天时，会有什么样的反应？

谢晓峰的反应很奇特。他笑了。

死，并不是件可笑的事，绝不是。

他为什么要笑？

是因为对生命的轻蔑和讥诮？还是因为那种已看破一切的洒脱？

小弟忽然转身冲过来，大声道："你为什么还要笑？你怎么还能笑得出？"

谢晓峰不回答，却反问："大家远路而来，主人难道连酒都不招待？"

简传学的手一直在抖，这时才长长吐出口气。

"喝一杯"的意思，通常都不是真的只喝一杯。

三杯下肚，简传学的手才恢复稳定。酒，本就能使人的神经松弛，情绪稳定。

可是终年执刀的外伤大夫，却不该有一双常常会颤抖的手。

谢晓峰一直在盯着他的手，忽然问："你常喝酒？"

简传学道："我常喝，可是喝得不多。"

谢晓峰道："如果一个人常喝酒，是不是因为他喜欢喝？"

简传学道："大概是的。"

谢晓峰道："既然喜欢喝，为什么不多喝些？"

简传学道："因为喝太多总是对身体有损，所以……"

谢晓峰道："所以你心里虽然想喝，却不得不勉强控制自己。"

简传学承认。

谢晓峰道："因为你还想活下去，还想多活几年，活得愈久愈好。"简传学更不能否认——生命如此可贵，又有谁不珍惜？

谢晓峰举杯，饮尽，道："每个人活着时，都一定有很多心里很想去做，却不敢去做的事，因为一个人只要想活下去，就难免会有很多拘束，很多顾忌。"

简传学又长长叹了口气，苦笑道："芸芸众生中，又有谁能无拘无束，随心所欲！"

谢晓峰道："有一种人！"

简传学道："哪种？"

谢晓峰微笑道："知道自己最多只能再活几天的人。"

他在笑，可是除了他自己外，还有谁忍笑？谁能笑得出？

在人类所有的悲剧中，还有哪种比死更悲哀？

一种永恒的悲哀。

酒已将足。

仍未足。

谢晓峰忽然问："如果你知道你自己最多只能再活几天，在这几天里，你会做什么？"

这是个很奇妙的问题，奇妙而有趣，却又带着种残酷的讥诮。

也许有很多人曾经在夜深人静、无法成眠时问过自己！

——如果我最多只能再活三天，在这三天里，我会去做些什么事？

但是会拿这问题去问别人的一定不多。

他问的不是某一个人，而是在座的每一个人。

座中忽然有个人站起来，大声道："如果是我，我会杀人！"

这个人叫施经墨。

在西河，施家是很有名的世家，他的祖先祖父都是很有名的儒医，传到他已是第九代，每一代都是循规守矩的惇惇君子。

他当然也是个君子，沉默寡言，彬彬有礼，现在居然会说出这么一句话来，认得他的人，当然都很吃惊。

谢晓峰却笑了："你要去杀人？杀多少人？"

施经墨好像被这问题吓了一跳，喃喃道："杀多少人？我能杀多少人？"

谢晓峰道："你想杀多少？"

施经墨道："我本来只想杀一个的，现在想想，还有两个也一样该死！"

谢晓峰道："他们都很对不起你？"

施经墨咬着牙，目中现出怒火，就好像仇人已经在他眼前，他随时都可以将他们的头颅砍下。

谢晓峰叹了口气，道："只可惜你还有许多日子可以活，所以你也只有眼看着他们逍遥自在地活下去，很可能活得比你还快活。"

施经墨痴痴地怔了很久，握紧的双拳渐渐放松，目中的怒火也渐渐消失，黯然道："不错，就因为我还可以活下去，所以也只有让他们活下去。"

他的声音充满了一种无可奈何的悲伤，能够活下去，对他来说，竟似已变成种负担。

他忍不住在心里问自己。

——一个人要继续活下去，究竟是幸运？还是不幸？

谢晓峰忽然转过脸，盯着简传学，道："你呢？"

简传学本来一直在沉思，显然也被这问题吓了一跳："我？"

谢晓峰道："你是个很有才能的人，出身好，学问好，而且刚强正直，想必一直都受人尊敬，你自己当然也不敢做出一点逾越规矩礼教的事。"

简传学不能否认。

谢晓峰道："可是如果你只能活三天，你会去干什么？"

简传学道："我……我会去好好地安排后事，然后静静地等死。"

谢晓峰道："真的？"

他目光如利刃，仿佛已刺入他心里："你说的全是真话？"

简传学点下头，忽又抬起，大声道："不是真话，完全不是。"

他一口气喝了三杯酒，又大声道："如果我只能再活三天，我会去大吃大喝，狂嫖烂赌，把全城的婊子都找来，脱光了跟她们捉迷藏。"

他父亲吃惊地看着他，道："你……你怎么会想到要做这种事？"

谢晓峰道："这种事本来就很有趣，如果你只能活三天，你说不定也会去做的！"

简传学道："我……我……"

谢晓峰道："只可惜你们都还要活很久，所以你们心里就算想得要命，也只能偷偷地在心里想想而已。"

简传学终于叹了口气，苦笑道："老实说，我简直连想都不敢想。"

一个二十八九岁的俏娘姨，正捧着一大碗热气腾腾的红焖鸭子走进来。

谢晓峰忽然问她："如果你只能活三天了，你想干什么？"

这娘姨也被问得吃了一惊，迟迟地说不出话。

小弟沉着脸，道："谢先生既然在问你，你就要说老实话。"

这娘姨又害羞，又害怕，终于红着脸道："我想嫁人。"

谢晓峰道："你一直都没有嫁？"

这娘姨道："没有。"

谢晓峰道："为什么不嫁？"

这娘姨道："我从小就被卖给人家做丫环，能嫁给什么样的男人？有什么样的男人肯娶我？"

谢晓峰道："可是你若只能活三天，就不管什么样的人都要嫁！"

这娘姨道："只要男人就行，只要是活男人就行。"

她脸上因此已发出兴奋的光，忽然又大笑："然后我就杀了他。"

二十七八的大姑娘，要嫁人并不奇怪，后面这句话，却叫人想不通了。

大家又吃了一惊："你既然已经嫁给了他，为什么又要杀了他？"

这娘姨道："因为我没有做过寡妇，我还想尝尝做寡妇是什么滋味。"

大家面面相觑，想笑，又不能笑，谁都想不到这样一个女人，会有这么荒唐、这么绝的想法。

这娘姨道："只可惜我还不会死，所以我非但做不了寡妇，还很可能连嫁都嫁不出去。"

她低着头，轻轻叹了口气，放下手里的碗，低着头走出了门。

过了很久，座上忽然有个人在喃喃自语："如果我只能活三天，我一定娶她。"

这个人叫于俊才，也是位名医，却偏偏生得奇形怪状，不但驼背瘤腿，而且满脸麻子。

就因为他有名气——不但有才名，还有丑名，所以做媒的虽然想尽千方百计去为他提亲，对方只要一听见"麻大夫"的大名，立刻就退避三舍，有一次有个媒婆甚至还被人用扫帚赶了出去。

谢晓峰道："你真的想娶她？"

于俊才道：“这女人又干净，又标致，能娶到这样的老婆，已经算是福气，只可惜……”

谢晓峰道：“只可惜你既然还不会死，就得顾全你们家的面子，总不能把个丫头用八人大轿娶回去。”

于俊才只有点头、叹气、苦笑、喝酒。

谢晓峰又大笑。大家就看着他笑。

谢晓峰道：“刚才你们都想问我，一个明知道自己快要死了的人，怎么还能笑得出？现在你们为什么不问了？”

没有人回答，没有人能回答。

谢晓峰自己替他们回答：“因为现在你们心里都在偷偷地羡慕我，因为你们心里想做，却不敢去做的事，我都可以去做。”

一个人若能痛痛快快，随心所欲过几天，我相信一定会有很多人在心里偷偷地羡慕。

于俊才已经喝了两杯酒，忽然问：“你呢？在这三天里，你想干什么？”

谢晓峰道：“我要你娶她。”

于俊才又一惊：“娶谁？”

谢晓峰道：“我义妹。”

于俊才道：“你义妹？谁是你义妹？”

谢晓峰忽然冲出去，将一直躲在门外偷听的俏娘姨拉了进来。

“我的义妹就是她。”

于俊才怔住。

俏娘姨也怔住。

谢晓峰道：“你姓什么，叫什么？”

这娘姨低下头，道：“做丫头的还有什么姓，主人替我取了个名字，叫芳梅，我就叫芳梅！”

谢晓峰道：“现在你已有了姓，姓谢！”

芳梅道：“姓谢？”

谢晓峰道：“现在你是我的义妹，我姓谢，你不姓谢姓什么！”

芳梅道：“可是你……你……”

谢晓峰道：“我就是翠云峰，绿水湖，神剑山庄，谢家的三少爷谢晓峰。”

芳梅仿佛听过这名字：“谢家的三少爷？谢晓峰？”

谢晓峰道：“不管谁做了谢家三少爷的义妹，都绝对不是件丢人的事！”

他指着于俊才：“这个人虽然不是个美男人，却一定是个好丈夫。”

芳梅的头垂得更低。

谢晓峰拉起她的手，放在于俊才手里：“现在我宣布你们已经成了夫妇，有没有人反对？”

没有，当然没有。

这是喜事，很不寻常的喜事，完全不合规矩，甚至已有点荒唐。

可是无论什么样的喜事，都能使人的精神振奋些，只有施经墨，还是显得很沮丧。

谢晓峰慢慢地走过去，忽然问：“那个人是你的朋友？”

施经墨道：“哪个人？”

谢晓峰道：“对不起你的人。”

施经墨握紧双拳：“我……我一直都拿他当朋友，可是他……”

谢晓峰道：“他做了什么对不起你的事？”

施经墨闭紧了嘴，连一个字都没有说，眼睛里却已有泪将流。

这件事他既不忍说，也不能说。

无论多么大的仇恨，多么深的痛苦，他都可以咬着牙忍受，却无法忍受这件事带给他的羞辱。

谢晓峰看着他，目中充满同情：“我看得出你是个老实人。”

施经墨垂下头：“我只不过是个没有用的人。”

老实人的意思，本来就通常都是没有用的人。

谢晓峰道：“可是你至少读过书。”

施经墨道：“也许就因为我读过书，所以才会变得如此无用！”

谢晓峰道：“有用。”

施经墨笑了，笑容中充满自嘲与讥诮：“有用？有什么用？”

谢晓峰讥道：“有时用笔也一样能杀人的。”

第三十八章

口诛笔伐

施经墨道：“用笔也能杀人？”

谢晓峰道：“你不信？”

施经墨道：“我……”

谢晓峰道：“那边桌上有笔墨，你为什么不过去试试？”

施经墨道：“怎么试！”

谢晓峰道：“只要你去写三个字，就可以将一个人置之于死地。”

施经墨道：“哪三个字？”

谢晓峰道：“那个人的名字。”

施经墨抬起头，吃惊地看着他。直到现在，他才发现站在他面前的这个垂死的人，全身都带着种神秘而可怕的力量，随时都能做出别人做不到的事。

谢晓峰道：“快去写，写好了不妨密封藏起，再交给我，我保证这里绝没有人会泄露你的秘密。”

施经墨终于站起来，走过去，提起了笔。

这个人的力量，实在令他不能抗拒，也不敢抗拒，这个人说的话，他也不能不信。

密封起的信封，已在谢晓峰手里，里面只有一张纸，一个名字。

谢晓峰道：“除了你自己之外，我保证现在绝没有人知道这里面写的是谁的名字。”

施经墨点点头，苍白的脸已因兴奋紧张而扭曲，忍不住问：“以后呢？”

谢晓峰道：“以后也只有一个人能看到这名字。”

施经墨道：“什么人？”

谢晓峰道：“一个绝对能为你保守秘密的人。”

他转过身，面对小弟：“你当然已猜出这个人就是你！”

小弟道：“是。”

谢晓峰道：“你看到这名字后，这个人当然就活不长了。”

小弟道：“是。”

谢晓峰道：“他当然是死于意外的。”

小弟道：“是。”

他伸出手，接过谢晓峰手里的信，他的手也和谢晓峰同样稳定。

每个人都在，他们脸上的表情不知是敬畏，还是恐惧。

一封信、一张纸、一个名字，一瞬间就已铁定了一个人的生死！

他们究竟是什么人？为什么能有这种权力？

施经墨额上冷汗如豆，忽然冲过去，一把夺下了小弟手里的信，揉成一团，塞入嘴里，嚼碎，咽下，然后就开始不停地呕吐。

谢晓峰冷冷地看着他，并没有阻止。

小弟脸上更全无表情，直到他呕吐停止，谢晓峰才淡淡地问道：“你不忍让他死？”

施经墨拼命摇头，泪水与冷汗同时流下。

谢晓峰道：“你既然恨他入骨，为什么又不忍让他死？”

施经墨道：“我……我……”

谢晓峰道：“那边还有纸，我还可以再给你一次机会！”

施经墨又拼命摇头：“我真的不想要他死，真的不想！”

谢晓峰笑了：“原来你恨他恨得并没有你想象中那么深。”

他微笑着，从地上拉起了几乎已完全软瘫的施经墨：“不管怎么样，你总算已有机会杀过他，却又放过他，只要想到这一点，你心里就会觉得舒服多了。”

屋子里很暗，他脸上却仿佛发着光。

每个人都不由自主在看着他，脸上的表情已只有敬畏，没有恐惧。

——一封信，一张纸，一个名字，一刹那间就化解了一个人心里的怨毒和仇恨。

——他究竟是什么人，为什么会有这种神奇的力量？

杯里又加满了酒，每个人都默默举杯，一饮而尽，每个人都明白这杯酒是为谁喝的——也许只有三天了，在这三天里，他还会做出些什么事？

谢晓峰长长吐出口气，笑得更愉快，对这一切，他显然都觉得很满意。

他喜欢好酒，也喜欢别人对他尊敬。这两样事他虽然已摒绝了很久，可是现在却仍可使全身都渐渐温暖起来。

“该走的，迟早总是要走的。”

他看着这些人：“现在你们还有没有人一定要把我留在这里？”

小弟再次举杯，一饮而尽，然后再一字字道：“没有，当然没有。”

每个人都再次举杯，喝下了这杯酒，每个人都在看着谢晓峰。

只有简传学一直低着头，忽然问：“现在你是不是已经该走了？”

谢晓峰道：“是。”

他站起来，走过去，握住简传学的臂：“我们一起走。”

简传学终于抬起头：“我们一起走？你要我跟你去哪里？”

谢晓峰道：“去大吃大喝，狂嫖烂赌。”

简传学道：“然后呢？”

谢晓峰道：“然后我去死，你再回来做你的君子。”

简传学连想都不再想，立刻站起来！

“好，我们走。”

看着他们并肩走出去，每个人都知道谢晓峰这一去必死无疑。

可是简传学呢？他是不是还会回来做他的君子？

已经走出了门，简传学忽又停下来：“现在我们还不能走。”

谢晓峰道：“为什么？”

简传学道：“因为你就是谢家的三少爷，谢晓峰。”

这不成理由。

所以简传学又补充：“这里每个人都知道，谢家三少爷的剑法，是天下无双的剑法，却没有一个人看见过。”

谢晓峰承认。他的名声天下皆知，亲眼看见过他剑法的人却不多。

简传学道：“三少爷若是死了，还有谁能看见三少爷的剑法？”

没有人，当然没有。

简传学道：“大家不远千里而来，要看的也许并不是三少爷的病，而是三少爷的剑，三少爷总不该让大家徒劳往返，抱憾终生？”

这是老实话。三少爷的病并不好看，好看的是三少爷的剑。

谢晓峰笑了。

他微笑着转回身：“这里有剑？”

这里有剑，当然有。

有剑，不是古剑，也不是名剑，是柄好剑，百炼精钢铸成的好剑。一柄好剑是不是能成为古剑使用，成为名剑，通常要看用它的是什么人。剑能得其主，剑胜；得其名剑不能得其主，剑执、剑毁、剑沉，既不能留名于千古，亦不能保其身。

一个人的命运岂非如此？

剑一出鞘，就化作一道光华，一道弧形的光华、灿烂、辉煌、美丽。

光华在闪动、变幻、高高在上，轻云飘忽，每个人都觉得这道光华仿佛就在自己眉睫间，却又没有人能确实知道它在哪里。它的变化，几乎已超越了人类能力的极限，几乎已令人无法置信。

可是它确实在那里，而且无处不在。可是就在每个人都已确定它存在时，已忽然又不见了。

又奇迹般忽然出现，又奇迹般忽然消失。

所有的动作和变化，都已在一刹那间完成，终止。就像是流星，又像是闪电，却又比流星和闪电更接近奇迹。因为催动这变化的力量，竟是由一个人发出来的。

那普普通通，有血有肉的人。

等到剑光消失时，剑仍在而这个人却不见了。

剑在梁上。

大家痴痴地看着这柄剑，也不知道过了多久，有人长长吐出口气。

“他不会死。”

“为什么？”

“因为这世上本就有这种人。”

“为什么？”

“因为无论他的人去了哪里，都必将永远活在我们心里。”

夜。

华灯初上，灯如昼。

他们都已有了几分酒意，简传学的酒意正浓，喃喃道：“那些人一定很奇怪，我怎么会忽然想到要做这些事，我一向是个好孩子。”

谢晓峰道：“你是不是人？”

简传学道：“当然是。”

谢晓峰道：“只要是人，不管是什么样的人，要学坏都比学好容易，尤其像吃喝嫖赌这种事根本连学都不必学的。”

简传学立刻同意：“好像每个人都天生就有这种本事。”

谢晓峰道：“可是如果真的要精通这其中的学问，却很不容易。”

简传学道：“你呢？”

谢晓峰道：“我是专家。”

简传学道：“专家准备带我到哪里去？”

谢晓峰道：“去找钱。”

简传学道：“专家做这种事也要花钱？”

谢晓峰道：“因为我是专家，所以才要花钱，而且花得比别人都多。”

简传学道：“为什么？”

谢晓峰道：“因为这本来就是要花钱的事，若是舍不得花钱，就不如回家去抱孩子。”

这的确是专家说出来的话，只有真正的专家，才能明白其中的道理。又想玩个痛快，又要斤斤计较，小里小气的人，才是这一行中的瘟生，因为他们就算省几文，在别人眼中却已变得一文不值了。

专家当然也有专家的苦恼，最大的苦恼通常只有一个字——钱。因为花钱永远都比找钱容易得多，可是这一点好像也难不倒谢晓峰。他带着简传学在街上东逛西逛，忽然逛进了一家门面很破旧的杂货铺，随便你怎么看，都绝不像是个有钱可以找的地方。

杂货铺里只有个老眼昏花、半聋半瞎的老头子，随便怎么看，都绝不像是个有钱的人。

简传学心里奇怪！

——我们既不想买油，也不想买醋，到这里来干什么？

谢晓峰已走过去，附在老头子耳朵边，低低地说了几句话。

老头子的表情，立刻变得好像只忽然被八只猫围住了的老鼠。

然后他就带着谢晓峰，走进了后面挂着破布帘子的一扇小门。

简传学只有在外面等着。

幸好谢晓峰很快就出来了，一出来就问他："三万两银子够我们花的？"

三万两银子？

哪里来的三万两银子？

在这小破杂货铺里，能一下子找到三万两银子？

简传学简直没法子相信。可是谢晓峰的确已有了三万两银子。

老头子还没有出来，简传学忍不住悄悄地问："这里究竟是什么地方？"

谢晓峰道："当然是个好地方。"

他微笑着补充："有钱的地方，通常都是好地方。"

简传学道："这种地方怎么会有钱？"

谢晓峰道："包子的肉不在褶上，一个人有钱没钱，从外表也是看不出来的。"

简传学道："那老头有钱？"

谢晓峰道："不但有钱，很可能还是附近八百里内最有钱的一个。"

简传学道："那么他为什么还要过这种日子？"

谢晓峰道："就因为他肯过这种日子，所以才有钱。"

简传学道："既然他连自己都舍不得花钱，怎么会平白送三万两银子给你？"

谢晓峰道："我当然有我的法子。"

简传学眨了眨眼，压低声音，道："什么法子？是不是黑吃黑？"

谢晓峰笑了，只笑，不说话。

简传学更好奇，忍不住又问："难道这老头子是个坐地分赃的江洋大盗？"

谢晓峰微笑着道："这些事你现在都不该问的。"

简传学道："现在我应该问什么？"

谢晓峰道："问我准备带你到哪里花钱去。"

简传学也笑了。

不管怎么样，花钱总是件令人愉快的事。

他立刻问："我们准备到哪里花钱去？"

谢晓峰还没有开口，那老头子已从破布帘子里伸出头，道："就在这里。"

这里是个小破杂货铺，就算把所有的货都买下来，也用不了五百两。

简传学当然要问："这里也有地方花钱？"

老头子眯着眼打量了他两眼，头又缩了回去，好像根本懒得跟他说话。

谢晓峰已笑道："这里若是没地方花钱，那三万两银子是哪里来的？"

这句话很有理，简传学还是难免有点怀疑："这里有女人？"

谢晓峰道："不但有女人，附近八百里内，最好的女人都在这里！"

简传学道："附近八百里内，最好的酒都在这里？"

谢晓峰道："在。"

简传学道："你怎么知道的？"

谢晓峰道："因为我是专家。"

杂货铺后面只有一扇门。又小又窄的门，挂着又破又旧的棉布帘子。

酒在哪里？

女人在哪里？难道都在这扇挂着破旧棉布帘子的小破门里？

简传学忍不住想掀开帘子看看，帘子还没有掀开，头还没有伸进去，就嗅到一股香气。

要命的香气。

然后就晕了过去。

他醒来的时候，谢晓峰已经在喝酒，不是一个人在喝酒，有很多女人在陪他喝酒。

酒还不知道是不是最好的酒，女人却个个都不错，很不错。

简传学摇摇晃晃地站起来，摇摇晃晃地走过去，先抢了杯一饮而尽。

果然是好酒。

女孩子们都在看着他笑，笑起来显得更漂亮。

简传学看看他们，再看看谢晓峰："你有没有嗅到那股香气？"

谢晓峰道："没有。"

简传学道："我嗅到了，你怎么会没有？"

第三十九章

赌剑决胜

谢晓峰道："我捏住了鼻子。"

简传学道："为什么要捏住鼻子？"

谢晓峰道："因为我早就知道那是什么香。"

简传学道："那是什么香？"

谢晓峰道："迷香。"

简传学道："为什么要用迷香迷倒我？"

谢晓峰道："因为这样才神秘。"

他微笑："愈神秘岂非就愈有趣？"

简传学看看他，再看看这些女孩子，忍不住叹了口气："看起来你果然是专家，不折不扣的专家。"

"为什么大家总是说'吃、喝、嫖、赌'，为什么不说'赌、嫖、喝、吃'？"

"不知道。"

"我知道。"

"你说是为什么？"

"因为赌最厉害，不管你怎么吃，怎么喝，怎么嫖，一下子都不会光的，可是一赌起来，很可能一下子就输光了。"

"一输光了，就吃也没的吃了，喝也没的喝了，嫖也没的嫖了。"

"一点都不错。"

"所以赌才要留到最后。"

"一点都不错。"

"现在我们是不是已经应该轮到赌了？"

"好像是的。"

"你准备带我到哪里去赌？"

谢晓峰还没有开口，那老头子忽然又从门后面探出头，道："就在这里，这里什么都有！"

这里当然不再是那小破杂货铺。

这里是间很漂亮的屋子，有很漂亮的摆设，很漂亮的女人，也有很好的菜，很好的酒。

这里的确几乎已什么都有了。可是这里没有赌。

赌就要赌得痛快，如果你已经和一个女孩子做过某些别种很痛快的事，你能不能够再跟她痛痛快快地赌？

除了这种女孩子外，这里只有一个谢晓峰。

简传学当然也不能跟谢晓峰赌。朋友和朋友之间，时常都会赌得你死我活，反脸成仇。可是如果你的赌本也是你朋友拿出来的，你怎么能跟他赌？

老头子的头又缩了回去，简传学只有问谢晓峰："我们怎么赌？"

谢晓峰道："不管怎么赌，只要有赌就行。"

简传学道："难道就只有我们两个赌？"

谢晓峰道："当然还有别人。"

简传学道："人呢？"

谢晓峰道："人很快就会来的。"

简传学道："是些什么人？"

谢晓峰道："不知道。"

他微笑，又道："可是我知道，那老头子找来的，一定都是好脚。"

简传学道："好脚是什么意思？"

谢晓峰道："好脚的意思，就是好手，也就是不管我们怎么赌，不管我们赌什么，他们都能赌得起。"

简传学道："赌得起的意思，就是输得起？"

谢晓峰笑了笑，道："也许他们根本不会输，也许输的是我们。"

赌的意思，就是赌，只要不作假，谁都没把握能稳赢的。

简传学道："今天我们赌什么？"

谢晓峰又没有开口，因为那老头子又从门后面伸出头："今天我们赌剑。"

他眯着眼，看看谢晓峰："我保证今天请来的都是好脚。"

武林中一向有七大剑派——

武当、点苍、华山、昆仑、海南、峨眉、崆峒。

少林弟子多不使剑，所以少林不在其中。

自从三丰真人妙悟内家剑法真谛，开宗立派以来，武当派就被天下学剑的奉为正宗，历年门下弟子高手辈出，盛誉始终不坠。

武当派的当代剑客从老一辈的高手中，有六大弟子，号称"四灵双玉"。

四灵之首欧阳云鹤，自出道以来，已身经大小三十六战，只曾在隐居巴山的武林名宿顾道人手下败过几招。

欧阳云鹤长身玉立，英姿风发，不但在同门兄弟中很有人望，在江湖中的人缘也很好，自从巴山这一战后，几乎已被公认最有希望继承武当道统的一个人，他自己也颇能谨守本分，洁身自好。

可是他今天居然在这种地方出现了，谢晓峰第一个看见的就是他。看来那老头的确没有说谎，因为欧阳云鹤的确是好手。

崆峒的剑法，本与武当源出一脉，只不过比较喜欢走偏锋。走偏锋并不是不好，有时反而更犀利狠辣。剑由心生，剑客们的心术也往往会随着他们所练的剑法而转变。所以崆峒门下的弟子，大多数都比较阴沉狠毒。

所以崆峒的剑法虽然也是正宗的内家功力，却很少有人承认崆峒派是内家正宗，这使得崆峒弟子更偏激，更不愿与江湖同道来往。

可是江湖中人并没有因此而忽视他们，因为大家都知道近年来他们又创出一套极可怕的剑法，据说这套剑法的招式虽不多，每一招都是绝对致命的杀手，能练成这种剑法当然很不容易，除了掌门真人和四位长老外，崆峒门下据说只有一个人能使得出这几招杀手。这个人就是秦独秀。

跟着欧阳云鹤走进来的，就是秦独秀。秦独秀当然也是好手。

华山奇险，剑法也奇险。

华山的弟子一向不多，因为要拜在华山门下，就一定要有艰苦卓绝、百折不挠的决心。当代的华山掌门孤僻骄傲，对门下的要求最严，从来不许他的子弟妄离华山一步。

梅长华却是唯一可以自由出入、走动江湖的一个，因为掌门对梅长华有信心。梅长华无疑也是好手。

昆仑的“飞龙九式”名动天下，威镇江湖，弟子中却只有一龙。

田在龙就是这一龙。

田在龙当然也无疑是好手。

点苍山明水秀，四季如春，门下弟子们从小拜师，在这环境中生长，大多数都是温良如玉的惇淳君子，对名利都看得很淡。

点苍的剑法虽然轻云飘忽，却很少有致命的杀招。

可是江湖中却没有敢轻犯点苍的人，因为点苍有一套镇山的剑法，绝不容人轻越雷池一步。只不过这套剑法一定要七人联手，才能显得出它的威力。

所以点苍门下，每一代都有七大弟子，江湖中人总是称他们为“点苍七剑”。

三百年来，每一代的“点苍七剑”，都有剑法精绝的好手。

吴涛就是这一代七剑中的佼佼者。

吴涛当然也是好手。

海南在南海之中，孤悬天外，人亦孤绝，若没有制胜的把握，绝不愿跨海西渡。

近十年来，海南剑客几乎已完全绝于中土，就在这时候，黎平子却忽然出现了。

这个人年纪不过三十，独臂、跛足、奇丑，可是他的剑法却绝对完美准确，只要他的剑一出手，就能使人立刻忘记他的独臂跛足，忘记他的丑陋。

这么样一个人，当然是好手。

这六个人无疑已是当代武林后起一等一高手中的精英，每个人都绝对是出类拔萃，绝对与众不同的。

可是最独特的一个人，却不是他们，而是厉真真。

峨眉门下的厉真真，被江湖人称为“罗刹仙子”的厉真真。

峨眉天下秀。

自从昔年妙因师太接掌了门户之后，峨眉的云秀之气，就仿佛全集于女弟子身上。

厉真真当然是个女人。

自从妙因师太接掌门户后，峨眉的女弟子就都是削了发的尼姑。厉真真却是例外。唯一的例外。

当代的峨眉掌门是七大掌门中年纪最大的，拜在峨眉门下，削发为尼时，已经有三十年左右。

没有人知道她在三十岁之前，曾经做过些什么事，没有人知道她以前的身世来历，更没有人想得到她能在六十三岁的高龄，还接了峨眉的门户。

因为当时江湖中谣言纷纷，甚至有人说她曾经是扬州的名媛。

不管她以前是个什么样的人，自从她拜在峨眉门下后，做出来的事都是任何一个随便什么样的女人都做不到的。

自从她削发的那一天，就没有笑过——至少从来没有人看见她笑过。

她守戒、苦修，每天只一餐，也只有一小钵胡麻饭、一小钵无根水。

她出家前本已日渐丰满，三年后就已瘦如秋草，接掌峨眉时，体重竟只有三十九公斤，看见过她的人没有一个能相信如此瘦小孱弱的躯体内，能藏着如此巨大的力量，如此坚强的意志。她门下的弟子也和她一样，守戒、苦修，绝对禁欲，绝对不沾荤酒。

她认为每个年轻的女孩子都一定会有很多正常和不正常的欲望，可是她如果经常都在半饥饿的状况中，就不会想到别的了。

她对厉真真却是例外。

厉真真几乎可以做任何一件自己想做的事，从来没有人限制过她。

因为厉真真虽然讲究饮食，讲究衣着，虽然脾气暴躁，飞扬跳脱，却从来不会做错事，就好像太阳从来不会从西边出来一样。

武林中一向是男人的天下，男人的心肠比女人硬，体力比女人强，武林中的英雄榜上，一向很少有女人。厉真真却是例外。

近年来她为峨眉争得的声名和荣耀，几乎已经比别的门户中所有弟子加起来都多。

厉真真还是个美人。今天她穿着的是件水绿色的轻纱长裙，质料、式样、剪裁、手工，都绝对是第一流的，虽然并不很透明，可是在很亮的地方，却还是隐约看得见她纤细的腰和笔直的腿。这地方很亮。

阳光虽然照不进来，灯光却很亮，在灯光下看她的衣裳简直就像是一层雾。

可是她不在乎，一点都不在乎，她喜欢穿什么，就穿什么。

因为她是厉真真。

不管她穿的是什么，都绝对不会有人敢看不起她。

她一走进来，就走到谢晓峰面前，盯着谢晓峰。

谢晓峰也在盯着她。

她忽然笑了。

"我知道你心里在想什么。"

她说："你一定想知道我是不是经常陪男人上床？"

这就是她说的第一句话。

有些人好像天生就是与众不同的，无论在什么时候，什么地方，总喜欢说些惊人的话，做些惊人的事。

厉真真无疑就是这种人。

谢晓峰了解这种人，因为他以前也曾经是这种人，也喜欢让别人吃惊。

他知道厉真真很想看看他吃惊时是什么样子。

所以他连一点吃惊的样子都没有，只淡淡地问道："你是不是想听我说老实话？"

厉真真道："我当然想。"

谢晓峰道："那么我告诉你，我只想知道要用什么法子才能让你陪我上床去。"

厉真真道："你只有一种法子。"

谢晓峰道："什么法子？"

厉真真道："赌。"

谢晓峰道："赌？"

厉真真道："只要你能赢了我，随便你要我干什么都行。"

谢晓峰道："我若输了，随便你要我干什么，我都得答应？"

厉真真道："对了。"

谢晓峰道："这赌注倒真不小。"

厉真真道："要赌，就要赌得大些，愈大愈有趣。"

谢晓峰道："你想赌什么？"

厉真真道："赌剑！"

谢晓峰笑了："你真的要跟我赌剑？"

厉真真道："你是谢晓峰，天下无双的剑客谢晓峰，我不跟你赌剑赌什么？难道要我像小孩子一样跟你蹲在地上掷骰子？"

她仰着头："要跟酒鬼赌，就要赌酒；要跟谢晓峰赌，就要赌剑，若是赌别的，赢了也没意思。"

谢晓峰大笑，道："好！厉真真果然不愧是厉真真。"

厉真真又笑了，道："想不到名满天下的三少爷，居然也知道我。"

这次她才是真的在笑，既不是刚才那种充满讥诮的笑，也不是侠女的笑。

这次她的笑，完完全全是一个女人的笑，一个真正的女人。

谢晓峰道："就算从来没有看见过珍珠的人，当他第一眼看见珍珠的时候，也一定能看得出它的珍贵。"

他微笑着，凝视着她："有些人也像是珍珠一样，就算你从来没有见过她，当你第一眼看见她的时候，也一定能认得出她的。"

厉真真笑得更动人，道："难怪别人都说谢家的三少爷不但有柄可以让天下男人丧胆的剑，还有张可以让天下女人动心的嘴。"

她叹了口气："只可惜女人们在动心之后，就难免要伤心了。"

谢晓峰道："你知不知道一个总是会让别人伤心的人，自己也一定有伤心的时候？"

他的声音虽然还是很平静，却又带着种说不出的哀愁。

厉真真垂下头："一个总是让别人伤心的人，自己也一定会有伤心的时候。"

她轻轻地跟着他说了一遍，忽又抬起头，盯着他："这句话我一定会永远记住。"

谢晓峰又大笑，道："好，你说我们怎么赌才是？"

厉真真道："我也常听人说，三少爷拔剑无情，从来不为别人留余地。"

谢晓峰道："三尺之剑，本来就是无情之物，若是剑下留情，又何必拔剑？"

厉真真道："所以只要你一拔剑，对方就必将死在你的剑下，至今还没有人能挡得住你三招。"

谢晓峰道："那也许只因为我在三招之间，就已尽了全力。"

厉真真道："三招之内，你若不能胜，是不是就要败了？"

谢晓峰道："很可能。"

他微笑，淡淡地接着道："幸好这种情况我至今还未遇见过。"

厉真真道："也许你今天就会遇见了。"

谢晓峰道："哦？"

厉真真转过脸，欧阳云鹤、秦独秀、梅长华、田在龙、吴涛、黎平子，一直都默默地站在她后面，她看了他们一眼："这几位你都认得？"

谢晓峰道："虽然从未相见，也应当能认得出的。"

厉真真道："我赌他们每个人都能接得住你出手的三招！"

谢晓峰道："每个人？"

厉真真道："每个人！只要有一个人接不住，就算我输了！"

她也淡淡地笑了笑："这么样赌，也许不能算很公平，因为你既然在出手三招间就已尽了全力，战到最后一两个人时，力气只怕就不济了。"

谢晓峰道："高手相争，不是犀牛之斗，用的是技，不是力。"

厉真真眼睛里发出了光，道："那么你肯赌？"

谢晓峰道："我今天本就是想来大赌一场的，还有什么赌法，能比这种赌得更痛快？”

他仰面而笑，道：“能够在一日之内，会尽七大剑派门下的高足，无论是胜是败，都足以快慰生平了。”

厉真真道：“好，谢晓峰果然不愧是谢晓峰。”

谢晓峰道：“你是不是准备第一个出手？”

厉真真道：“我知道三少爷一向不屑与女人交手，我怎么敢争先？何况……”

她微笑，接着道：“高手相争，虽然用的是技，不是力，力弱者还是难免要吃亏的，这些位师兄怎么会让我吃亏？”

谢晓峰笑道：“说得有理。”

厉真真嫣然道：“女人们在男人面前，多多少少总是有点不讲理的，所以就算我说错了，大家也绝不会怪我。”

欧阳云鹤、秦独秀、梅长华、田在龙、吴涛、黎平子，还是默默地站在那里，也不知是不是因为他们要说的话，都已被厉真真说了出来。

谢晓峰看着他们，道：“第一位出手的是谁？”

一个人慢慢地走出来，道：“是我。”

谢晓峰叹了口气，道：“我就知道一定是你。”

这个人当然是欧阳云鹤。

武当毕竟是名门正宗，在这种情况下，他怎么能畏缩退后？

谢晓峰又叹道：“第一个出来的若不是你，我也许会很失望，第一个出来的是你，我也很失望。”

欧阳云鹤道：“失望？”

谢晓峰道：“据说崆峒近来又新创出一种剑法，神秘奇险，我本以为崆峒弟子会跟你争一争先的。”

无论谁都听得出他的话中有刺，只有秦独秀却像是完全听不出。

欧阳云鹤道：“崆峒武当，本属一脉，是谁先出来都一样！”

谢晓峰慢慢地点了点头，缓缓道：“不错，是谁先出手都一样！”

说到“出手”两个字时，他已经先出手了。

吴涛本来站得最远，他的身子一闪，已拔出了吴涛腰上的佩剑。

说到最后一个字时，他已到了秦独秀面前，忽然侧转剑锋，将剑柄交给了秦独秀。

秦独秀怔了怔，只有接过这把剑，谁知谢晓峰又已闪电般出手，拔出了他的剑。

剑光一闪，已到了秦独秀眉睫间。

秦独秀居然临危不乱，反手挥剑，迎了上去。

只听“锵”的 声龙吟，一柄剑被震得脱手飞出，冲天飞起。

剑光青中带蓝，正是以缅铁之英练成的青云剑。

这种剑一共只有七柄，是点苍七剑专用的，只不过现在却已到了秦独秀手里，又从秦独秀手里被震飞了出去。

等到剑光消失时，这柄剑居然又到了谢晓峰手里，秦独秀的剑，却又回到了秦独秀自己腰畔的剑鞘。每个人都看得怔住了，秦独秀自己更是面如死灰。

对他来说，刚才这一刹那间发生的事，简直就像是场噩梦。

这场噩梦却又偏偏是真的。

谢晓峰再也不看他一眼，走过去，走到吴涛面前，道：“这是你的剑。”

他用两只手将剑捧了过去，吴涛只有接住，接剑的手已在颤抖，忽然长长叹了口气，黯然道：“不必出手，我已败了。”

厉真真道：“你真的承认败了？”

第四十章

预谋在先

吴涛慢慢地点了点头，道："你放心，我们的约会，我绝不会忘记。"

厉真真道："我相信。"

吴涛面对谢晓峰，仿佛想说什么，却连一个字都没有说，就头也不回地走了出去。

谢晓峰道："好，胜就是胜，败就是败，点苍门下，果然是君子。"

黎平子忽然冷冷道："幸好我不是君子。"

谢晓峰道："不是君子有什么好？"

黎平子道："就因为我不是君子，所以绝不会抢着出手。"

他的独眼闪闪发光，丑陋的脸上露出了诡笑："最后一个出手的人，不但以逸待劳，而且也已将你的剑法摸清了，就算不能将你刺杀于剑下，至少总能接住你三招。"

谢晓峰道："你的确不是君子，你是个小人。"

他居然在微笑："可是真小人至少总比伪君子好，真小人还肯说老实话。"

梅长华忽然冷笑，道："那么最吃亏的就是我这种人了。"

谢晓峰道："为什么？"

梅长华道："我既不是君子，也不是小人，虽不愿争先，也不愿落后。"

他慢慢地走出来，盯着谢晓峰："这次你准备借谁的剑？"

谢晓峰道："你的。"

对某些人来说，剑只不过是一把剑，是一种用钢铁铸成的，可以防身，也可以杀人的利器。可是对另外一些人来说，剑的意义就完全不一样了，因为他们已将自己的一生奉献给他们的剑，他们的生命已与他们的剑融为一体。

因为只有剑，才能带给他们声名、财富、荣耀，也只有剑，才能带给他们耻辱和死亡。

剑在人在，剑亡人亡。对他们来说，剑不仅是一柄剑，也是他们唯一可以信任的伙伴，剑的本身，就已有了生命，有了灵魂。如果说他们宁可失去他们的妻子，也不愿失去他们的剑，那绝不是夸张，也不太过分。

吴涛就是这种人。他认为无论在什么情况下失去自己的剑，都是无法原谅的过错，无法洗雪的耻辱，所以他失剑之后，就再也没有脸留在这里。梅长华也是这种人。

有了吴涛的前车之鉴，他对自己的剑，当然防范得特别小心。

现在谢晓峰却当着他的面，说要借他的剑。

梅长华笑了，大笑。他的手紧握剑柄，手背上的青筋已因用力而一根根凸起。没有人能从他手上夺下这柄剑，除非连他的手一起砍下来！

他对自己绝对有信心，但是他低估了谢晓峰。

就在他开始笑的时候，谢晓峰已出手。

没有人能形容他这出手一击的速度，也没有人能形容这一招的巧妙和变化。他的目标却不是梅长华的剑，而是梅长华的眼睛。

梅长华闪身后退，反手拔剑。拔剑也是剑术中极重要的一环，华山弟子对这一点从未忽视。

梅长华拔剑快，出手更快，剑光一闪，已在谢晓峰左胁下。

谁知就在这一刹那间，他的肘忽然被人轻轻一托，整个人都失去重心，仿佛将腾云驾雾般飞起。

等他再拿稳重心时，他的剑已到了谢晓峰手里。

这不是奇迹，也不是魂法。这正是谢家三少爷的无双绝技“偷天换日夺剑式”。

看起来他用的手法并不复杂，可是只要他使出来，就从未失手过一次。

梅长华的笑容僵硬，在他的脸上凝结成一种奇特而诡秘的表情。

忽然间，一声龙吟响起，仿佛来自天外。一道剑光飞起，盘旋在半空中，忽然闪电般凌空下击。这正是昆仑名震天下的“飞龙九式”，剑如神龙，人如卧云，这一剑下击之力，绝没有任何一门一派的任何一剑可以比得上。

可惜他的对象是谢晓峰。

谢晓峰的剑就像是一阵风，无论多强大的力量，在风中都必将消失无踪。

等到这一剑的力量消失时，就觉得有一阵风轻轻吹到他身上。

风虽然轻，却冷得彻骨。他全身的血液都仿佛已被冻结，他的人就从半空中重重地跌在地上。

风停了。

人的呼吸也似乎已停止。也不知过了多久，欧阳云鹤才长长叹息了一声，道：“果然是天下无双的剑法。”

厉真真冷冷地接着道：“只可惜出手并不正，以谢家三少爷的身份，本不该如此取巧的。”

简传学忽然道：“他受了伤，在你们七位高手的环伺之下，当然要速战速决，出奇制胜！”

厉真真道：“你也懂得剑？”

简传学道：“我不懂剑，这道理我却懂。”

他忽然也叹了口气，慢慢地接着道：“其实他本来并不一定要胜的，只可惜他是谢晓峰，只要他活着一天，就只许胜，不许败！因为他绝不能让神剑山庄的声名，毁在他手上。”

厉真真忽然笑了，道：“有理，说得有理，谢家的三少爷，本来就绝对不能败的。”

简传学道：“他若不败，你就要败了，你高兴什么？”

厉真真道：“你不懂？”

简传学道：“我不懂。”

厉真真嫣然道：“想不到世上居然还有你不懂的事。”

她脸上的表情就像是黄梅月的天气般阴晴莫测，笑容刚露，又板起了脸："你既然不懂，我为什么要告诉你？"

黎平子忽然大声道："我告诉你！"

厉真真的脸色又变了，抢着道："你们说过的话，算数不算数？"

黎平子道："我们说过什么话？我早就忘了。"

欧阳云鹤道："我没有忘。"

他的态度严肃而沉重："我们答应过她的，胜负未分前，绝不说出这其中的秘密。"

厉真真松了口气，道："幸好你是个守约守信的君子。"

黎平子冷冷道："他是君子，他要守约守信，是他的事。我只不过是个小人，小人说出来的话都可以当作放屁。"

他的手已握紧了剑柄："我有屁要放的时候，谁想拦住我都不行。"

谢晓峰目光闪动，微笑道："放屁也是人生大事之一，我保证绝没有人会拦住你。"

黎平子道："那就好极了。"

他的独眼闪闪发光，接着道："这次我们来跟你赌剑，都是她找来的。"

谢晓峰道："我想得到。"

黎平子道："但你绝对想不到，她跟我们每个人也都打了个赌。"

谢晓峰道："赌什么？"

黎平子道："她赌我们六个人全都接不住你的三招。"

谢晓峰道："所以她若输给了我，就反而赢了你们。"

黎平子道："她只输给你一个人，却赢了我们六个人，她赢的远比输的多得多。"

厉真真又笑了，嫣然道："其实你们早就知道，吃亏的事，我是绝不会做的。"

谢晓峰道："她跟你们赌的是什么？"

黎平子道："你知不知道天尊？"

谢晓峰苦笑，道："我知道。"

黎平子道："近来天尊的势力日益庞大，七大剑派已不能坐视，老一辈的人多已闭关不出，我们这一代的弟子，就决议要在泰山聚会，组成七派联盟。”

谢晓峰道：“这是个好主意。”

黎平子道：“在那一天，我们当然还得推出一位主盟的人。”

谢晓峰道：“你们若是输给了她，就得要推她为盟主？”

黎平子道：“一点也不错。”

厉真真柔声道：“就算你们推我做了盟主，又有什么不好！”

黎平子道：“只有一点不好。”

厉真真道：“哪一点？”

黎平子道：“你太聪明了，我们若是推你做了盟主，这泰山之盟，只怕就要变成第二个天尊。”

厉真真道：“现在昆仑、华山、崆峒、点苍，都已在片刻之间，惨败在三少爷的剑下，你难道有把握能接得住他三招？”

黎平子道：“我没有。”

他冷笑，接着道：“就因为我没有把握，所以早已准备对这次赌约当放屁。”

厉真真叹了口气，道：“其实我也早就知道你是个言而无信的小人，幸好别人都不是的。”

欧阳云鹤忽然道：“我也是的。”

厉真真这才真的吃了一惊，失声道：“你？你也像他一样？”

欧阳云鹤脸色更沉重，道：“我不能不这么做，江湖中已不能再出现第二个天尊。”

他慢慢地走过去走到黎平子身旁。

黎平子大笑，拍他的肩，道：“现在你虽然已不能算是真正的君子，却是个真正的男子汉了。”

欧阳云鹤叹了口气，喃喃道：“也许我本来就不是君子。”

这句话还没有说完，他已出手，一个肘拳打在黎平子右肋上。

肋骨碎裂的声音刚响起，利剑已出鞘。

剑光一闪，鲜血四溅。黎平子独眼中的眼珠子都似已凸了出来，瞪着欧阳云鹤。到现在他才知道欧阳云鹤和厉真真是站在一边的。到现在他才知道谁是真正的小人。

可是现在已太迟了。

剑尖还在滴着血。

秦独秀、梅长华、田在龙，脸上却已完全没有血色。

欧阳云鹤冷冷地看着他们，缓缓道：“我欧阳云鹤平生最恨的，就是这种言而无信的小人，只恨不得要他们一个个全都死在我的剑下，各位若认为我杀错了，我也不妨以死谢罪。”

厉真真柔声道：“他们都知道你的为人，绝不会这么想的。”

欧阳云鹤道：“胜就是胜，败就是败，各位都是君子，当然绝不会食言背信。”

田在龙忽然大声道：“我不是君子，现在我只要一听到这个字，就觉得说不出的恶心。”

欧阳云鹤沉下脸，道：“那么田师兄的意思是——”

田在龙道：“我没有什么意思，只不过泰山我已不想去了，你们随便要推什么人做盟主，都已经跟我没关系。”

秦独秀道：“你不去，我也不去。”

梅长华道：“我更不会去。”

田在龙精神一振道：“好，我们一起走，有谁能拦得住我们！”

三个人并肩大步，走了出去。田在龙走在中间，梅长华、秦独秀，一左一右，忽然往中间一夹。等到他们再分开时，田在龙的左右两胁，都已有一股鲜血流了出来。他挣扎着，想拔剑。

剑未出鞘，他的人已倒下。

“你们好狠！”

这就是他说的最后四个字，最后一句话。

没有声音，很久都没有声音。

每个人都在看着谢晓峰，每个人都等着看他的反应。

谢晓峰却在看着自己手里的剑，那本是梅长华的剑。

梅长华忽然道：“这是柄好剑？”

谢晓峰道：“是好剑。”

梅长华道：“这柄剑在华山世代相传，已有三百年，从来没有落在外人手里。”

谢晓峰道：“我相信。”

梅长华道：“你若认为我刚才不该杀了田在龙，不妨用这柄剑来杀了我，我死而无怨。”

谢晓峰道：“他本就该死，我更该死，因为我们都看错了人。”

他的手轻抚剑锋，慢慢地抬起头：“现在点苍的吴涛已经负气而走，海南的黎平子也被杀了灭口，田在龙一死，昆仑门下都在你们掌握之中，泰山之会当然已是你们的天下。”

欧阳云鹤沉声道：“这么样的结果，本来就在我们计划之中。”

谢晓峰道：“你们当然也早已知道我是个快死了的人。”

欧阳云鹤道：“我们的确早已知道你最多只能再活三天。”

厉真真叹了口气，道：“江湖中的消息，本就传得极快，何况是你的消息？”

谢晓峰道：“你们当然也看得出，刚才我一出手，创口就已崩裂。”

厉真真道：“我们就算看不出，也能想得到。”

谢晓峰道：“所以你们都认为，像我这么样一个人，本不该再管别人的闲事。”

欧阳云鹤道：“但是我们还是同样尊敬你，不管你是生是死，都已保全了神剑山庄的威名。”

厉真真道：“至少我们都已承认败了，是败在你手下的。”

谢晓峰道：“我知道，这一点我也很感激，只可惜你们忘了一点。”

厉真真道：“哪一点？”

谢晓峰道：“有我在这里，田在龙和黎平子本不该死的。”

厉真真道：“因为你觉得你应该可以救他们？”

谢晓峰道：“不错。”

厉真真道：“所以你觉得你虽然没有杀他们，他们却无异因你而死？”

谢晓峰道：“是的。”

厉真真道：“所以你想替他们复仇？”

谢晓峰道："也许并不是想为他们复仇，只不过是想求自己的心安。"

厉真真道："我明白你的意思，你反正要死了，就算死在我们剑下，也死得心安理得，问心无愧。"

她轻轻地叹了口气，慢慢地接着道："只可惜你还有很多事都不知道。"

谢晓峰道："哦？"

厉真真道："你只不过看见了这件事表面上的一层，就下了判断，内中的真相，你根本就不想知道，你连问都没有问。"

谢晓峰道："我应该问什么？"

厉真真道："至少你应该问问，黎平子和田在龙是不是也有该死的原因。"

谢晓峰道："他们该死？"

厉真真道："当然该死！"

欧阳云鹤道："绝对该死！"

谢晓峰道："为什么？"

厉真真道："因为他们不死，我们的七派联盟，根本就无法成立。"

欧阳云鹤道："因为他们不死，死的人就要更多了。"

厉真真道："黎平子偏激任性，本就是成事不足，败事有余的人。"

欧阳云鹤道："我们要成大事，就不能不将这种人牺牲。"

厉真真道："我对他的死，还有点难受，可是田在龙……"

欧阳云鹤道："田在龙就算再死十次，也是罪有应得的。"

谢晓峰道："为什么？"

厉真真道："因为他本来就是个奸细！"

谢晓峰道："奸细？"

厉真真笑了。

她在笑，却比不笑的时候更严肃："你不知道奸细是什么意思，奸细就是种会出卖人的人。"

谢晓峰道："他出卖了谁？"

厉真真道：“他出卖了我们，也出卖了自己。”

谢晓峰道：“买主是谁？”

厉真真道：“是天尊。当然是天尊。”

厉真真又道：“你应该想得到的，只有天尊，才有资格收买田在龙这种人。”

谢晓峰道：“你有证据？”

厉真真道：“你想看证据？”

谢晓峰道：“我想。”

厉真真道：“证据就在这里。”

她忽然转过身，伸出了一根手指。

她的手指纤细柔美，但是现在看起来却像是一柄剑、一根针。

她指着的竟是简传学。

“这个人就是证据。”

简传学还是很镇定，脸色却有点变了。

厉真真道：“你是谢家的三少爷，你是天下无双的剑客，你当然不会是个笨蛋。”

谢晓峰当然不会承认自己是个笨蛋，也不能承认。

厉真真道：“那么你自己为什么不想想，我们怎么会知道你最多只能活三天的？”

谢晓峰不必想。

——这件事迟早总会有人知道的，天下人都会知道。

——可是知道这件事的人，直到现在还没有太多。

——有什么人最清楚这件事？

——有什么人最了解谢晓峰这两天会到哪里去？

谢晓峰笑。

第四十一章

看轻生死

他在笑，可是任何人却不会认为他是真的在笑。

他在看着简传学。

简传学垂下了头。

“是的，是我说的。

“我是天尊的人，田在龙也是。

“是我告诉田在龙的，所以他们才会知道。”

这些话他没有说出来，也不必说出来。

“我看错了你。

“我把你当作朋友，就是看错了。”

这些话谢晓峰也没有说出来，更不必说出来。谢晓峰只说了四个字：“我不怪你。”

简传学也只问了他一句话：“你真的不怪我？”

谢晓峰道：“我不怪你，只因为你本来并不认得我。”

简传学沉默了很久，才慢慢地说：“是的，我本来不认得你，一点都不认得。”

这是很简单的一句话，却有很复杂的意思。

——不认得的意思，就是不认识。

——不认识的意思，就是根本不知道你是个什么样的人。

谢晓峰了解他的意思，也了解他的心情。

所以谢晓峰只说了三个字！

“你走吧。”

简传学走了，垂着头走了。

他走了很久，欧阳云鹤才长长叹了口气，道："谢晓峰果然不愧是谢晓峰。"

这也是很简单的一句话，而且很俗。

可是其中包含的意思既不太简单，也不太俗。

厉真真也叹了口气，轻轻地、长长地叹了口气，道："如果我是你，绝不会放他走的。"

谢晓峰道："你不是我。"

厉真真道："你也不是我，也不是欧阳云鹤、梅长华、秦独秀。"

谢晓峰当然不是。

厉真真道："就因为你不是，所以你才不了解我们。"

欧阳云鹤道："所以你才会觉得我们不该杀了黎平子和田在龙的。"

厉真真道："我们早已决定了，只要能达到目的，绝不择任何手段。"

欧阳云鹤道："我们的目的只有八个字。"

谢晓峰还没有问，厉真真已说了出来！

"对抗天尊，维护正义。"

她接着又道："也许我们用的手段不对，我们想做的事却绝没有什么不对。"

梅长华道："所以你若认为我们杀错了人，不妨就用这柄剑来杀了我们。"

欧阳云鹤道："我们非但绝不还手，而且死无怨恨！"

厉真真道："我是个女人，女人都比较怕死，可是我也死而无怨。"

谢晓峰手里有剑。无论是什么人的剑，无论是什么剑，到了谢家三少爷的手里，就是杀人的剑！

无论什么样的人都能杀，问题只不过是在——

这个人该不该杀！

黄昏。有雾。

黄昏本不该有雾，却偏偏有雾。梦一样的雾。

人们本不该有梦，却偏偏有梦。

谢晓峰走入雾中，走入梦中。

是雾一样的梦？还是梦一样的雾？

如果说人生本就如雾如梦，这句话是太俗，还是太真？

“我们都是人，都是江湖人，所以你应该知道我们为什么要这样做。”

这是厉真真说的话。所以他没有杀厉真真，也没有杀梅长华、秦独秀和欧阳云鹤。因为他知道这是真话。

江湖中本就没有绝对的是非，江湖人为了要达到某种目的，本就该不择手段。

他们要做一件事的时候，往往连他们自己都没有选择的余地。

没有人愿意承认这一点，更没有人能否认。

这就是江湖人的命运，也正是江湖人最大的悲哀。

江湖中永远都有厉真真这种人存在的，他杀了一个厉真真又如何！又能改变什么？

“我们选她来做盟主，因为我们觉得只有她才能对付天尊慕容秋荻。”

这句话是欧阳云鹤说的。这也是真话。

他忽然发觉厉真真和慕容秋荻本就是同一类的人。

这种人好像天生就是赢家，无论做什么事都会成功的。

另外还有些人却好像天生就是输家，无论他们已赢了多少，到最后还是输光为止。

他忍不住问自己：“我呢？我是种什么样的人？”

他没有答复自己，这答案他根本就不想知道。

雾又冷又浓，浓得好像已将他与世上所有的人都完全隔绝。

这种天气正适合他现在的心情，他本就不想见到别的人。

可是就在这时候，浓雾中却偏偏有个人出现了。

简传学的脸色在浓雾中看来，就像是个刚刚从地狱中逃脱的幽灵。

谢晓峰叹了口气：“是你。”

简传学道："是我。"

他的声音嘶哑而悲伤："我知道你不愿再见我，可是我非来不可。"

谢晓峰道："为什么？"

简传学道："因为我心里有些话，不管你愿不愿意听，我都非说出来不可。"

谢晓峰看着他惨白的脸，终于点了点头，道："你一定要说，我就听。"

简传学道："我的确是天尊的人，因为我无法拒绝他们，因为我还不想死。"

谢晓峰道："我明白，连田在龙那样的人都不能拒绝他们，何况你！"

简传学道："我跟他不同，他学的是剑，我学的是医，医道是济世救人的，将人的性命看得比什么都重。"

谢晓峰道："我明白。"

简传学道："我投入天尊只不过才几个月，学医却已有二十年，对人命的这种看法，早已在我心里根深蒂固。"

谢晓峰道："我相信。"

简传学道："所以不管天尊要我怎么做，我都绝不会将人命当儿戏，只要是我的病人，我一定会全心全力去为他医治，不管他是什么人都一样。"

他凝视着谢晓峰："就连你都一样。"

谢晓峰道："只可惜我的伤确实已无救了。"

简传学黯然道："只要我觉得还有一分希望，我都绝不会放手。"

谢晓峰道："我知道你已尽了力，我并没有怪你。"

简传学道："田在龙的确也是天尊的人，他们本来想要我安排，让他杀了你！"

谢晓峰笑了："这种事也能安排？"

简传学道："别人不能，我能。"

谢晓峰道："你怎么安排？"

简传学道："只要我在你伤口上再加一点腐骨的药，你遇见田在龙时，就会连还击之力都没有了，只要我给他一点暗示，他就出手。”

他抢先接着道：“无论谁能击败谢家的三少爷，都必将震动江湖，名重天下，何况他们之间还有赌约。”

谢晓峰道：“谁杀了谢晓峰，谁就是泰山之会的盟主？”

简传学道：“不错。”

谢晓峰道：“田在龙若能在七大剑派的首徒面前杀了我，厉真真也只有将盟主的宝座让给他，那么七大剑派的联盟，也就变成了天尊的囊中物。”

简传学道：“不错。”

谢晓峰轻轻叹了口气，道：“只可惜你并没有这么样做。”

简传学道：“我不能这么样做，我做不出。”

谢晓峰道：“因为医道的仁心，已经在你心里生了根。”

简传学道：“不错。”

谢晓峰道：“现在我只有一点还想不通。”

简传学道：“哪一点？”

谢晓峰道：“厉真真他们怎么会知道我最多只能再活三天的？这件事本该只有天尊的人知道。”

简传学的脸色忽然变了，失声道：“难道厉真真也是天尊的人？”

谢晓峰看着他，神情居然很镇定，只淡淡地问道：“你真的不知道她也是天尊的人？”

简传学道：“我……”

谢晓峰道：“其实你应该想得到的，高手着棋，每个子后面，都一定埋伏着更厉害的杀手。慕容秋荻对田在龙这个人本就没把握，在这局棋中，她真正的杀着本就是厉真真。”

简传学道：“你早已想到了这一招？”

谢晓峰微笑，道：“我并不太笨。”

简传学松了口气，道：“那么你当然已经杀了她。”

谢晓峰道：“我没有。”

简传学脸色又变了，道：“你为什么放过了她？”

谢晓峰道：“因为只有她才能对付慕容秋荻。”

简传学道：“可是她……”

谢晓峰道："现在她虽然还是天尊的人，可是她绝不会久居在慕容秋荻之下，泰山之会正是她最好的机会，只要她一登上盟主的宝座，就一定会利用她的权力，全力对付天尊。"

他微笑，接着道："我了解她这种人，她绝不会放过这种机会的。"

简传学的手心在冒汗。他并不太笨，可是这种事他连想都没有想到。

谢晓峰道："慕容秋荻一直在利用她，却不知道她也一直在利用慕容秋荻，她投入天尊，也许就是为了要利用天尊的力量，踏上这一步。"

他叹了口气，又道："慕容秋荻下的这一着棋，就像是养条毒蛇，毒蛇虽然能置人于死，可是随时都可能回过头去反噬一口的。"

简传学道："这一口也能致命？"

谢晓峰道："她能够让慕容秋荻信任她，当然也能查出天尊的命脉在哪里，这一口若是咬在天尊的命脉上，当然咬得不轻。"

简传学道："可是百足之虫，死而不僵，她若想一口致命，只怕还不容易。"

谢晓峰道："所以我们正好以毒攻毒，让他们互相残杀，等到他们精疲力竭的时候，别的人就可以取而代之了。"

简传学道："别的人是什么人？"

谢晓峰道："江湖中每一代都有英雄兴起，会是什么人？谁也不知道！"

他长长叹了口气："这就是江湖人的命运，生活在江湖中，就像是风中的落叶、水中的浮萍，往往都是身不由主的。我们只要知道，七派联盟和天尊都必败无疑，也就足够了，又何必问得太多。"

简传学没有再问。他不是江湖人，不能了解江湖人，更不能了解谢晓峰。他忽然发现这个人不但像是浮萍落叶那么样飘浮不定，而且还像是这早来的夜雾一样，虚幻、缥缈、不可捉摸。

这个人有时深沉，有时洒脱，有时忧郁，有时欢乐，有时候宽大仁慈，有时候却又会忽然变得极端冷酷无情。简传学从未见过性格如此复杂的人。

也许就因为他这种复杂多变的性格，所以他才是谢晓峰。

简传学看着他，忽然叹了口气，道："我这次来，本来还有件事想告诉你。"

谢晓峰道："什么事？"

简传学道："我虽然不能治你的伤，你的伤却并不是绝对无救。"

谢晓峰的脸上发出了光。

个人如果还能够活下去，谁不想活卜去？

他忍不住问："还有谁能救我？"

简传学道："只有一个人。"

谢晓峰道："谁？"

简传学道："他也是个很奇怪的人，也像你一样，变化无常，捉摸不定，有时候甚至也像你一样冷酷无情。"

谢晓峰不能否认，只能叹息。

最多情的人，往往也最无情，他究竟是多情？

还是无情？

这连他自己也分不清。

简传学看着他，忽又叹口气，道："不管这个人是谁，现在你都已永远找不到他了。"

谢晓峰一向不怕死。每个人在童年时都是不怕死的，因为那时候谁都不知道死的可怕。

尤其是谢晓峰。他在童年时就已听过了很多英雄好汉的故事，英雄好汉们总是不怕死的。

英雄不怕死，怕死非英雄。就算"咔嚓"一声，人头落下，那又算得了什么？反正二十年后又是一条好汉。

这种观念也已在他心里根深蒂固。等到他成年时，他更不怕死了，因为死的通常总是别人，不是他。

只要他的剑还在他掌握之中，那么"生死"也就在他的掌握之中。

他虽然不是神，却可以掌握别人的生存或死亡。他为什么要怕死？有时他甚至希望自己也能尝一尝死亡的滋味，因为这种滋味他从未尝试过。

谢晓峰也不想死。他的家世辉煌，声名显赫，无论走到哪里，都会受人尊敬。在他很小的时候，他就知道这一点。他聪明，在他四岁的时候，就已被人称为神童。他可爱，在女人们眼中，他永远是最纯真无邪的天使，不管是在贵妇人或洗衣妇的眼中都一样。

他是学武的奇才。别人练十年还没有练成的剑法，他在十天之内就可以精进熟练。

他这一生从未败过。

跟他交过手的人，有最可怕的剑客，也有最精明的赌徒。可是他从未输过。赌剑、赌酒、赌骰子，无论赌什么，他都从未败过。像这么样一个人，他怎么会想死？

他不怕死，也许只因为他从未受到过死的威胁。直到那一天，那一个时刻，他听到有人说，他最多只能再活三天。在那一瞬间，他才知道死的可怕。虽然他还是不想死，却已无能为力。

一个人的生死，本不是由他自己决定的，无论什么人都一样。他了解这一点。

所以他虽然明知自己要死了，也只有等死。因为他也一样无可奈何。

但是现在的情况又不同了。

一个人在必死时忽然有了可以活下去的希望，这希望又忽然在一瞬间被人拗断，这种由极端兴奋而沮丧的过程，全都发生在一瞬间。

这种刺激有谁能忍受？

简传学动也不动地站在那里，仿佛已在等着谢晓峰拗断他的咽喉。

——你不让我活下去，我当然也不想让你活下去。

这本是江湖人做事的原则，这种后果他已准备承受。

想不到谢晓峰也没有动，只是静静地站着，冷冷地看着他。

简传学道：“你可以杀了我，可是你就算杀了我，我也不会说。”

他的声音已因紧张而颤抖：“因为现在我才真正了解你是个什么样的人。”

谢晓峰道：“我是个什么样的人？”

简传学道：“你远比任何人想象中的都无情。”

谢晓峰道："哦？"

简传学道："你连自己的生死都不放在心上，当然更不会看重别人的生命。"

谢晓峰道："哦？"

简传学道："只要你认为必要时，你随时都可以牺牲别人，不管那个人是谁都一样。"

谢晓峰忽然笑了笑，道："所以我活着还不如死了的好。"

简传学道："我并不想看着你死，我不说，只因为我一定要保护那个人。"

第四十二章

绝处逢生

谢晓峰不懂："为了保护他？"

简传学道："我知道他一定会救你，可是你若不死，他就一定会死在你手里。"

谢晓峰道："为什么？"

简传学道："因为你们两个人只要见了面，就一定有个人要死在对方剑下，死的那个人当然绝不会是你。"

他慢慢地接着道："因为我知道你无论在任何情况下，都绝不会认输的，因为谢家的三少爷只要还活着，就绝不能败在别人的剑下！"

谢晓峰沉思着，终于慢慢地笑了笑，道："你说的不错，我可以死，却绝不能败在别人的剑下。"

他遥望远方，长长吐出口气，道："因为我是谢晓峰！"

这句话很可能就是他说的最后一句话，因为现在很可能已经是他的最后一天了。

他随时都可能倒下去。因为他说完了这句话，就头也不回地走了。虽然他明知道这一走就再也不会找到能够让他活下去的机会。

可是他既没有勉强，更没有哀求。就像是挥了挥手送走一片云霞，既没有感伤，也没有留恋。

因为他虽然不能败，却可以死！

夜色渐深，雾又浓，简传学看着他瘦削而疲倦的背影，渐渐消失在浓雾里。

他居然没有回过头来再看一眼。

一个人对自己都能如此无情，又何况对别人？

简传学握紧双拳，咬紧牙关："我不能说，绝不能说……"

他的口气很坚决，可是他的人已冲了出去，放声大呼——

"谢晓峰，你等一等。"

雾色凄迷，看不见人，也听不见回应。他不停地奔跑、呼喊，直到他倒下去的时候。

泥土是潮湿的，带着种泪水般的咸。他忽然看见了一双脚。

谢晓峰就站在他面前，垂着头，看着他。

简传学没有站起来，流着泪道："我不能说，只因为我若说出来，就对不起他。"

谢晓峰道："我明白。"

简传学道："可是我不说，又怎么能对得起你？"

他绝不能看着谢晓峰去死。

他绝不能见死不救。

这违背了这二十年来他从未曾有一天忘记过的原则。

他全身都已因内心的痛苦挣扎而扭曲："幸好我总算想到了一个法子。"

"什么法子？"

"只有这法子，才能让我自己心安，也只有这法子，才能让我永远保守这秘密。"

他的刀刺入怀里。

微弱的刀光在轻轻浓雾中一闪。

一柄薄而锋利的短刀，七寸长的刀锋已完全刺入了他的心脏。

一个人如果还有良心，通常都宁死也不肯做出违背良心的事。他还有良心。

浓雾，流水。河岸旁荻花瑟瑟。河水在黑暗中默默流动，河上的雾浓如烟。

凄凉的河，凄凉的天气。

谢晓峰一个人坐在河岸旁、荻花间，流水声轻得就像是垂死者的呼吸。他在听着流水，也在听着自己的呼吸。

流水是永远不会停下来的，可是他的呼吸却随时都可能停顿。

这又是种多么凄凉的讽刺?

有谁能想得到，名震天下的谢晓峰，居然会一个人孤独地坐在河岸边，默默地等死?

死，并不可悲；值得悲哀的，是他这种死法。

他选择这么样死，只因为他已太疲倦，所有为生命而挣扎奋斗的力量，现在都已消失。据说一个人在临死的时候，总会对自己的一生有很多很奇怪的回忆，有些本已早就遗忘了的事，也会在这种时候重回他的记忆中。

可是他连想都不敢想。现在他只想找个人聊聊，随便是什么样的人都好。他忽然觉得非常寂寞。有时候寂寞仿佛比死更难忍受，否则这世上又怎会有那么多人为了寂寞而死?

有风吹过。

浓雾弥漫的河面上，忽然传来一点闪动明灭的微弱火花。

不是灯光，是炉火。

一叶孤舟，一只小小的红泥火炉，闪动的火光，照着盘膝坐在船头上的一个老人，青斗笠、绿蓑衣，满头白发如霜。

风中飘来一阵阵苦涩而清冽的芳香，炉上煮的也不知是茶，还是药?

一叶孤舟，一炉弱火，一个孤独的老人。对他说来，生命中所有的悲欢离合，想必都已成了过眼的云烟。他是不是也在等死?

看着这老人，谢晓峰心里忽然有了种说不出的感触，忽然站起来挥手。

“船上的老丈，你能不能把船摇过来?”

老人仿佛没听见，却听见了。

他问：“你要干什么?”

谢晓峰道：“你一个人坐在船上发呆，我一个人坐在岸上发呆，我们两个人为什么不坐在一起聊聊，也好打发这漫漫长夜。”

老人没有开口，可是“欸乃”一声，轻舟却已慢慢地溜过来。

谢晓峰笑了。

在这又冷又潮的浓雾里，他们相见觉得有种说不出的温暖。

炉火上的小铜壶里，水已沸了，苦涩清冽的香气更浓。

谢晓峰道：“这是茶？还是药？”

老人道：“是茶，也是药。”

他看着闪动明灭的火花，衰老的脸上带着很奇怪的表情，慢慢地接着道：“你还年轻，也许还没懂得领略苦茶的滋味。”

谢晓峰道：“可是我早就已知道，一定要苦后才会有余甘。”

老人回过头，看着他，忽然笑了，脸上每一条皱纹里都已有了笑意。

然后他就提起铜壶，道：“好，你喝一杯。”

谢晓峰道：“你呢？”

老人道：“我不喝。”

谢晓峰道：“为什么？”

老人眯着眼，缓缓道：“因为世上各式各样的苦味，我都已尝够了。”这本是句很凄凉的话，可是从他嘴里淡淡地说出来，却又别有一番滋味。

谢晓峰道：“你既然不喝，为什么要煮茶？”

老人道：“煮茶的人，并不一定是喝茶的人。”

他眯着的眼睛里仿佛也有火光在闪动，慢慢地接着道：“世上有很多事都是这样子的，你还年轻，当然还不明白。”

谢晓峰接过已斟满苦茶的杯子，几乎忍不住要笑了出来。

他没有笑，他也不想争辩。

被别人看成是个年轻人也并没有什么不好，不好的是这个年轻人已经快死了。

茶还是滚热的，盛茶的粗碗很小，他一口就喝了下去。无论喝茶还是喝酒，他都喝得很快，无论做什么，他都做得很快。这是不是因为他早已感觉到自己的生命也一定会结束得快?

他终于忍不住笑了，忽然道:“有句话我若说出来，你一定会大吃一惊。”

老人看着他充满讥诮的笑容，等着他说下去。

谢晓峰道:“我已经是个快要死的人。”

老人并没有吃惊，至少连一点吃惊的样子都没有露出来。

谢晓峰道:“我说的是真话。”

老人道:“我看得出。”

谢晓峰道:“你不准备赶我下船去?”

老人摇头。

谢晓峰道:“可是我随时都会死在这里，死在你面前。”

老人道:“我见过人死，也见过死人。”

谢晓峰道:“如果我是你，我一定不愿让一个陌生人死在我的船上。”

老人道:“你不是我，你也不会死在我的船上。”

谢晓峰道:“为什么?”

老人道:“因为你遇见了我。”

谢晓峰道:“遇见了你，我就不会死?”

老人道:“是的。”

他的声音很冷淡，口气却很肯定:“你遇见了我，就算想死都不行了。”

谢晓峰道:“为什么?”

老人道:“因为我也不想让一个陌生人死在我的船上。”

谢晓峰又笑了。

老人道:“你认为我救不了你?”

谢晓峰道:“你只看见了我的伤，却没有看见我中的毒，所以你才认为你能救我。”

老人道:“哦?”

谢晓峰道:“我的伤虽然只不过在皮肉上，毒却已在骨头里。”

老人道:“哦?”

谢晓峰道:“没有人能解得了我的毒。”

老人道："连一个人都没有？"

谢晓峰道："也许还有一个人。"

他拍了拍衣裳站起来，慢慢地接着道："这个人却绝不会是你。"

老人道："所以你想走？"

谢晓峰道："我只有走。"

老人道："你走不了的。"

谢晓峰道："难道我遇见了你，连走都不能走了？"

老人道："不能。"

谢晓峰道："为什么？"

老人道："因为你喝了我一杯苦茶。"

谢晓峰道："难道你要我赔给你？"

老人道："你赔不起的。"

谢晓峰又想笑，却已笑不出。

他忽然发觉手指与脚尖都已完全麻木，而且正在渐渐向上蔓延。

老人道："你知道你喝下去的是什么茶？"

谢晓峰摇头。

老人道："那是五麻散。"

谢晓峰道："五麻散？"

老人道："那本是华佗的秘方，华佗死后，失传了多年。"

他慢慢地接着道："可是有个人却决心要将这种配方的秘密再找出来，他花了十七年的工夫，尝遍了天下的药草，甚至不惜用他的妻子和女儿做试验。"

谢晓峰道："他成功了？"

老人慢慢地点了点头，道："不错，他成功了，可是他的女儿却已经变成了瞎子，他的妻子也发了疯。"

谢晓峰吃惊地看着他，道："这个人就是你？"

老人道："这个人不是我，只不过他在跳河之前，将这秘方传给了我。"

谢晓峰道："他已跳了河？"

老人道："你的妻子女儿若是也因你而变成那样子，你也会跳河的。"

他冷冷地看着谢晓峰，冷冷地问道："像这么样一杯茶，你赔不赔得起？"

谢晓峰道："我赔不起。"

他苦笑，又道："只不过我若早知道这是杯什么样的茶，也绝不会喝下去。"

老人道："只可惜现在你已经喝了下去。"

谢晓峰苦笑。

老人道："所以现在你的四肢一定已经开始麻木，割你一刀，你也绝不会觉得痛的。"

谢晓峰道："然后呢？"

老人没有回答，却慢慢地拿出了个黑色的皮匣。

皮匣扁而平，虽然已经很陈旧，却又因为人手的摩擦而显现出一种奇特的光泽。老人慢慢地打开了这皮匣，里面立刻闪出了一种淡青的光芒。

刀锋的光芒。

十三把刀。

十三把形式奇特的刀，有的如钩镰，有的如齿锯，有的狭长，有的弯曲。这十三把刀只有一样共同的特点——刀锋都很薄，薄而锐利。老人凝视这十三把刀锋，衰老的眼睛里忽然露出比刀锋更锐利的光芒。

"然后我就要用它们来对付你。"

老人终于回答了谢晓峰的话："用这十三把刀。"

谢晓峰又坐了下去。那种可怕的麻木，几乎已蔓延到他全身，只有眼睛还能看得见。

他也在看这十三把刀，他不能不看。

河水静静地流动，炉火已渐微弱。

老人拈起柄狭长的刀——九寸长的刀，宽只七分。

"首先我要用这把刀割开你的肉。"老人说，"你那些已经腐烂了的肉。"

"然后呢？"

“然后我就要用这柄刀对付你。”

老人又拈起柄钩镰般的刀：“用这柄刀撕开你的血肉。”

“然后呢？”

“然后我就要用这把刀锉开你的骨肉。”

老人又另外选了把刀：“把你骨头里的毒刮出来，挖出来，连根都挖出来。”

有人要把他的血肉撕裂、骨头锉开，谢晓峰居然眼睛都没有眨一眨。

老人看着他，道：“可是我保证你那时绝不会有一点痛苦。”

谢晓峰道：“就因为我已喝下了那碗五麻散？”

老人道：“不错，这就是五麻散的用处。”

谢晓峰道：“只有用这种法子才能解我的毒？”

老人道：“到现在为止，好像还只有这一种。”

谢晓峰道：“你早就知道我中了这种毒，所以早就替我准备好这种法子？”

老人道：“不错。”

谢晓峰道：“你怎么会知道的？”

老人道：“我一直都在盯着你。”

谢晓峰道：“为什么？”

老人道：“因为我要用你的一条命，去换另外一条命。”

谢晓峰道：“怎么换？”

老人道：“我要你去替我杀一个人。”

谢晓峰道：“去杀什么人？”

老人道：“一个杀人的人。”

谢晓峰道：“他杀的是些什么人？”

老人道：“有些是该杀的人，也有些是不该杀的。”

谢晓峰道：“所以他该杀？”

老人道：“不该杀的人，我绝不会要你去杀，你也绝不会去杀！”

他眼睛里带着种很奇怪的表情：“我保证你杀了他绝不会后悔的。”

谢晓峰没有说话。

他忽然觉得那种可怕的麻木，已蔓延他的脑，他的心。

他还能听见这老人在问："你想不想死？"

他也听了他自己的回答："我不想。"

他最后听见的声音，是一种刀锋刮在骨头上的声音。

是他自己的骨头。

可是他已连一点感觉都没有。

天亮了。阳光普照，大地辉煌。

天黑了。

月光皎洁，繁星在天。

不管是天黑还是天亮，人生中总有美丽的一面，一个人如果能活着，为什么要死？

又有谁真的想死？

谢晓峰没有死。他第一个感觉是有双手在他心口慢慢地推拿。

这双手很干净、很稳定，手心长着粗糙的老茧。然后他就听见了自己心跳的声音，由微弱渐渐变得稳定。他知道这双手已救了他的命。

老人正在看着他，一双疲倦衰老的眼睛，竟变得说不出的清澄明亮，就像是秋夜里的星光。

他忽然发现这老人远比他想象中年轻。

老人终于吐出口气，道："现在你已经可以活下去了，只要你愿意，你一定可以比任何人都活得长些，现在你的骨头已经变得像是根刚摘下来的玉蜀黍那么样新鲜干净。"

谢晓峰没有开口。他忽然想起了简传学说的话。

——这世上只有一个人能救你。

——可是他若救活了你，就一定要死在你的剑下。

第四十三章

了如指掌

简传学一定错了。他绝没有任何理由要杀这老人，就算有理由，他也绝不会出手。

简传学说的一定是另外一个人，也许他根本不知道世上还有这么样一个老人存在，更不知道华佗的秘方已留传下来。

谢晓峰松了口气，对自己这解释很满意。

老人道："有种人好像天生就比别人走运些，连老天爷都总是会特别照顾他。"

他看着谢晓峰："你就是这种人，你复原得远比我想象中快得多。"

谢晓峰不能否认这一点，任何人都不能否认，他的体力确实比别人强得多。

有些事若是发生在别人身上就是奇迹，却随时可以在他身上发生。

老人道："只要再过两三天，你就可以完全复原。"

谢晓峰道："然后我就要替你去杀那个人？"

老人道："这是我用你的一条命换来的条件。"

谢晓峰道："所以我一定要去？"

老人道："一定。"

谢晓峰苦笑，道："我杀过人，我并不在乎多杀一个。"

老人道："我知道。"

谢晓峰道："可是这个人我连他的面都没有见过。"

老人道："我会让你见到他的。"

他忽然笑了笑，笑得很诡秘："只要见到他，你也非杀他不可。"

谢晓峰道："为什么？"

老人道："因为他该死！"

他的笑容已消失，眼睛里又露出悲伤和仇恨。

谢晓峰道："你真的这么恨他？"

老人道："我恨他，远比任何人想象中都恨得厉害。"

他握紧双手，慢慢地接着道："因为我这一生就是被他害了的，若不是因为他，一定会活得比现在快乐得多。"

谢晓峰没有再问。

他忽然想起了自己的一生，他这一生是幸运？

还是不幸？

他忍不住在心里问自己："我这一生，怎么会变成这样子的？"

窄小的船舱里，窗户却开得很大，河上的月色明亮。

老人看着窗外的月色，道："今天已经是十三。"

谢晓峰道："十三？"

他显得惊讶，因为直到现在，他才知道自己昏睡了两天。

老人道："月圆的那天晚上，你就会看见他。"

谢晓峰道："他会到这里来？"

老人道："他不会来，可是你会去，你一定要去。"

谢晓峰道："到哪里去？"

老人顺手往窗外一指，道："就从这条路去。"

轻舟泊岸，月光下果然有条已渐渐被秋草掩没了的小径。

老人道："你一直往前走，就会看见一片枫林，枫林外有家小小的酒店，你不妨到那里住下来，好好地睡两天。"

谢晓峰道："然后呢？"

老人道："等到十五的那天晚上，圆月升起时，你从那酒店后门外一条小路走入枫林，就会看见我要你去杀的那个人。"

谢晓峰道："我怎么认得出他就是那个人？"

老人道："只要你看见了他，就一定能认得出。"

谢晓峰道："为什么？"

老人道："因为他也是在那里等着杀我的人，你一定可以感觉到那股杀气！"

谢晓峰不能否认。杀气虽然是看不见、摸不到的，可是像他这种人，却一定能感觉得到。也只有他这种人才能感觉得到。

老人道："他看见你时，也一定能感觉到你的杀气，所以你就算不出手，他也一样会杀你。"

谢晓峰苦笑，道："看来我好像已完全没有选择的余地。"

老人道："你本来就没有。"

谢晓峰道："可是你怎么会知道他在那里？"

老人缓缓道："我们本就约好了在那里相见的，他不死，我就要死在他手里，其间也完全没有选择的余地。"他的声音低沉而奇怪，眼睛里又露出了那种悲伤的表情。

过了很久，他才接着道："这就是我们的命运，谁也没法子逃避。"

谢晓峰明白他的意思。对某些人来说，命运本就是残酷的，可是这老人却不像这种人。

——难道他也有一段悲伤惨痛的回忆？

——他过去究竟是个什么样的人？

"现在又是个什么样的人？"

谢晓峰想问，却没有问。他知道老人一定不会说出来的，他甚至连这老人的姓名都没有问。

姓名并不重要，重要的是，这老人的确救了他的命。对他来说，只要知道这一点，就已足够。

老人一直在凝视着他，忽然道："现在你已经可以走了。"

谢晓峰道："现在你就要我走？"

老人道："现在我就要你走。"

谢晓峰道："为什么？"

老人道："因为我们的交易已经谈成了。"

谢晓峰道："难道我们不能交个朋友？"

老人道："不能。"

谢晓峰道："为什么？"

老人道："因为有种人天生就不能有朋友。"

谢晓峰道："你是这种人？"

老人道："不管我是不是这种人都一样，因为你是这种人。"

谢晓峰也明白他的意思。有种人好像天生就应该是孤独的，这就是他们的命运。

老人慢慢地接着道："没有人能够改变自己的命运，如果你一定想改变它，结果只有更不幸。"

他眼睛里又闪出了那种火花的光芒："你一定要记住这句话，这是我从无数次惨痛经验中得来的教训。"

夜并不完全是漆黑的，而是一种接近漆黑的深蓝色。

谢晓峰走过狭窄的跳板，走上潮湿的河岸，发现自己的腿还是很软弱。

老人道："你也一定要记住，一定要好好地睡两天。"

他的语气中仿佛真的充满关切："因为那个人绝不是容易对付的，你需要恢复体力。"

这种真心的关切总是会令一个浪子心酸。

谢晓峰没有回头，却忍不住问道："我还需要什么？"

老人道："还需要一点运气，和一把剑，一把很快的剑！"

老人的轻舟已看不见了。

暗蓝色的流水，暗蓝色的夜。

谢晓峰终于走上了这条已将被秋草掩没的小径，一直往前走。他心里什么都不再想，只想快走到那枫林外的小酒店。只想快看见圆月升起。

在圆月下，枫林外等着他的，会是个什么样的人？他是不是能得到他需要的那一点运气？和那柄快剑？他没有把握。纵然他就是天下无双的谢晓峰，他也一样没有把握！

他已隐隐感觉到那个人是谁了！

只有虎豹，才能追查出另一只虎豹的踪迹。也只有虎豹，才能感觉到另一只虎豹的存在。因为它们本是同一类的。

除了它们自己外，这世上绝没有任何另一类的野兽能将它们吞噬！

这世上也绝没有任何另一类的野兽敢接近它们，连狡兔和狐狸都不敢。

所以它们通常都很寂寞。

“我这一生中有过多少朋友？多少女人？”谢晓峰在问自己。他当然有过朋友，也有过女人。可是又有几个朋友对他永远忠心？又有几个女人是真正属于他的？

他想起了铁开诚，想起了简传学，想起了老苗子。他也想起了娃娃和慕容秋荻。

——是别人对不起他？

还是他对不起别人？他不能再想。他的心痛得连嘴里都流出了苦水。

他又问自己：“我这一生中，又有过多少仇敌？”

这一次他的答案就比较肯定了些。有人恨他，几乎完全没有别的原因，只不过因为他是谢晓峰。恨他的人可真不少，他从来都不在乎。也许他只在乎一个人。这个人在他心目中，永远是个驱不散的阴影。

他一直希望能见到这个人，这个人一定也希望见到他。他知道他们迟早总有一天会相见的。

——如果这世界上有了一个谢晓峰，又有了一个燕十三，他们就迟早必定会相见。

——他们相见的时候，总有一个人的血，会染红另一个人的剑锋。

这就是他们的命运！

现在这一天好像已将来临了！

枫林。枫叶红如火。

枫林外果然有家小小的客栈，附带着卖酒。

旅途上的人，通常都很寂寞，只要旅人们的心里有寂寞存在，客栈里就一定卖酒，不管大大小小的客栈都一样。

这世上还有什么能比酒更容易打发寂寞？

客栈的东主，是个迟钝而臃肿的老人，却有个年轻的妻子，大而无神的眼睛里，总是带着种说不出的迷茫和疲倦。黄昏前后，她总是会痴痴地坐在柜台后，痴痴地看着外面的道路，仿佛在期望着会有个骑白马的王子，来带她脱离这种呆板乏味的生活。

这种生活本不适于活力充沛的年轻人，却偏偏有两个活力充沛的年轻伙计。他们照顾这家客栈，就好像一个慈祥的母亲在照顾她的孩子，任劳任怨，尽心尽力，既不问付出了什么代价，也不计较能得到什么报酬。

他们看到那年轻的老板娘时，眼睛里立刻充满了热情。也许就是这种热情，才使得他们留下来的。谢晓峰很快就证实了这一点。

他忽然发现她那双大而迷茫的眼睛里，还深深藏着种说不出的诱惑。

就在他进这家客栈的那天黄昏时，他就已发现了。

他当然还发现了一些别的事。

黄昏时，她捧着四样小菜和一锅热粥，亲自送到谢晓峰房里去。平时她从来不做这种事，也不知为了什么，今天居然特别破例。

谢晓峰看着她将饭菜一样样放到桌子上。

虽然终年坐在柜台后，她的腰肢还是很纤细，柔软的衣裳，在她细腰以下的部分突然绷紧，使得她每个部分的曲线都凸起在谢晓峰眼前，甚至连女人身上最神秘的那一部分都不例外。

谢晓峰好像背对着她的，他可以毫无顾忌地看到这一点。

她是有心这样的？还是无心？不管怎么样，谢晓峰的心都已经开始跳了起来，跳得很快。

他实在已经太久没有接近过女人，尤其是这样的女人。

开始时他并没有注意到，直到现在他还是不太能相信。

可是这个庸俗的、懒散的，看起来甚至还有点脏的女人，实在是个真正的女人，身上每一个部分都散发出一种原始的、足以诱人犯罪的热力。他还记得她的丈夫曾经叫过她的名字。

他叫她“青青”。

究竟是“青青”？

还是“亲亲”？

想到那迟钝臃肿的老人，压在她年轻的躯体上，不停地叫着她“亲亲”时的样子，谢晓峰竟忽然觉得心里有点难受。不知道什么时候她已回过头，正在用那双大而迷茫的眼睛看着他。

谢晓峰已不是个小孩子，并没有逃避她的目光。一个像他这样的男人，通常都不会掩饰自己对一个女人的欲望。

他只淡淡地笑了笑，道："下次你到客人房里去的时候，最好穿上件比较厚的衣裳。"

她没有笑，也没有脸红。

她的目光往下移动，停留在他身上某一点已起了变化的地方，忽然道："你不是个好人。"

谢晓峰只有苦笑："我本来就不是。"

青青道："你根本不想要我去换件比较厚的衣裳，你只想要我把这身衣裳也脱光。"

她实在是个很粗俗的女人，可是她说的话却又偏偏令人不能否认。

青青道："你心里虽然这么样想，嘴里却不敢说出来，因为我是别人的老婆。"

谢晓峰道："难道你不是？"

青青道："我是不是别人的老婆都一样。"

谢晓峰道："一样……？"

青青道："我本来就是为了要勾引你而来的。"

谢晓峰怔住。

青青道："因为你不是好人，长得却不错，因为你看起来不像穷光蛋，我却很需要赚点钱花，我只会用这种法子赚钱，我不勾引你勾引谁？"

谢晓峰想笑，却笑不出。他以前也曾听过女人说这种话，却未想到一个女人会用这种态度说这种话。她的态度严肃而认真，就像是一个诚实的商人，正在做一样诚实的生意。

青青道："我的丈夫也知道这一点，这地方赚的钱，连他一个人都养不活，他只有让我用这种法子来赚钱，甚至连那两个小伙计的工钱，都是我用这种法子付给他们的。"

别的女人用这种态度说出这种话来，一定会让人觉得很恶心。

可是这个女人不同。

因为她天生就是这么样一个女人，好像天生就应该做这种事的。

这就好像猪肉，不管用什么法子炖煮都是猪肉，都一样可以让肚子饿的人看了流口水。

谢晓峰终于笑了。在这种情况下，一个男人如果笑了，通常就表示这交易已成。

青青忽然走过去，用温热丰满的躯体顶住了他，腰肢轻轻扭动摩擦。可是谢晓峰伸出手时，她却又轻巧地躲开了。

现在她只不过让他看看样品而已："今天晚上我再来，开着你的房门，吹灭你的灯。"

夜。谢晓峰吹灭了灯火。

他身上仿佛还带着她那种廉价脂粉的香气，他心里却连一点犯罪的感觉都没有。他本来就不是普通人，对一件事的看法，本来就和普通人不一样。何况，这本来就是种古老而诚实的交易，这个女人需要生活。

他需要女人。

大部分江湖人都认为在决战的前夕，绝不能接近女色。女色总是能令人体力亏损。

谢晓峰的看法却不一样。他认为那绝不是亏损，而是调合。

酒，本来是不能掺水的，可是陈年的女贞，却一定要先掺点水，才能勾起酒香。他的情况也一样。这一战很可能已是他最后一战。

这一战他遇见的对手，很可能就是他平生最强的一个。在决战之前，他一定要让自己完全松弛。

只有女人才能让他完全松驰。

——他是谢晓峰。

——谢晓峰是绝不能败的！

所以只要是为了争取胜利，别的事他都不能顾忌得太多。

窗子也是关着的。窗纸厚而粗糙，连月光都照不进来。

月已将圆了，屋子里却很黑暗，谢晓峰一个人静静地躺在黑暗里，他在等，他并没有等多久。

门开了，月光随着照进来，一个穿着宽袍的苗条人影在月光中一闪，门立刻又被关起，人影也被黑暗吞没。

谢晓峰没有开口，她也没有。

夜很静，她甚至连脚步声都没有发出来，仿佛是提着鞋，赤着脚走来的。但是谢晓峰却可以感觉到她已渐渐走近了床头，感觉到那件宽袍正从她光滑的胴体上滑落。

宽袍下面一定什么都没有了。

她不是那种会让人增加麻烦的女人，她也不喜欢麻烦自己。

她的胴体温热、柔软、纤细却又丰满。

他们还是没有说话。

言语在此时已是多余的，他们用一种由来已久的、最古老的方式，彼此吞噬。

她的热情远比他想象中强烈。他喜欢这种热情，虽然他已发现她并不是那个叫“青青”的女人！

她是谁呢？她不是那个女人，但她却确实是个女人，一个真正的女人，一个女人中的女人。

她是谁呢？

床铺总是会发出些恼人的声音，他们就转移到地上去。

无声的地板，又冷又硬。

他得到的远比他想象中多，付出的也远比他想象中多。

他在喘息。

等到他喘息静止时，他又轻轻地叹了口气。

“是你。”

她慢慢地坐起来，声音里带着种奇特的讥诮之意，也不知是对他，还是对她自己。

“是我。”

她说：“我知道你本来一定连做梦都想不到会是我的。”

月已将圆。她推了床边的小窗，漆黑的头发散落在她裸露的肩膀上。在月光下看来，她就像是个初解风情的小女孩。

她当然已不再是小女孩。

“我知道你一定很想要个女人，每当你紧张的时候，你都会这样子的。”

她一直都很了解他。

“可是我知道你一定不会要我。”

她轻轻叹息：“除了我之外，什么样的女人都不会拒绝，可是你一定会拒绝我。”

“所以你才会这样做！”

“只有用这种法子，我才能让你要我。”

“你为了什么？”

“为了我还是喜欢你。”

她回过头，直视着谢晓峰，眼波比月光更清澈，也更温柔。

她说的是真话，他也相信。他们之间彼此都已了解得太深，根本没有说谎的必要。

也许就因为这缘故，所以她爱他，所以她要他死！

因为她就是慕容秋荻，但却并不是秋风中的荻花，而是冬雪中的寒梅、温谷中的罂粟、冬日中的玫瑰，倔强、有毒，而且多刺！

蜂针一样的刺。

谢晓峰道：“你看得出我很紧张？”

第四十四章

夺命之箭

慕容秋荻道："我看不出，可是我知道，你若不紧张，怎么会看上那个眼睛像死鱼一样的女人？"

她又在他身旁坐了下来："可是我想不到你为什么会如此紧张。"

谢晓峰道："你也有想不到的事？"

慕容秋荻轻轻叹了口气，道："也许我已经想到了，只不过不愿意相信而已。"

谢晓峰道："哦？"

慕容秋荻道："我一向很了解你，只有害怕才会让你紧张。"

谢晓峰道："我怕什么？"

慕容秋荻道："你怕败在别人的剑下。"

她的声音里带着讥诮："因为谢家的三少爷是永远不能败的。"

虽然垫着被褥，地上还是又冷又硬。

她移动了一下坐的姿势，将身子的重量放在谢晓峰的腿上，然后才接着道："可是这世上能威胁到你的人并不多，也许只有一个。"

谢晓峰道："谁？"

慕容秋荻道："燕十三。"

谢晓峰道："你怎么知道这次就是他？"

慕容秋荻道："我当然知道，就因为你是谢晓峰，他是燕十三，你们两个人就迟早总有相见的一天，迟早总有一个人要死在对方的剑下。"

她叹了口气："这就是你们的命运，谁都没法子改变的，连我都没法子改变。"

谢晓峰道："你？"

慕容秋荻道："我本来很想要你死在我手里，想不到还是有个人救了你。”

谢晓峰道：“你知道那个人是谁？”

慕容秋荻苦笑道：“如果我早就知道世上有他这么样一个人，我早就杀了他。”

她又叹了口气：“现在我虽然知道了，却已太迟了。”

谢晓峰道：“现在你已经知道他是谁？”

慕容秋荻道：“他叫段十三，他有十三把刀，却是救命的刀。”

谢晓峰道：“我怎么从来没有听说过这个人。”

慕容秋荻道：“因为燕十三要杀他，只要燕十三活着，他就不敢露面。”

谢晓峰忽然长长吐出口气，就好像放下了一副很重的担子：“现在我总算放心了。”

慕容秋荻道：“放什么心？”

谢晓峰道：“我一直在怀疑他就是燕十三，他救我，只因为要跟我一较高下。”

慕容秋荻道：“可是他偏偏又救了你的命，你怎么能让他死在你的剑下？”

谢晓峰道：“不错。”

慕容秋荻道：“你担心的若是这一点，那么你现在就真的可以放心了。”

她轻抚着他胸膛：“我知道燕十三绝不是你的敌手，你一定可以杀了他的。”

谢晓峰看着她，忍不住问：“你到这里来，就是为了要让我放心？”

慕容秋荻柔声道：“我到这里来，只因为我还是喜欢你。”

她的声音里真情流露：“有时候我虽然也恨你，恨不得要你死，可是别人想碰一碰你，我都会生气，你要死也得死在我手里。”

她说的也是真话。

她这一生，很可能也是活在矛盾和痛苦中。

她也想寻找幸福，每个人都有权寻找幸福，只不过她的法子却用错了。谢晓峰叹了口气，轻轻推开她的手。

也许他们都错了，可是他不愿再想下去，他忽然觉得很疲倦。

慕容秋荻道："你在想什么？"

谢晓峰道："我只想找个地方好好地睡一觉去。"

慕容秋荻道："你不睡在这里？"

谢晓峰道："有你在旁边，我睡不着！"

慕容秋荻道："为什么？"

谢晓峰道："因为我也不想死在你手里，至少现在还不想。"

慕容秋荻本来绝不会留他的。她当然很了解他的脾气，他要走的时候，无论谁也拉不住。

如果你拉他的手，他就算把手砍断也要走；如果你砍断他的腿，他爬也爬着走。

可是今天她却拉住了他，道："今天你可以安心睡在这里。"

她又解释："就算我以前曾经恨不得要你死，可是今天我不想，至少今天并不想。"

谢晓峰笑了："难道今天是个很特别的日子？"

慕容秋荻道："今天的日子并不特别好，却有个特别的人来了。"

谢晓峰道："谁？"

慕容秋荻慢慢地坐起来，将乌云般的长发盘在头上，才轻轻地说道："你应该记得我们还有个儿子。"

谢晓峰当然记得。

在这段日子里，他已经学会要怎么才能忘记一些不该想的事。

可是这些事他并不想忘记，也不能忘记。

他几乎忍不住要跳了起来："他也来了。"

慕容秋荻慢慢地点了点头，道："是我带他来的。"

谢晓峰用力握住她的手，道："现在他的人呢？"

慕容秋荻道："他并不知道你在这里，你也绝不会找到他的。"

她忽然轻轻叹息："就算找到了又有什么用？难道你不知道他恨你，恨你从来没有把他当作自己的儿子，从来没有尽到做父亲的责任？"

她盯着谢晓峰："难道现在你已有勇气告诉他，你就是他的父亲？"

谢晓峰放松了她的手。他的手冰冷，他的心更冷。

慕容秋荻道："可是你只要能击败燕十三，我就会带他来见你，而你可以告诉他，你就是他的父亲。"

她眼中忽然露出痛苦之色："一个男孩子如果永远不知道自己的父亲是谁，不但他一定会痛苦终生，他的母亲也一样痛苦。"

谢晓峰道："所以你也一直都没有让他知道，你就是他的亲生母亲？"

慕容秋荻承认："我没有！"

她的神色更痛苦："可是现在我年纪已渐渐大了，我想要的，大多数都已得到，现在我只想能够有个儿子，像他那样的儿子。"

谢晓峰道："难道你已决心将所有的事全都告诉他？"

慕容秋荻道："我甚至还会告诉他，你并没有错，错的是我。"

谢晓峰不能相信，也不敢相信。

他忍不住要问："既然，你已下了决心，为什么又要等到我击败燕十三之后才告诉他？"

慕容秋荻道："因为你若不胜，就只有死。"

谢晓峰不能否认。只有战死的谢晓峰，没有战败的谢晓峰。

慕容秋荻道："你若死在燕十三剑下，我又何必让他知道自己有这么样一个父亲？又何必再增加他的烦恼和痛苦？"

她一字字接着道："我又何必再让他去送死？"

谢晓峰道："送死？"

慕容秋荻道："他若知道自己的父亲是死在燕十三剑下的，当然要去复仇，他又怎能会是燕十三的敌手？不是去送死是什么？"

谢晓峰沉默。他不能不承认她说的话有道理，他当然也不希望自己的儿子去送死。

慕容秋荻又笑了笑，柔声道："可是我相信你当然不会败的，你自己也应该很有把握。"

谢晓峰沉默着，过了很久，才慢慢地说道："这一次我没有。"

慕容秋荻仿佛很惊讶："难道连你都破不了他的夺命十三剑？"

谢晓峰道："夺命十三剑并不可怕，可怕的是第十四剑。"

慕容秋荻道："哪里还有第十四剑？"

谢晓峰道："有。"

慕容秋荻道："你是说他的夺命十三剑，还有第十四种变化？"

谢晓峰道："不错。"

慕容秋荻道："就算真的有，只怕连他自己都不知道。"

谢晓峰道："就算他以前不知道，现在也一定知道了。"

慕容秋荻道："可是我相信这第十四剑，也未必能胜你。"

她对他好像永远都充满信心。

谢晓峰沉默着，过了很久才回答："不错，他也未必能胜我。"

慕容秋荻又高兴了起来："我想你说不定已有了破他这一剑的方法。"

谢晓峰没有回答。他又想起了那闪电一击。

——燕十三的第十四剑，本来的确是无坚不摧、无懈可击的，可是被这闪电一击，立刻就变了，变得很可笑。这是那天他对铁开诚说的话，他并没有吹嘘，也没有夸大。

——一个人在临死前的那一瞬间，想的是什么事？

——是不是会想起他这一生中所有的亲人和朋友，所有的欢乐和痛苦？

——他想到的不是这些。

他在临死前的那一瞬间，还在想着燕十三的第十四剑。

他的这一生都已为剑而牺牲，临死前又怎么会去想别的事？

——就在那一瞬间，他心里好像忽然有道闪电击过！那就是灵机。

诗人们在吟出一首千古不朽的名句时，心里也一定有这一道闪电击过。

只不过这种灵机并不是侥幸得来，你一定要先将毕生的心血全都奉献出来，心里才会有这一道闪电般的灵机出现！

看到谢晓峰脸上的神色，慕容秋荻显得很愉快："我想你现在就已有了破他这十四剑的方法。"

她看着他，微笑道："你用不着瞒我，你瞒不过我的。"

谢晓峰道："不错，我可以破他这一剑，只可惜……"

慕容秋荻道："还可惜什么？"

谢晓峰道："可惜这一剑还不是他剑法中真正的精粹。"

他的表情严肃而沉重，慕容秋荻也不禁动容："这一剑还不是？"

谢晓峰道："绝不是。"

慕容秋荻道："那么他剑法中真正的精粹是什么？"

谢晓峰道：“是第十五剑！”

慕容秋荻道：“明明是夺命十三剑，怎么会又有第十五剑？”

谢晓峰道：“他这套剑法精深微妙，绝对还应该有第十五种变化，那就像是……像是……”

慕容秋荻道：“像是什么？”

谢晓峰道：“就像是一株花。”

他的眼睛里发着光，因为他终于已想出了恰当的比喻来。

他很快地接着道：“前面的十三剑，只不过是花的根而已；第十四剑，也只不过是些枝叶；一定要等到有了第十五种变化时，鲜花才会开放，他的第十五剑，才是真正的花朵。”

好花固然要有绿叶扶持，要有根才能生长，可是花朵不开放，这株花根本就不能算是花。

谢晓峰道：“夺命十三剑也一样，若没有第十五剑，这套剑法根本就全无价值。”

慕容秋荻道：“如果有了第十五剑又怎么样？”

谢晓峰道：“那时非但我不是他的对手，天下也绝没有任何人会是他的对手。”

慕容秋荻道：“那时你就必将死在他的剑下？”

谢晓峰道：“只要能看到世上有那样的剑法出现，我纵然死在他的剑下，死亦无憾！”

他的脸也已因兴奋而发光。只有剑，才是他生命中真正的目标，才是他真正的生命！只要剑还能够永存，他自己的生命是否能存在都已变得毫不重要。慕容秋获了解他，却永远无法了解这一点。

她也并不想了解。

——要了解这种事，实在太痛苦，太吃力了。

她只关心一件事：“现在燕十三是不是已创出了这一剑？”

谢晓峰没有回答。这问题没有人能回答，也没有人知道。

夜已渐深，月已将圆。

虽然是不同的地方，却是同样的明月，虽然是不同的人，有时也会有同样的心情。

月下有河水流动，河上有一叶扁舟。

舟头有一炉火、一壶茶、一个寂寞的老人。

老人手里有一根木棍、一把刀——四尺长的木棍、七寸长的刀。

老人正在用这把刀，慢慢地削着这根木棍。

——他想把这根木棍削成什么，是不是想削成一柄剑？

刀锋极快，他手里的刀极稳定。无论谁都看不出像这么样一个衰老的人，会有这么样一双稳定的手。

木棍渐渐被削成形了，果然是剑的形状。

四尺长的木棍，被削成了一柄三尺七寸长的剑，有剑锷，也有剑锋。

老人轻抚着剑锋，炉火闪动在他脸上，他脸上带着种奇怪的表情。

谁也看不出那是兴奋？是悲伤？还是感慨？可是如果你看到他的眼睛，你就会看出他只不过是在怀念。

怀念以往那一段充满了欢乐兴奋，也充满了痛苦悲伤的岁月。他握住剑柄，慢慢地站起来。

剑尖垂落着，他佝偻的身子，却突然挺直。他已完全站了起来，就在这一瞬间，他整个人都变了。

这种变化，就像是一柄被装在破旧皮鞘中的利剑，忽然被拔了出来，闪出了光芒。

他的人也一样。就在这一瞬间，他的人好像也发出了光。这种光芒使得他忽然变得有了生气，使他看来至少年轻了二十岁。

——一个人怎么会因为手里有了柄木剑就完全改变？

——这是不是因为他本来就是个闪闪发光的人？

河水流动，轻舟在水上漂荡。

他的人却像是钉子般钉在船头上，凝视着手里的剑锋，轻飘飘一剑刺了出去。

剑是用桃木削成的，暗淡而笨拙。可是这一剑刺出，这柄剑却仿佛变了，变得有了光芒，有了生命。

他已将他生命的力量，注入了这柄木剑里。

一剑轻飘飘刺出，本来毫无变化。可是变化忽然间就来了，来得就像是流水那么自然。

这柄剑在他手里，就像鲁班手里的斧、羲之手中的笔，不但有了生命，也有了灵气。

他轻描淡写，挥尘如意，一瞬间就已刺出了十三剑。剑法本是轻灵流动的，就像是河水一样，可是这十三剑刺出后，河水上却仿佛忽然有了杀气，天地间仿佛有了杀气。

第十三剑刺出，所有的变化都似已穷尽，又像是流水已到尽头。

他的剑势也慢了，很慢。

虽然慢，却还是在变，忽然一剑挥出，不着边际，不成章法。但是这一剑却像是吴道子画龙点的睛，虽然空，却是所有转变的枢纽。

然后他就刺出了他的第十四剑。

河上的剑气和杀气都很重，宛如满天乌云密布。这一剑刺出，忽然间就将满天乌云都拨开了，现出了阳光。

并不是那种温暖和煦的阳光，而是流金铄石的烈日，其红如血的夕阳。这一剑刺出，所有的变化才真的已到了穷尽，本已到了尽头的流水，现在就像是已完全枯竭。他的力也已将竭了。

可是就在这时候，剑尖忽然又起了奇异的震动。剑尖本来是斜斜指向炉火的，震动一起，炉火忽然熄灭！剑锋虽然在震动，本来在动的，却忽然全都静止。绝对静止。就连一直在小河上不停摇荡的轻舟，也已完全静止。就连船下的流水，都仿佛也已停顿。

没有任何言语可以形容这种情况，只有一个字，一个很简单的字——死！

没有变化，没有生机！这一剑带来的，只有死！

只有“死”，才是所有一切的终结，才是真正的终结！

——流水干枯，变化穷尽，生命终结，万物灭亡！

这才是“夺命十三剑”真正的精粹！这才是真正夺命的一剑！

这一剑赫然已经是第十五剑！

“啪”的一声，木剑断了！

第四十五章

对手相逢

河水又复流动，轻舟又复漂荡。他却还是动也不动地站在那里，满身大汗如雨，已湿透了衣裳。

他脸上带着奇怪之极的表情，也不知是惊？是喜？还是恐惧！

一种人类对自己无法预知，也无法控制的力量，所生出的恐惧！只有他自己知道，这一剑并不是他创出来的。

根本没有人能创出这一剑，没有人能了解这一剑的变化的出现，就好像“死亡”本身一样，没有人能了解，没有人能预测。这种变化的力量，也没有人能控制。

大地一片黑暗。他木立在黑暗中，整个人都好像在发抖，怕得发抖。

他为什么害怕？是不是他知道就连自己都已无法控制这一剑？

河水上忽然传来一声长长的叹息，一个人叹息着道：“鬼为什么没有哭？神为什么没有流泪？”

河水上又出现了一条船，看来就像是烟雨湖上的画舫。船上灯火明亮，有一局棋、一壶酒、一张琴、一卷书，灯下还有块乌石。

磨剑石！

一个人站在船头，看着这老人，看着这老人手里的断剑。他眼睛里也带着种说不出的悲伤和恐惧。老人慢慢地抬起头，看着他。

“你还认不认得我？”

“我当然认得你。”

——翠云峰，绿水湖上的画舫，画舫上有去无归的渡人。

这些都是老人永远忘不了的。就在这条画舫上，他沉下了他的名剑，也沉下了他的英雄岁月。就是这个人，曾经叹息过他的愚蠢，也曾经佩服他的智慧。他那么样做，究竟是聪明？还是愚蠢？

“谢掌柜。”

“燕十三。”

他们互相凝视，黯然叹息：“想不到我们居然还有再见的一日。”

谢掌柜的叹息声更重：“仓颉造字，鬼神夜泣，你创出了这一剑，鬼神也同样应该哭泣流泪。”

老人明白他的意思。这一剑的确已泄了天机，却失了天心。天心唯仁。这一剑既已创出，从此以后，就不知要有多少人死在这一剑之下。

老人沉默着，过了很久，才缓缓道：“这一剑并不是我创出来的！”

谢掌柜道：“不是？”

老人摇头，道：“我创出了夺命十三剑，也找出了它的第十四种变化，可是我一直都不满意，因为我知道它一定还有另一种变化。”

谢掌柜道：“你一直都在找！”

老人道：“不错，我一直在找，因为我知道只有将这种变化找出来，才能战胜谢晓峰。”

谢掌柜道：“你一直都没有找到？”

老人道：“我费尽了心血都找不到，谢晓峰却已死了。”

——神剑山庄中漆黑的布幔，漆黑的棺木。

老人黯然道：“谢晓峰一死，天下还有谁是我的对手？我又何必再去寻找？”

他长长叹息，道：“所以我不但沉剑、埋名，同时也将寻找这最后一种变化的念头，沉入了湖底，从那天之后，我连想都没有再想过。”

谢掌柜沉思着，缓缓道：“也许就因为你从此没有再想过，所以才会找到。”

这一剑本就是剑法中的“神”。

“神”是看不见，也找不到的，它要来的时候，就忽然来了。可是你本身一定得先达到“无人、无我、无忘”的境界，它才会来。这道理也正如禅宗的“顿悟”一样。

谢掌柜又道：“现在你当然也已知道三少爷并没有死。”

老人点头。

谢掌柜道："现在你是不是已有把握能击败他？"

老人凝视着手里的断剑，道："如果我能有一柄好剑。"

谢掌柜道："你是不是还想找回你的剑？"

老人道："我还能找得到？"

谢掌柜道："只要你找，就能找得到。"

老人道："到哪里去找？"

谢掌柜道："就在这里。"

船舷边的刻痕仍在。

谢掌柜道："你应该记得，这是你亲手用你自己的剑刻出来的。"

——当时的名剑已消沉，人呢？如今人已在这里。

有些人也正如百炼精钢打成的利器一样，纵然消沉，却仍存在。

老人忍不住长长叹息，道："只可惜这里已不是我当年的沉剑之处。"

谢掌柜道："刻舟求剑，本就是愚人才会做出来的事。"

老人道："不错。"

谢掌柜道："你却并不是愚人，你刻舟沉剑，本不是为了想再来寻剑。"

老人承认："我不是。"

谢掌柜道："你那样做，本就是无意的，无意中就有天机。"

他慢慢地接着道："你既然能在无意中找到你剑法中的精粹，为什么不能在无意中找回你的剑？"

老人没有再说话，因为他已看到了他的剑。漆黑的湖水中，已经有柄剑慢慢地浮了起来，已经能看见剑鞘上的十三颗明珠。

剑当然不会自己浮起来，也不会自己来寻找它昔年的主人。剑的本身并没有灵性。如果剑有灵，只不过因为握剑的人。这柄剑能够浮起来，也只不过因为是谢掌柜将它提起来的。

老人并没有吃惊。他已经看见了系在剑锷上的线，也已看见这根线的另一端就在谢掌柜的手里。世上有很多不可思议、无法解释的事发生，就因为每件事都有这么样一根线，而人们却看不见而已。

在经过许多次痛苦的经验之后，老人已渐渐明白了这道理。

谢掌柜却还是在解释："那一天你走了之后，我就已替你捞起了这柄剑，而且一直在为你保存着。"

"你为什么要这样做？"

谢掌柜道："因为我知道你和三少爷迟早还会有相见的一日。"

老人忽然叹息，道："我也知道这本来就是我们的命运。"

谢掌柜道："不管怎么样，现在你总算已找回了你的剑。"

剑已在他手里，剑鞘上的十三颗明珠，依然在发着光。

谢掌柜又问："现在你是不是已经有了击败他的把握？"

燕十三没有回答。现在他的剑已回到他手里，还是和以前同样锋利。

他凭着这柄剑，纵横天下，战无不胜，他一向无情，也无惧。何况，现在他已找到了他剑法中的精粹，必定已将天下无敌。可是他心里却反而有了种说不出的恐惧，他自己说不出，别人却能看得出。

甚至连谢掌柜都已看了出来，忍不住道："你在害怕？怕什么？"

燕十三道："夺命十三剑本来就像是我养的一条毒蛇，虽然能致人的死命，我却可以控制它，可是现在……"

谢掌柜道："现在怎么样？"

燕十三道："现在这条毒蛇，已变成了毒龙，已经有了它自己的神通变化。"

谢掌柜道："现在难道连你都已无法控制它？"

燕十三沉默着，过了很久，才缓缓道："我不知道，谁也不知道……"

就因为不知道，所以才恐惧。

谢掌柜仿佛已明白他的意思。他们同时凝视着远方，眼睛里同样带着种奇怪的表情。

又过了很久，燕十三才问道："你特地为我送剑来，是不是希望我能击败他？"

谢掌柜居然承认："是。"

燕十三道："你不是他的朋友？"

谢掌柜道："我是。"

燕十三道："你为什么希望我击败他？"

谢掌柜道："因为他从未败过。"

燕十三道："你为什么一定要他败？"

谢掌柜道："因为败过一次后，他才会知道自己并不是神，并不是绝对不能败的，他一定要受到过这么样一次教训后，才能算真正长成。"

燕十三道："你错了。"

谢掌柜道："错在哪里？"

燕十三道："这道理并没有错，只不过用在他身上就错了。"

谢掌柜道："为什么？"

燕十三道："因为他并不是别人，因为他是谢晓峰，谢晓峰只能死，不能败！"

谢掌柜道："燕十三呢？"

燕十三道："燕十三也一样。"

燕十三又回到他的轻舟，轻舟已荡开。

谢掌柜默默地站在船头，目送着轻舟远去，心里忽然也觉得有种说不出的恐惧和悲伤。

这世上永远有两种人，一种人生命的目的，并不是为了存在，而是为了燃烧。燃烧才有光亮。

哪怕只有一瞬间的光亮也好。

另外一种人却永远只有看着别人燃烧，让别人的光芒来照亮自己。哪种人才是聪明人？

他不知道。他只知道他的悲伤并不是为了他们，而是为了自己。

还没有到黄昏，夕阳已经很红了，红得就像是已燃烧了起来。

夕阳下的枫林，也仿佛已燃烧。

谢晓峰就坐在燃烧着的夕阳下，燃烧着的枫林外。他的手里没有剑，甚至连用一根木头削成的剑都没有。他还在等。

——是在等人？还是在等着被燃烧？

慕容秋荻远远地看着他，已经看了很久，现在才走过来。

她走路的样子真好看。

就算你明知道她走过来就要杀了你，你也一样会觉得很好看。

“一个女人天生下来就是为了要让别人看的。”

不管在什么时候，她都不会忘了这句话，只要她觉得有道理的话，她就永远不会忘记。

她走到他面前，看着他，忽然问：“就是今天？”

谢晓峰道：“就是今天。”

慕容秋荻道：“就是现在。”

谢晓峰道：“就是现在。”

他要等的人，现在已随时都会来。

慕容秋荻道：“那么你手里至少应该有把剑。”

谢晓峰道：“我没有剑。”

慕容秋荻道：“是不是因为你的心中有剑，所以手里根本不必有剑！”

谢晓峰道：“学剑的人，心中必当有剑。”

若是心中无剑，又怎么能学剑？谢晓峰道：“只可惜心中的剑，是绝对杀不了燕十三的。”

慕容秋荻道：“那么你为什么不去找把剑？”

谢晓峰道：“因为我知道你一定会替我送来的。”

慕容秋荻道：“你想要把什么样的剑？”

谢晓峰道：“随便。”

慕容秋荻道：“不能够随便。”

谢晓峰道：“为什么？”

慕容秋荻道：“因为剑也和人一样，也有很多种，每把剑的形式、分量、长短、宽窄，都不会绝对相同，每把剑都有它的特性。”

她叹了口气，又道：“所以一个人要选择一把剑，就好像是在选择一个朋友，绝不能马虎，更不能随便。”

谢晓峰当然也明白这道理。高手相争，连一点都不能差错，他们用的剑，往往就是决定他们胜负的因素。

慕容秋荻忽又笑了，很得意地笑了："幸好你就算不说，我也知道你心里最想要的是哪柄剑。"

谢晓峰道："你知道？"

慕容秋荻道："我不但知道，而且已经替你拿来了。"

她真的已经替他拿来了。乌黑陈旧的剑鞘，形式古雅的剑锷，甚至连剑柄上那一道道已因时常摩擦而发的光黑绸子，都是谢晓峰永远忘不了的。

对他来说，这柄剑就像是一个曾经与他同过生死患难，却又远离了他的朋友。虽然他永远难以忘怀，却从未想到他们还有相见的时候。客栈里那个年轻的伙计，轻轻地将这把剑放在一块青石上，就悄悄地走了。

谢晓峰忍不住伸出手，轻触剑鞘。他的手本来一直在抖，可是只要一握住这柄剑，就会立刻恢复稳定。他紧紧握住了这柄剑，就像是一个多情的少年，紧紧抱住了他初恋的情人。

慕容秋荻道："你用不着问我这柄剑怎么会在我手里的，你问了我也不会告诉你，因为我不想让你的心乱。"

谢晓峰没有问。

慕容秋荻道："我也知道如果我留在这里，你也会心乱，所以我就要走了。"

她轻轻一握他的手，柔声道："可是我一定会在客栈里等你，我相信你一定很快就会回来。"

她真的走了，走路的样子还是那么好看。谢晓峰看着她苗条的背影，却忍不住要在心里问自己："这是不是我最后一次看见她？"

在这一瞬间，他对她忽然有了种说不出的依恋，几乎忍不住要将她叫回来。但他没有这么样做。

因为就在这时候，他已经感觉到一股逼人的杀气！

就像是一阵寒风，从枫林里吹了出来。

他握剑的手背上，青筋已凸起。他没有回头去看，也用不着回头，就知道他等的人已经来了。

这个人当然就是燕十三！

夕阳红如血，枫林也红如血，天地间本就充满了杀气。

何况天地间又有了这么样两个人！

满山红叶中，已出现了一个黑色的人影。黑色所象征的，是悲伤、不祥和死亡，黑色也同样象征着孤独、骄傲和高贵。它们象征的意思，正是一个剑客的生命。就像是大多数剑客一样，燕十三也喜欢黑色，崇拜黑色。

他行走江湖时，从来都没有穿过别的颜色的衣服。现在他又恢复了这种装束，甚至连他的脸都用一块黑巾蒙住。他不愿让谢晓峰认出他就是药炉边那个衰弱佝偻的老人。他不愿让谢晓峰出手时有任何顾忌。

因为他平生最大的愿望，就是要和天下无双的谢晓峰决一死战。

只要这愿望能够达到，败又何妨？死又何妨？

现在他确信谢晓峰绝对看不出这身子像标枪般笔挺的黑衣剑客，就是腰弯得像虾米一样的衰弱老人。可是谢晓峰认得出他就是自己平生最强的对手燕十三！

因为他的手里握着剑，漆黑的剑鞘上，镶着十三粒晶莹的明珠。这柄剑虽然并不是削铁如泥的利器，却久已名传天下。在江湖人的心目中，这柄剑所象征的，正是不祥和死亡！

谢晓峰一转过身，目光立刻被这柄剑吸引，就像是尖针遇到了磁铁。他当然也知道这柄剑就是燕十三的标志。

他的手里也有剑。两柄剑虽然还没有出鞘，却仿佛已有剑气在冲激回荡。

燕十三忽然道："我认得你。"

谢晓峰道："你见过我？"

燕十三道："没有。"

他露在黑巾外的一双眼睛，锐利如刀："可是我认得你，你一定就是谢晓峰。"

谢晓峰道："因为你认得这柄剑？"

燕十三道："这柄剑并没有什么，它若在别人手里，也只不过是柄凡铁而已。"

他慢慢地接着道："上次我见到这柄剑时，它仿佛也已经陪着它的主人死了，现在一到了你的手里，就立刻有了杀气。"

谢晓峰终于长长叹息，道："燕十三果然不愧是燕十三，想不到我们总算见面了。"

燕十三道："你应该想得到的。"

谢晓峰道："哦？"

燕十三道："天地间既然有我们这么样两个人，就迟早必有相见的一日！"

谢晓峰道："我们相见的时候，是不是就必定会有个人死在对方的剑下？"

燕十三道："是的。"

他紧握着他的剑："燕十三能活到现在，为的就是要等这一天，若不能与天下无双的谢晓峰一战，燕十三死不瞑目。"

谢晓峰盯着他露在黑巾外的眼睛，道："那么你至少也该让我看看你的真面日。"

燕十三道："你为什么要看我的真面目，你几时让别人看过你自己的真面目？"

他冷笑，接着道："谢晓峰究竟是个什么样的人，江湖中从来就没有人知道。"

谢晓峰闭上了嘴。他不能不承认，他自己的真面目究竟是什么样子，连他自己都已淡忘了。

燕十三道："不管你是个什么样的人都不重要，因为我已知道你就是谢家的三少爷，谢晓峰。"

第四十六章

大惑不解

谢晓峰道："所以……"

燕十三道："所以你只要知道我就是燕十三，也已足够了。"

谢晓峰又盯着他看了很久，忽然笑了笑，道："其实我只要能看到你的剑，就已足够了。"

他看见过"夺命十三剑"。对这套剑法中的每一个细节和变化，他几乎都已完全了解。但是这并不足以影响他们这一战的胜负。因为这套剑法在铁开诚手里使出来，无论气势、力量和适度，都一定不会用完全。所以他希望能看到燕十三手里使出来的夺命十三剑。

可是他也知道，真正最重要的一剑，是永远看不到的。

最重要的一剑，必定就是决生死、分胜负的一剑，也就是致命的一剑。如果夺命十三剑已经有了第十五种变化，第十五剑就是这致命的一剑。

他当然看不到。

因为这一剑使出时，他已经死了！只要有这一剑，他就必死无疑。所以他这一生中最希望能看到的一剑，竟是他这一生中永远看不到的。

——难道这就是他的命运？

造化弄人，为什么总是如此无情？

他不愿再想下去，忽然又道："现在我们手里都有剑，随时都可以出手。"

燕十三道："不错。"

谢晓峰道："可是你一定不会轻易出手的。"

燕十三道："哦？"

谢晓峰道："因为你一定要等，等我的疏忽，等你的机会。"

燕十三道："你是不是也一样会等？"

谢晓峰道："是的。"

他叹了口气，又道："只可惜这种机会绝不是很快就能等得到的。"

燕十三承认。

谢晓峰道："所以我们一定会等很久，说不定要等到大家都已精疲力竭时，才会有这种机会出现，我相信我们一定都很沉得住气。"

他又叹了口气，道："可是我们为什么要像两个呆子一样站在这里等呢？"

燕十三道："你想怎么样？"

谢晓峰道："我们至少可以到处看看，到处去走走。"

他的眼睛里闪出了笑意："天气这么好，风景这么美，我们在临死之前，至少也该先享受一下人生。"

于是他们开始走动，两个人的第一步，几乎是同时开始的。他们谁也不愿占对方的便宜。因为他们这一战，争的并不是生死胜负，而是要对自己这一生有个交代。所以他们不愿欺骗对方，更不愿欺骗自己。

枫叶更红，夕阳更艳丽。

在黑暗笼罩大地之前，苍天总是会降给人间更多光彩，就正如一个人在临死之前，总会显得更有善心，更有智慧。

这就是人生。如果你真的已经能了解人生，你的悲伤就会少些，快乐就会多些。

枫林中已有落叶，他们踏着落叶，慢慢地往前走，脚步声"沙沙"地响，他们的脚步愈走愈大，脚步声却愈来愈轻，因为他们的精神和体能，都能渐渐到达巅峰。

等到他们真正到达巅峰时的一刹那，他们就会出手。

谁先到达巅峰，谁就会先出手。

他们都不想再等机会，因为他们都知道谁也不会给对方机会。

他们几乎是同时出手的。

没有人能看得见他们拔剑的动作，他们的剑忽然间就已经闪电般击出。

就在这一瞬间，他们肉体的重量竟似已完全消失，变得像是风一样可以在空中自由流动。

因为他们已完全进入了忘我的境界，他们的精神已超越一切，控制一切。

剑光流动，枫叶碎了，如血雨般落下来。

可是他们看不见。在他们心目中，世上所有的一切，都已不存在，甚至连他们的肉体已不存在。

天地间唯一存在的，只有对方的剑。

坚实的枫树，被他们的剑锋轻轻一划，就断成了两截。

因为他们眼中根本就没有这棵树。

茂密的枫林，在他们眼中只不过是片平地，他们的剑要到哪里，就到哪里。

世上已没有任何事物能阻挡他们的剑锋。

枫树一棵棵倒下，满天血雨缤纷。流动不息的剑光，却忽然起了种奇异的变化，变得沉重而笨拙。

“叮”的一声，火星四溅。

剑光忽然消失，剑式忽然停顿。燕十三盯着自己手里的剑锋，眼睛仿佛有火焰在燃烧，又仿佛有寒冰在凝结。他的剑虽然仍在手里，可是所有的变化都已到了穷尽。他已使出了他的第十四剑。

现在他的剑已经死了。谢晓峰的剑尖，正对着他的剑尖。

他的剑若是条毒蛇，谢晓峰的剑就是根钉子，已钉在这条毒蛇的七寸上，将这条毒蛇活活地钉死。这一战本来已该结束。

可是就在这时候，本来已经被钉死了的剑，忽然又起了种奇异的震动。

满天飞舞的落叶，忽然全都散了，本来在动的，忽然全都静止。

绝对静止。

除了这柄不停震动的剑之外，天地间已没有别的生机。

谢晓峰脸上忽然露出种恐惧之极的表情。

他忽然发现自己的剑虽然还在手里，却已经变成了死的。

当对方手里这柄剑开始有了生命时，他的剑就已死了，已无法再有任何变化，因为所有的变化都已在对方这一剑的控制中。

所有的生命和力量，都已被这一剑夺去。

现在这一剑已随时都可以刺穿他的胸膛和咽喉，世上绝没有任何力量能阻止。

因为这一剑就是“死”。

当“死亡”来临的时候，世上又有什么力量能拦阻？

可是这一剑并没有刺出来。

燕十三的眼睛里，忽然也露出种恐惧之极的表情，甚至远比谢晓峰更恐惧。

然后他就做出件任何人都想不到、任何人都无法想象的事。他忽然回转了剑锋，割断了他自己的咽喉。

他没有杀谢晓峰，却杀死了自己！

可是在剑锋割断他咽喉的那一瞬间，他的眼睛里已不再有恐惧。在那一瞬间，他的眼神忽然变得清澈而空明。

充满了幸福和平静。

然后他就倒了下去。

直到他倒下去，直到他的心跳已停止，呼吸已停顿，他手里的剑还是震动不停。

夕阳消逝，落叶散尽。谢晓峰还没有走。

他甚至连动都没有动。他不懂，他不明白，他想不通，他不能相信一个人，怎能会在胜利的巅峰杀死自己？

但是他非相信不可。这个人的确已死了，这个人的心跳呼吸都已停止，手足也已冰冷。死的本来应该是谢晓峰，不是他。

可是他在临死前的那一瞬间，心里却绝对没有恐惧怨恨，只有幸福平静。他并没有疯。在那一瞬间，他已经天下无敌，当然也没有人能强迫他。

那么他为什么要做这种事？

他为什么？

为什么？

为什么？……

夜已经很深了，很深很深。

谢晓峰还是动也不动地站在那里。

他还是不懂，还是不明白，还是想不通，还是不明白。这个人在倒下去的时候，脸上的黑巾已经翻了起来。

谢晓峰已经看见了他的脸。这个人就是燕十三，就是药炉边那个衰老的人，就是救过他一命的人。

这个人救他的命，只因为他是谢晓峰。

——若不能与谢晓峰一战，燕十三死不瞑目。

谢晓峰并没有忘记简传学的死，也没有忘记简传学说的话。

——那个人一定会救你，但却一定会死在你的剑下。

长夜漫漫。漫漫的长夜总算已过去，东方第一道阳光从枫林残缺的枝叶间隙照进来，恰好照在谢晓峰脸上，就像是一柄金剑。

风吹枝叶，阳光跳动不停，又仿佛是那一剑神奇的震动。

谢晓峰疲倦失神的眼睛里忽然有了光，忽然长长吐出口气，喃喃道："我明白了，我明白了……"

他身后也有人长长叹了口气，道："我却还是不明白。"

谢晓峰霍然回头，才发现有个人跪在他后面，低垂着头，发髻衣衫都已被露水打湿，显然已跪了很久。

他心力交瘁。竟没有发觉这个人是什么时候来的。

这人慢慢地抬起头，看着他，眼睛里满布红丝，显得说不出的疲倦和悲伤。

谢晓峰忽然用力握住了他的肩，道："是你？你也来了！"

这人道："是我，我早就来了，可是我一直都不明白！"

他转向燕十三的尸身，黯然道："你应该知道我一直都希望也能再见他一面。"

谢晓峰道："我知道，我当然知道！"

他从未忘记铁开诚说的话。

——他没有朋友，没有亲人，他虽然对我很好，传授我剑法，却从来不让我亲近他，也从来不让我知道他从哪里来，要往哪里去。

——因为他生怕自己会跟一个人有了感情。

——因为一个人如果要成为剑客，就要无情。

只有谢晓峰知道他们之间那种微妙的感情，因为他知道燕十三并不是真的无情。

他长长叹息，又道：“他一定也很想再见你，因为你虽然不是他的子弟，却是他剑法唯一的传人，他一定希望你能看到他最后那一剑。”

铁开诚道：“那一剑就是他剑法中的精粹？”

谢晓峰道：“不错，那就是‘夺命十三剑’中的第十五种变化，普天之下，绝没有任何人能招架闪避。”

铁开诚道：“你也不能？”

谢晓峰道：“我也不能。”

铁开诚道：“可是他并没有用那一剑杀了你。”

谢晓峰道：“那一剑若是真的击出，我已必死无疑，只可惜到了最后 瞬间，他那 剑竟无法刺出来！”

铁开诚道：“为什么？”

谢晓峰道：“因为他心里没有杀机！”

铁开诚又问道：“为什么？”

谢晓峰道：“因为他救过我的命！”

他知道铁开诚不懂，又接着道：“如果你救过一个人的命，就很难再下手杀他，因为你跟这个人已经有了感情。”

那无疑是种很难解释的感情，只有人类，才会有这种感情。就因为人类有这种感情，所以人才是人。

铁开诚道：“就算他不忍下手杀你，也不必死的！”

谢晓峰道：“本来我也想不通他为什么要死！”

铁开诚道：“现在你已想通了？”

谢晓峰慢慢地点了点头，黯然道：“现在我才明白，他实在非死不可。”

铁开诚更不懂。

谢晓峰道：“因为在那一瞬间，他心里虽然不想杀我，不忍杀我，却已无法控制他手里的剑，因为那一剑的力量，本就不是任何人能控制的，只要一发出来，就一定要有人死在剑下。”

每个人都难免会遇见一些连自己都无法控制，也无法了解的事。这世上本就有一种人力无法控制的神秘力量存在。

铁开诚道：“我还是不明白他为什么一定要毁了自己。”

谢晓峰道：“他想毁的，并不是他自己，而是那一剑。”

铁开诚道：“那一剑既然是登峰造极，天下无双的剑法，他为什么要毁了它？”

谢晓峰道：“因为他忽然发现，那一剑所带来的只有毁灭和死亡，他绝不能让这样的剑法留传世上，他不愿做武学中的罪人。”

他的神情严肃而悲伤：“可是这一剑的变化和力量，已经绝对不是他自己所能控制的了，就好像一个人忽然发现自己养的蛇，竟是条毒龙！虽然附在他身上，却完全不听他指挥，他甚至连甩都甩不脱，只有等着这条毒龙把他的骨血吸尽为止。”

铁开诚的眼睛里也露出恐惧之色，道：“所以他只有自己先毁了自己。”

谢晓峰黯然道：“因为他的生命骨肉，都已经和这条毒龙融为一体，因为这条毒龙本来就是他这个人的精粹，所以他要消灭这条毒龙，就一定要先把自己毁灭。”

这是个悲惨和可怕的故事，充满了邪异而神秘的恐惧，也充满了至深至奥的哲理。

这故事听来虽然荒谬，却是绝对真实的，绝没有任何人能否定它的存在。

现在这一代剑客的生命，已经被他自己毁灭了，他所创出的那一招天下无双的剑法，也已同时消失。

谢晓峰看着他的尸身，徐徐道：“可是在那一瞬间，他的确已到达剑法中前无古人，后无来者的巅峰，他已死而无憾了。”

铁开诚凝视着他，道：“你是不是宁愿死的是你自己？”

谢晓峰道：“是的！”

他目中带着种无法描述的落寞和悲伤："我宁愿死的是我自己。"

这就是人生。

人生中本就充满了矛盾，得失之间，更难分得清。

铁开诚脱下了自己被露水打湿的长衫，蒙住了燕十三的尸身，心里在问："如果死人也有知觉，他现在是不是宁愿自己还活着，死的是谢晓峰？"

他不能答复。他轻轻扳开燕十三握剑的手，将这柄剑收回到那个镶着十三粒明珠的剑鞘里。

名剑纵然已消沉，可是如今剑仍在。人呢？

旭日东升，阳光满天。谢晓峰沿着阳光照耀下的黄泥小径，走回了那无名的客栈。昨天他沿着这条小径走出去的时候，并没有想到自己还能回来。

铁开诚在后面跟着他走，脚步也跟他同样沉重缓慢。

看看他的背影，铁开诚又不禁在心里问自己！

——现在他还是谢晓峰，天下无双的谢晓峰，为什么他看起来却好像变了很多？

客栈的女主人却没有变。

她那双大而无神的眼睛里，还是带着种说不出的迷茫和疲倦。

她还是痴痴地坐在柜后，痴痴地看着外面的道路，仿佛还是在期待着会有个骑白马的王子，来带她脱离这种呆板乏味的生活。

她没有看见骑白马的王子，却看见了谢晓峰，那双大而无神的眼睛里，忽然露出种暧昧的笑意，道："你回来了？"

她好像想不到谢晓峰还会回来，可是他既然回来了，她也并没有觉得意外。世上有很多人都是这样的，早已习惯了命运为他们安排的一切。谢晓峰对她笑了笑，好像也已经忘了前天晚上她对他做的那些事。

青青道："后面还有人在等你，已经等了很久！"

谢晓峰道："我知道！"

慕容秋荻本来就应该还在等他，还有他们的那个孩子。

"他们人在哪里？"

青青懒洋洋地站起来，道：“我带你去。”

她身上还是穿着那套又薄又软的衣裳。她在前面走的时候，腰下面每个部分谢晓峰都可以看得很清楚。

走出前厅，走进后面的院子，她忽然转过身，上上下下地打量铁开诚。铁开诚很想假装没有注意到她，可是装得一点都不好。

青青道：“这里没有人等你。”

铁开诚道：“我知道！”

青青道：“我也没有叫你跟着来！”

铁开诚道：“你没有。”

青青道：“那么你为什么不到前面去等？”

铁开诚很快就走了，好像不敢再面对她那双大而无神的眼神。

青青眼睛里却又露出那种暧昧的笑意，看着谢晓峰道：“前天晚上，我本来准备去找你的。”

谢晓峰道：“哦？”

青青轻抚着自己腰肢以下的部分，道：“我连脚都洗过了。”

她洗的当然不仅是她的脚，她的手已经把这一点说得很明显。

谢晓峰故意问：“你为什么没有去？”

青青道：“因为我知道那个女人给我的钱，一定比你给我的多，我看得出你绝不是个肯在女人身上花钱的男人。”

她的手更明显是在挑逗：“可是只要你喜欢，今天晚上我还是可以……”

谢晓峰道：“我若不喜欢呢？”

青青道：“那么我就去找你那个朋友，我看得出他一定会喜欢的！”

谢晓峰笑了，苦笑。

这个女人至少还有一点好处，她从来都不掩饰自己心里想做的事。她也从来不肯放过一点机会，因为她要活下去，要日子过得好些。如果只从这方面来看，有很多人都比不上她，甚至连他自己都比不上。

青青又在问：“你要不要我去找他？”

谢晓峰道：“你应该去！”

他说的是真心话，每个人都应该有找寻较好的生活的权利。

也许她用的方法错了，那也只不过因为她从来没有机会选择比较正确的法子。

根本就没有人给过她这种机会。

“等你的人，就在那间屋子里。”

那间屋子，就是谢晓峰前天晚上住的屋子。

青青已经走了，走出了很远，忽然又回头，盯着谢晓峰，道：“你会不会觉得我是个很不要脸的女人？”

谢晓峰道：“我不会。”

青青笑了，真的笑了，笑得就像婴儿般纯真无邪。

谢晓峰却已笑不出。他知道世上还有许许多多像她这样的女人，虽然生活在火坑里，却还是可以笑得像个婴儿。因为她们从来都没有机会知道自己做的事有多么可悲。他只恨世人为什么不给她们一些比较好的机会前，就已经治了她们的罪。

黑暗而潮湿的屋子，现在居然也有阳光照了进来。

无论多黑暗的地方，迟早总会有阳光照进来的。

一个枯老憔悴的男人，正面对着阳光，盘膝坐在那张一动就会吱吱作响的木板床上。阳光很刺眼，他那双灰白的眼珠子却连动都没动。

第四十七章

淡泊名利

他是个瞎子。

一个女人，背对着门，躺在床上，仿佛已睡着了，睡得很沉。

慕容秋荻并不在这屋子里，小弟也不在。

这个可怜的瞎子和这个贪睡的女人，难道就是在这里等谢晓峰的？

可是他从来都没有见过他们。

他已经走进来，正想退出去，瞎子却唤住了他。

就像是大多数瞎子一样，这个瞎子的眼睛虽然看不见，耳朵却很灵。

他忽然问："来的是不是谢家的三少爷？"

谢晓峰很惊讶，他想不到这瞎子怎么会知道来的是他。

瞎子憔悴枯槁的脸上，又露出种奇异之极的表情，又问了句奇怪的话。

"三少爷难道不认得我了？"

谢晓峰道："我怎么会认得你？"

瞎子道："你若仔细看看，一定会认得的。"

谢晓峰忍不住停下来，很仔细看了他很久，忽然觉得有股寒意从脚底升起。

他的确认得这个人。

这个可怜的瞎子，赫然竟是竹叶青，那个眼睛比毒蛇还锐利的竹叶青！

竹叶青笑了："我知道你一定会认得我的，你也应该想得到我的眼睛怎么会瞎。"

他的笑容也令人看来从心里发冷："可是她总算大慈大悲，居然还留下了我这条命，居然还替我娶了个老婆。"

谢晓峰当然知道他说的"她"是什么人，却猜不透慕容秋荻为什么没有杀了他，更猜不透她为什么还要替他娶个老婆。

竹叶青忽又叹了口气，道："不管怎么样，她替我娶的这个老婆，倒真是个好老婆，就算我再割下一双耳朵来换，我也愿意。"

他本来充满怨毒的声音，居然真的变得很温柔，伸出一只手，摇醒了那个困睡的女人，道："有客人来了，你总该替客人倒碗茶。"

女人顺从地坐起来，低着头下床，用破旧的茶碗，倒了碗冷茶送过来。

谢晓峰刚接过这碗茶，手里的茶杯就几乎掉了下去。

他的手忽然发冷，全身都在发冷，比认出竹叶青时更冷。

他终于看见了这个女人的脸。竹叶青这个顺从的妻子，赫然竟是娃娃，那个被他害惨了的娃娃。

谢晓峰没有叫出来，只因为娃娃在求他，用一双几乎要哭出来的眼睛在求他，求他什么都不要问，什么都不要说。他不明白她为什么要这样做？为什么甘心做她仇人的妻子？

可是他终于还是闭上了嘴，他从来不忍拒绝这个可怜女孩的要求。

竹叶青忽然又问道："我的老婆是不是很好？是不是很漂亮？"

谢晓峰勉强控制自己的声音，道："是的。"

竹叶青又笑得连那张枯槁憔悴的脸上都发出了光，柔声道："我虽然看不见她的脸，可是我也知道她一定很漂亮，这么样一个好心的女人，绝不会长得丑的。"

他不知道她就是娃娃。

如果他知道他这个温柔的妻子，就是被他害惨了的女人，他会怎么办？谢晓峰不愿再想下去，大声的问："你是不是在等我？是不是'夫人'要你等我的？"

竹叶青点点头，声音又变得冰冷："她要我告诉你，她已经走了，不管你是胜是负，是死是活，她以后都不想再见你。"

这当然绝不是她真正的意思。

她要他留下来，只不过要谢晓峰看看他已变成了个什么样的人，娶了个什么样的妻子。

竹叶青忽然又道："她本来要小弟也留下来的！但是小弟也走了，他说他要到泰山去。"

谢晓峰忍不住问："去做什么？"

竹叶青的回答简单而锐利："去做他自己喜欢做的事。"

他的声音又变得充满讥诮："因为他既没有显赫的家世，也没有父母兄弟，就只有自己去碰一碰运气，闯自己的天下。"

谢晓峰没有再说什么。该说的话，好像都已说尽了，他悄悄地站起来，悄悄地走了出去。

他相信娃娃一定会跟着他出来的，她有很多事需要解释。

这就是娃娃的解释——

"慕容秋荻逼我嫁给他的时候，我本来决心要死的。

"我答应嫁给他，只因为我要找机会杀了他，替我们一家人报仇。

"可是后来我却没法子下手了。

"因为他已经不是以前那个害了我们一家人的竹叶青，只不过是个可怜而无用的瞎子，不但眼睛瞎了，两条腿上的筋也被挑断。

"有一次我本来已经下了狠心要杀他，可是等我要下手的时候，他却忽然从睡梦中哭醒，痛哭着告诉我，他以前做过多少坏事。

"从那一次之后，我就没法子再恨他。

"虽然我时时刻刻在提醒我自己，千万不要忘记我对他的仇恨，可是我心里对他已经没有仇恨，只有怜悯和同情。

"他常常流着泪求我不要离开他，如果没有我，他一天都活不下去。

"他不知道现在我也一样离不开他了。

"因为只有在他身旁，我才会觉得自己是个真正的女人。

"他既不知道我的过去，也不会看不起我，更不会抛弃我，趁我睡着的时候偷偷溜走。

"只有在他身边，我才会觉得安全幸福，因为我知道他需要我。

"对一个女人来说，能知道有个男人真正需要她，就是她最大的幸福了。

“也许你永远无法明白这种感觉，可是不管你说什么，我都不会离开他。”

谢晓峰能说什么！他只说了三个字，除了这三个字外他实在想不出还能说什么。

他说：“恭喜你。”

冷月。新坟。“燕十三之墓”。

用花岗石做成的墓碑上，只有这简简单单的五个字，因为无论用多少字，都无法刻画出他充满悲伤和传奇的一生。这位绝代的剑客，已长埋于此。他曾经到达过从来没有别人到达过的剑术巅峰，现在却还是和别人一样埋入了黄土。

秋风瑟瑟。谢晓峰的心情也同样萧瑟。铁开诚一直在看着他，忽然问道：“他是不是真的能死而无憾？”

谢晓峰道：“是的。”

铁开诚道：“你真的相信他杀死的那条毒龙，不会在你身上复活？”

谢晓峰道：“绝不会。”

铁开诚道：“可是你已经知道他剑法中所有的变化，也已经看到了他最后那一剑。”

谢晓峰道：“如果说这世上还有人能同样使出那一剑来，那个人当然是我。”

铁开诚道：“一定是你。”

谢晓峰道：“但是我已经终生不能再使剑了。”

铁开诚道：“为什么？”

谢晓峰没有回答，却从袖中伸出了一双手。他的两只手上，拇指都已被削断。

没有拇指，绝不能握剑。对一个像谢晓峰这样的人来说，不能握剑，还不如死。

铁开诚的脸色变了。谢晓峰却在微笑，道：“以前我绝不会这么做的，宁死也不会做。”

他笑得并不勉强：“可是我现在想通了，一个人只要能求得心里的平静，无论牺牲什么，都是值得的。”铁开诚沉默了很久，仿佛还在咀嚼他这几句话里的滋味。

然而他又忍不住问：“难道牺牲自己的性命也是值得的？”

谢晓峰道：“我不知道。”

他的声音平和安详：“我只知道一个人心里若不平静，活着远比死更痛苦得多。”

他当然有资格这么样说，因为他确实有过一段痛苦的经验，也不知接受过多少次惨痛的经验后，才挣开了心灵的枷锁，得到解脱。

看到他脸上的平静之色，铁开诚终于也长长吐出口气，展颜道：“现在你准备到哪里去？”

谢晓峰道：“我也不知道，也许我已经应该回家去看看，可是在没有回去之前，也许我还会到处去看看，到处去走走。”

他又笑了笑：“现在我已经不是那个天下无双的剑客谢三少爷了，我只不过是个平平凡凡的人，已不必再像他以前那么样折磨自己。”

一个人究竟是个什么样的人？究竟要做个什么样的人？通常都是由他自己决定的。

他又问铁开诚：“你呢？你想到哪里去？”

铁开诚沉吟着，缓缓道：“我也不知道，也许我应该回家去看看，可是在没有回去之前，也许我还会到处去看看，到处去走走！”

谢晓峰微笑，道：“那就好极了。”

这时清澈的阳光，正照着他们面前的锦绣大地。

这是个单纯而简朴的小镇，却是到泰山去的必经之路。他们虽然说是随便看看，随便走走，却还是走上了这条路。有时候人与人之间的关系，就像是你放出去的风筝一样，不管风筝已飞得多高，飞得多远，却还是有根线在连系着。

只不过这条线也像是系在河水中那柄剑上的线一样，别人通常都看不见而已。

这小镇上当然也有个不能算太大，也不能算太小的客栈。这客栈里当然也卖酒。

铁开诚道：“你有没有见过不卖酒的客栈？”

谢晓峰道：“没有。”

他微笑：“客栈里不卖酒，就好像炒菜时不放盐一样，不但是跟别人过不去，也是跟自己过不去。”

奇怪的是，这客栈里不但卖酒，好像还卖药。

随风吹来的一阵阵药香，比酒香还浓。

铁开诚道：“你见过卖药的客栈没有？”

谢晓峰还没有开口，掌柜的已抢着道：“小客栈里也不卖药，只不过前两天有位客人在这里病倒了，他的朋友正在为他煎药。”

铁开诚道：“他得的是急病？”

掌柜的叹了口气，道：“那可真是急病，好好的一个人，一下子就病得快死了。”

他忽然发觉自己说错了话，赶紧又赔笑解释：“可是他那种病绝不会过给别人的，两位客官只管在这里放心住下去。”

但是一下子就能让人病得快要死的急病，通常都是会传染给别人的。

久经风尘的江湖人，大多都有这种常识。铁开诚皱了皱眉，站起来踱到后面的窗口，就看见小院里屋檐下，有个年轻人正在用扇子扇着药炉。替朋友煮药的时候，身上通常都不会带着兵刃，这个人却佩着剑，而且还用另一只手紧握剑柄，好像随时都在防御着别人暗算突袭。铁开诚看了半天，忽然唤道：“小赵。”

这个人一下子就跳起来，剑已离鞘，等到看清楚是铁开诚时，才松了口气，赔笑道：“原来是总镖头。”

铁开诚故意装作没有看见他紧张的样子，微笑道：“我就在外面喝酒，等你的药煎好，也来跟我们喝两杯如何？”

小赵叫赵清，本来是红旗镖局的一个趟子手，可是从小就很上进，前些年居然投入了华山门下。那虽然是因为他自己的努力，也有一半是因为铁开诚全力在培植他。

铁开诚对他的邀请，他当然不会拒绝的。他很快就来了。

两杯酒过后，铁开诚就问："你那个生病的朋友是谁？"

赵清道："是我的一位师兄。"

铁开诚道："他得的是什么病？"

赵清道："是……是急病。"

他本来是个很爽快的年轻人，现在说话却变得吞吞吐吐，仿佛有什么不愿让别人知道的秘密。

铁开诚微笑着，看着他，虽然没有揭穿他，却比揭穿了更让他难受。他的脸开始有点红了，他从来没有在总镖头面前说谎的习惯，他想老实说出来，怎奈总镖头旁边又有个陌生人。铁开诚微笑道："谢先生是我的朋友，我的朋友绝不会出卖朋友的。"

赵清终于叹了口气，苦笑道："我那师兄的病，是被一把剑刺出来的。"

被一把剑刺出来的病，当然是急病，而且一定病得又快又重。

铁开诚道："病的是你哪一位师兄？"

赵清道："是我的梅大师兄。"

铁开诚动容道："就是那位'神剑无影'梅长华？"

他的确吃了一惊。梅长华不但是华山的长门弟子，也是江湖中成名的剑客。

以他的剑术，怎么会"病"在别人的剑下？

铁开诚又问道："是谁让他病倒的？"

赵清道："是点苍派一个新入门的弟子，年纪很轻。"

铁开诚更吃惊。华山剑杀的威名，远在点苍之上，点苍门下一个新入门的弟子，怎么能击败华山的首徒？

赵清道："我们本来是到华山去赴会的，在这里遇见他，他忽然跟我大师兄冲突起来，要跟我大师兄单打独斗，决一胜负。"

他叹息着，接着道："那时候我们都以为他疯了，都认为他是在找死，想不到……谁也想不到大师兄居然会败在他的剑下。"

铁开诚道："他们是在几招之内分出胜负的？"

赵清脸色更尴尬，迟疑了很久，才轻轻地道："好像不满十招。"

一个初入门的点苍弟子，居然能在十招内击败梅长华。

这不但令人无法思议，也是件很丢人的事，难怪赵清吞吞吐吐，不想说出来。

何况梅长华一向骄傲自负，在江湖中难免有不少仇家，当然还要防备着别人来乘机寻仇。

赵清又道："可是他的剑法，并不完全是点苍的剑法，尤其是最后那一剑，不但辛辣奇诡，而且火候老到，看来至少也有十年以上苦练的功夫。"

铁开诚道："你想他会不会是带艺投师的？"

赵清道："一定是。"

谢晓峰忽然问道："他是个什么样的人？"

赵清道："他年纪很轻，做事却很老练，虽然很少说话，说出来的话却都很有分量。"

他想了想，又道："看样子他本不是那种一言不合，就会跟别人决斗的人，这次一定是为了想要在江湖中立威求名，所以才出手的。"

谢晓峰道："他叫什么名字？"

赵清道："他也姓谢，谢小荻。"

谢小荻。这三个字忽然之间就已名满江湖。

就在短短五天之内，他刺伤了梅长华，击败了秦独秀，甚至连武当后辈弟子中第一高手欧阳云鹤，也败在他的剑下。这个年轻人的崛起，简直就像是奇迹一样。

夜。桌上有灯有酒。

铁开诚把酒沉吟，忽然笑道："我猜现在你一定已经知道谢小荻是谁了。"

谢晓峰并没有直接回答他的话，却叹息着道："我只知道他一定急着想成名，因为只有成名之后，他才能驱散压在他心上的阴影。"

——什么是他的阴影？

——是他那太有名的父母？

还是那段被压制已久的痛苦回忆？

铁开诚道："他故意找那些名家子弟的麻烦，我本来以为他是想争夺泰山之会的盟主。"

"可是他并没有那么做。"

"因为他知道他的声望还不够，所以他还是将厉真真拥上了盟主的宝座。"

"那已是前两天的事。今天的消息是——他已经娶了新任的盟主厉真真做老婆。"

铁开诚微笑道："现在我才知道，他远比我们想象中聪明得多。"

厉真真当然也是个聪明人，当然也看得出他们的结合对彼此都有好处。

铁开诚道："我一直在想，不知道慕容夫人听到他的消息时，会有什么感觉？"

谢晓峰也不知道。

他甚至连自己心里是什么感觉都分不出。

铁开诚忽又笑道："其实我们也不必为他们担心，江湖中每一代都会有他们这种人出现的，他们在挣扎着往上爬的时候，也许会不择手段，可是等他们成名时，就一定会好好去做。"

因为他们都很聪明，绝不会轻易将辛苦得来的名声葬送。也许就因为江湖中永远有他们这种人存在，所以才能保持平衡。因为他们彼此间一定还会互相牵制，那种关系就好像世上不但要有虎豹狮狐，也要有老鼠蚊蚋，才能维持自然的均衡。

谢晓峰忽然叹了口气，道："一个既没有显赫的家世，也没有父母可依靠的年轻人，要成名的确很不容易。"

铁开诚道："但是年轻人却应该有这样的志气，如果他是在往上爬，没有人能说他走错了路。"

谢晓峰道："是的。"

就在他这么说的时候，忽然有群年轻人闯进来，大声喝问："你就是谢晓峰？"

谢晓峰点头。

有个年轻人立刻拔出剑，用剑尖指着他："拔出你的剑来，跟我一分胜负。"

谢晓峰道："我虽然是谢晓峰，却已经不能再用剑了。"

他让这年轻人看他的手。

年轻人并没有被感动，他们想成名的心太切了。

不管怎么样，谢晓峰毕竟就是谢晓峰，谁杀了谢晓峰谁就成名。

他们忽然同时拔出剑，向谢晓峰刺了过去。

谢晓峰虽然不能再握剑，可是他还有手。他的手轻斩他们的脉门，就像是一阵急风吹过。

他们的剑立刻脱手。

谢晓峰拾起剑柄，用食中两指轻轻一拗，就拗成了两段。

然后他只说了一个字！

"走。"

他们立刻就走了，走得比来的时候还快。铁开诚笑了。

他们都是年轻人，热情如火，鲁莽冲动，做事完全不顾后果。可是江湖中永远都不能缺少这种年轻人，就好像大海里永远不能没有鱼一样。

就是这群年轻人，才能使江湖中永远都保持着新鲜的刺激，生动的色彩。

铁开诚道："你不怪他们？"

谢晓峰道："我当然不怪他们。"

铁开诚道："是不是因为你知道等他们长大了之后，就一定不会再做出这种事？"

谢晓峰道："是的。"

他想了想，又道："除此之外，当然还有别的原因。"

铁开诚道："什么原因？"

谢晓峰道："因为我也是个江湖人。"

生活在江湖中的人，虽然像是风中的落叶、水中的浮萍。他们虽然没有根，可是他们有血性，有义气。他们虽然经常活在苦难中，可是他们既不怨天，也不尤人。因为他们同样也有多姿多彩、丰富美好的生活。

谢晓峰道：“有句话你千万不可忘记。”

铁开诚道：“什么话？”

谢晓峰道：“只要你一旦做了江湖人，就永远是江湖人。”

铁开诚道：“我也有句话。”

谢晓峰道：“什么话？”

铁开诚道：“只要你一旦做了谢晓峰，就永远是谢晓峰。”

他微笑，慢慢地接着道：“就算你已不再握剑，也还是谢晓峰。”

《三少爷的剑》完